객주

객주

客主 제1부 外場

김주영 장편소설

2

문이당

차 례 / 객주 제1부 외장(外場)

제2권

차 례 / 객주 제1부 외장(外場)

제1권

제3권

초로(草露)

1

「호남 땅에 한 원님이 있었습니다그려. 그 작자는 정령(政令)이 엄급(嚴急)하고 백성을 다룸에 형벌이 가혹하여, 백성들은 항상 벌벌 떨며 조석으로 가슴을 졸이며 하루하루가 살얼음을 밟는 형국이었습니다요. 하루는 심지 깊은 한 아전이 이속(吏屬)들을 전부 모이게 한 다음 공론하기를, '우리 원님이 정사는 들쭉날쭉 대중이 없으나 형벌만은 잔혹하기 이를 데가 없으니 하루의 치정(治政)이 곧 하루의 폐단이 되고 있소. 만약 이대로 몇 년이 지나고 보면 비단 수하인 우리들만 결딴날 뿐만이 아니라, 고을의 궁핍한 백성들 거개가 유리 분산되고 서로 쥐어뜯고 다투기를 마다하지 않겠으니, 이래 가지고서야 어찌 우리 고을이 번성하고 백성이 태평하기를 바랄 수가 있겠소. 지금 곧 안전님을 추방할 계책을 세우지 않는다면 고을의 백성이 살아남지 못할 것이오'라고 허두를 떼긴 하였으되, 좌중에 앉아 있던 이속들이 서로의 눈치만을 살피고 의중을 떠보려고 했을 뿐이었구려. 잘못했다간 도륙이 날 지경인데 설사 마음에 있었다 한들 감히 반감을 품을 수 있었겠습니까요. 그러나 닭 열 마리에 한 마리 봉이 있더라고 한 결기 있는 이속이 참다못해 한 꾀를 내놓았구려. '앞으로 이러하고 뒤는 이렇게 해보면 어떻겠습니까'라고 발설하니, 그 꾀가 아주 용하다며 좌중이 박장대소를 하고 헤어졌습니다. 어느 날, 원님이 아침 일찍 일어나 조사(朝仕)*를 끝내고 마침 별 공사도 없고 하여 혼자 조용히 앉아서 책을 뒤지고 있었겠다오. 그때 나이 어린 통인* 녀석 하나가 동헌 방으로 득달같이 뛰어들었습니다. 그 통인놈은 원님이 어인 거조냐고 묻기도 전에 소매를 모양 있게 걷어붙이더니 뜻밖에도 원님의 뺨을 사정 두지 않고 갈겨 댔습니다요. 통인놈이 원님의 뺨을 치다니, 그게 죽으려고 환장한 놈이 아니고선 할 짓이 못 된다는 걸 원님인들 몰랐겠수. 갓 쓰고 박치기를 해도 제멋이란 말이 있긴 하지만 욕받이로 지내는 통인놈이 한 짓이라 원님도 처음엔 얼떨떨했습니다그려. 그러나 원님도 곧 정신을 차려서 곧장 벨 기세로 동헌 뜰에 서 있는 늙은 관속을 불러서 저놈 잡으라고 호령하지 않았겠수. 그러나 일은 점입가경이었소. 동헌 뜰에 모여 있던 관속배들과 통인놈들은 서로 낯짝들만 멀뚱거리며 바라보고 있을 뿐, 어느 놈 하나 원님의 분부를 거행하려는 놈이 없었습니다그려. 괴이쩍었던 원님이 다시 급창(及唱)*과 사령(使令)들을 불러 득달같이 분부 거행하라고 소리소리 질렀겠다오. 그러나 그놈들 역시 입을 가리거나 고개를 돌려 히죽히죽 웃으면서 하는 말이, '우리 안전님께서 오늘 아침에 실성을 한 것이 틀림이 없네. 통인 녀석

---

*조사 : 예전에, 벼슬아치가 아침마다 으뜸 벼슬아치를 만나 봄.
*통인 : 조선 시대, 경기·영동 지역에서 수령의 잔심부름을 하던 구실아치.
*급창 : 조선 시대, 군아에 속하여 원의 명령을 간접으로 받아 큰 소리로 전달하는 일을 맡아보던 사내종.

이 멀쩡한 채로 안전님의 뺨을 칠 수가 있겠는가. 차라리 호랑이에게 고기를 달라는 게 옳았지' 하고 저희들끼리 수군거리고 히죽거리고 웃기만 할 뿐이었지요. 성미가 조급한 원님은 분기가 상투 끝까지 북받쳐 올라 창문을 박차고 책상을 뒤엎고 고래고래 소리를 지르며 퍼르르 떠는데, 그야말로 거동이 가관이었고 말씀이 대중없었지요. 통인들이 지체 없이 책실(冊室)*로 뛰어들어서 원님의 해괴한 거동을 낱낱이 아뢸 수밖에요. '안전님께서 갑자기 병환이 나서 안정을 못하시고 수하것들이 보기에도 민망하리만큼 광기를 부리고 계시니 이 일을 수습하기 난당이요, 시방 보기에 아주 대단하십니다.' 자제들과 책방 사람들이 황망히 나가 보았지요. 과연 듣던 대로였습니다. 좌불안석은 물론이요, 책상을 엎었다가 엎은 책상을 다시 바로 놓았고 온갖 뜸베질로 기광을 다 부리매, 고을을 다스리는 원님의 체통으로는 차마 입에 올리기 여간 망측한 꼴이 아니었습니다그려. 책방 사람들이 나온 것을 본 원님은 곧장 통인놈이 갑자기 방으로 들어와서 자기의 뺨을 사정 두지 않고 때린 일과 관속배들이 영을 거역하고 코대답도 않던 일을 죄다 말하는데, 곡절이 뒤죽박죽이었고 이야기의 전후사가 갈피를 잡을 수 없을 정도로 올라가고 내려가고 가리산지리산*이었습니다그려. 게다가 분에 못 이긴 원님의 눈알이 허공에 매달렸고 전신은 땀으로 적시었고 입에는 게거품을 잔뜩 물었으매 거동이 만분 수상할 수밖에 없었지요. 책실들이 보기에도 미친병이 발작하였음은 의심 둘 나위가 없었습니다요. 또한 감히 범접할 수가 없을 통인 녀석이 원님의 뺨을 쳤다는 사실만 두고 보아도 누가 눈으로

---

* 책실: 책방(冊房). 고을 원의 비서일을 맡아보던 사람.
* 가리산지리산: 이야기나 일이 질서가 없어 갈피를 잡지 못하는 것을 이르는 말. 지리산가리산.

본 바도 아니요, 순리나 상식으로 가늠하더라도 그럴 이치가 만에 하나 있을 수가 없었겠지요. 자제 되는 사람이 아비에게 은밀히 다가가서 낮은 목소리로 달래기를, '아버님, 제발 고정하십시오. 통인 아이가 설사 불학무식하고 버릇 못 배운 놈이라 할지라도 어찌 아버님의 뺨을 때릴 이치가 있겠습니까. 아버님께서 병환이 나신 것이 분명하오니 이 일을 어쩌하면 좋겠습니까'. 자제 되는 사람은 의원을 청하여 진맥을 하고 약첩이나 써서 병구완할 작정이었으나, 원님이란 작자가 그 소리를 듣고는 황급히 손을 내저었겠다요. 자기에게 무슨 병이 있다고 약을 쓰려는 것이냐는 것입니다요. 원님은 약도 마다하고 진종일 길길이 날뛰니 책실에서는 병짓이 우중하달 수밖에 없었지요. 그러나 원님으로서는 정말 미칠 지경이었소. 책실에서조차 병짓으로 여기고 있는데 누가 원님의 말을 귀담아들을 수가 있었겠수. 원님이 밥을 먹을 리 없었고 잠을 잘 리 만무하였습니다. 더욱이나 치정을 할 경황 또한 없게 되었소. 가근방 백성들까지도 이젠 모르는 사람이 없게 되었소. 감사가 그 소문을 얻어듣고 즉시 원님을 파직시키고 말았구려. 원님은 부득이 치행(治行)하여 상경치 않을 수가 없었소. 귀로에 감영에 들러 감사를 만났을 때 감사가 친히 손을 잡고 은밀히 문병하였습니다요. '신환이 있으시다더니 이제는 좀 어떠시오?' 그 말을 들은 원님은 대경실색으로 모가지를 비틀어 꼬고 발명하기를, '제가 정녕 병짓이 있었던 것이 아니올시다' 하고 그 통인 관속것들에게 억울하게 당한 일의 졸가리를 따져 하소연하려 들었소이다그려. 그러나 감사는 얼른 손을 내저어 병짓이 재발하는 것 같으니 서둘러 떠나셔야겠다고 당부할 뿐이었습니다요. 원님은 감히 발명할 기력을 잃을 수밖에 없었지요. 자기 집으로 돌아가긴 하였으나 그때의 일만 생각하면 절로 발광이 나고 입에 거품이 일도록 분함이 솟구쳐 올랐습니다그려. 그러나 혹 그 일을 두고 막 발설을 할라 치면 가권들은 필야 그 병짓이 재발한 것으로 여겨 의원을 불러 댄다 약을 달인다 하고 야단법석을 떨어 원님은 마침내 단념하고 된장에 풋고추 처박히듯 방 안에 틀어박혀 세월을 보낼 수밖에 없었지요. 일신에 한이 맺혀 있으니 반찬 그릇을 부시다시피 먹어 준들 그것이 살로 갈 리 만무하였고, 반거충이* 형색으로 입 한번 뻥긋 못하고 집 안에서만 빙빙 도는 신세가 되었으니 신관이 날로 틀려 갔고, 산다는 것에 재미를 느낄 이치가 없었겠지요. 그 원님이 노경에 이르매 이제야 나이도 늙었고 나이만큼 세월도 많이 흘러 그 일은 이미 옛날의 일이 되었습니다그려. 자기도 한이 어지간히 풀리고 이제는 발설하더라도 가권들이 발작으로는 여기지 않을 때가 되었기에 그저 웃는 소리로 말하기를, '내가 옛날 호남 어느 고을의 원으로 있을 적에 통인놈에게 뺨을 얻어맞았던 일을 너희들은 아직도 내 광기로만 알고 있느냐'고 넌지시 물었겠다요. 여러 가권들이 드디어 깜짝 놀라 서로를 바라보면서 '아버님의 증세가 그동안 재발하지 않더니 이제 늙어 세상 하직할 임시에 와서 다시 나타나니 이 일을 장차 어찌하면 좋을까' 하고 장탄식을 늘어놓고 근심과 초조의 빛이 확연하였소. 원님은 종내 죽을 때까지 분을 품고서도 토로치 못하였다는 얘깁니다요.」
「그럴듯하구려. 본시 책상물림*이란 것들이 속을 까고 보면 제출물로는 원한 한번 온전히 풀지 못하는 것들이오. 그런데도 상것들을 우습게 보는 것은 고사하고 우리 도부꾼들을 어르고 뺨 쳐서 몽금(蒙金)을 챙기려 드는 작폐가 보통이 아니지 않소. 사모 쓴 도

* 반거충이 : 무엇을 배우다가 다 이루지 못한 사람.
* 책상물림 : 글공부만 해서 산지식이 없어 세상 물정에 어두운 사람을 홀하게 이르는 말.

둑놈들이 골골이 박혀 있고 아전놈들이 그 곁에 붙어서 헤살을 놓는 버릇들을 그냥 두고 보았다간 종시 나랏일이 걱정이우. 책상물림이란 것들이 그러고도 콩밭 두렁에서 자다가 깬 콩새 모양으로 딴전을 편다는 일을 그냥 두고 볼 수는 없지요. 덤베북청*이라고 그놈도 이참에 북청놈 본때가 어떤가를 한번 맛볼 때가 왔소.」

이경이 깊어 가고 있었다.

사방이 훤히 트인 돌사닥길*에 달빛이 마전한* 무명처럼 허옇게 깔리고 멀리 바라보이는 숲에서는 초겨울바람이 스산하게 숲을 가르고 있었다. 목화송이를 단 패랭이를 쓰고 배자를 껴입은 세 사람 중에 앞뒤를 막아선 두 사람이 촉작대를 옆구리에 단단히 끼고 있었다.

돌사닥길은 멀리까지 훤하다가 문득 숲과 마주쳐서는 흔적도 없이 땅속으로 잦아지고 있었다. 세 사람 중 앞서 걷던 사내가 문득 가던 걸음을 멈추고 괴춤을 뒤져 부시를 쳤다. 부시에 불이 붙자 곰방대를 문 뒷사람에게 불을 댕기었다. 시초에 옮겨 붙는 불빛으로 뒤선 사내의 얼굴이 달빛에 붉게 드러나니, 문경새재 어름 주막에서 동패를 잃었던 조성준임이 분명했다. 곰방대에 길게 빨려 드는 연기를 한입 크게 물었다가 달빛 속에다 내뿜으니 연기는 달빛을 타고 비껴 흩어졌다. 짧은 한숨이 조성준의 입에서 흘러나왔다. 그동안 이야기를 들려주었던 뒤선 도부꾼은 조성준이 불을 댕기는 동안 젓동이 얹힌 지게를 그대로 진 채, 촉작대를 가슴팍에 꼬나 세우고 잠시 가쁜 숨을 바로잡았다. 앞선 사내가 허리를 꾸부려 행전을 고치면서 젓동이를 진 뒤편의 사내에게 물었다.

─────────────

*덤베북청: 북청 물장수처럼 아무 데나 덤비다.
*돌사닥길: '돌사닥다리'의 사투리. 돌이나 바위가 많아 매우 험한 산길을 사닥다리에 비유하여 이르는 말.
*마전하다: 피륙을 삶거나 빨아서 바래다. 표백하다.

12

「주막 참이 아직 멀었겠지요?」

「십여 리가 남았수.」

밤 한기로, 앞선 사내는 아랫도리가 썰렁해 오는지 걷는 품이 자
못 허둥지둥이었다.

「요기한 지 오래됐는가 보구려.」

조성준이 물었다.

「꼭두새벽에 술국 한 그릇으로 허기 끄고 난 뒤에 곡기라곤 못 봤
습니다요.」

「정말 한양 삼개로 작로하려던 작정을 파의하겠소?」

「그렇다마다요. 동무님이 책상물림에게 그런 억울한 일을 당했다
는데 그냥 보고 지나칠 수야 없지 않습니까요.」

젓동이를 진 뒤의 사내가,

「시생도 역시 그렇소이다. 내가 상산(商山)* 물상객주(物商客主)*
에서 동무를 만나 사연을 듣다 보니 그냥 지나칠 수가 없어서 연
산(連山) 길로 작로할 작정을 해버린 거요.」

앞에 선 젊은 사내에겐 한 사람 건너인 젓장수의 말소리가 귀에
온전치 못해 자주 발길을 늦추고 귀를 모아 잡아야 하였다. 젓동이
진 사내가 다시 묻기를,

「삼개로 들어가서 생선이나 젓갈을 져다 팔려 하였수?」

「시생을 두고 하는 말씀이시우?」

「그렇소이다.」

선머리에 선 젊은 사내가 꿀꺽 침을 삼킨 연후에 대답하기를,

「어찌 한양에 삼개 젓갈뿐이겠수. 누각골[樓閣] 쌈지장수, 자하문

---

* 상산 : 상주(尙州).
* 물상객주 : 조선 시대에 발달한 일종의 상업 · 금융 기관의 한 가지. 주로, 상
품의 매매와 거간 및 장사치의 숙박을 업으로 하던 영업, 또는 그 사람.

〔彰義門〕밖 화초(花草)장수, 애오개〔阿峴洞〕놋갓〔鍮器〕장수, 잔다리〔延禧洞〕로 가면 게장수, 창내〔滄川洞〕로 가면 마전쟁이, 홍제원(弘濟院) 문밖이면 인절미장수, 두텁골〔厚岩洞〕돼지장수, 갈우리〔葛月洞〕청포(青脯)장수, 물쇠골〔水鐵里〕솥장수, 청파(青坡)로 가면 콩나물장수, 이태원 복숭아장수, 숭동〔東崇洞〕으로 가면 앵도장수, 용머리〔龍頭洞〕로 가면 청근(菁根)장수, 제텃골〔祭基洞〕토란장수, 왕십리 미나리장수, 홍문골〔紅把洞, 杏村洞〕엿장수, 서빙고 얼음장수, 공덕동 화주(火酒)장수, 두뭇개〔豆毛浦〕콩나물장수, 동촌(東村: 明倫洞)으로 가면 쇠고기장수, 다 연명할 방도야 얼마든지 있지요.」

「시생도 팔도의 장판 어디 안 가본 데가 없소. 안양의 밤장, 통영의 갓장, 병점의 옹기장, 공릉의 짚신장, 안동 삼베장, 한산·임천·정산(定山)의 모시장, 신탄진의 다듬잇돌장, 황간의 대추장, 평안도 성천(成川)·청주·미원(米院)의 담배장, 정주(定州) 납청(納淸)의 유기장, 회령·김천의 쇠장, 안성의 유기장, 양주 밤장〔栗場〕, 옹진 멸치새우장, 보은의 대추장, 완도의 김장, 영암 참빗장, 담양 죽물장, 나주의 소반장(小盤場), 평안도 강계의 인삼장, 함안의 감장, 전라도 임실의 연죽장(煙竹場), 아산의 황조기장, 삼척의 게장, 전주의 한지(韓紙), 문경의 제기(祭器), 은진의 육날미투리, 평해(平海)의 미역장, 옥천의 면화장, 진주 진목장(晋木場), 홍원(洪原)의 명태장, 마산포 멸치장, 춘향이 울다 간 남원장, 장가 못 간 놈 섭섭한 아내장〔竝川場〕, 삼가장(三嘉場), 장호원장, 치자꽃 많이 피는 남해장, 광양의 푼주장, 그저 팔도의 장판을 청개구리 밑에 실뱀 따라다니듯 굴러다니며 헛손질 곤댓짓으로 타관 봉노 신세 진 지 삼십 년에 못해 본 일이 없소만 딱 한 가지 못해 본 일이 있소이다 그려.」

앞에 선 젊은이가,

「무엇입니까?」

「물장수요.」

「길미는 그중 어디서 보았소?」

「황해도 장산곶에서 흑충(黑蟲)을 팔아서지요.」

「장산곶이라면 장연 땅이 아니오?」

「그렇다마다요.」

「혼자서 하였소?」

「아니요, 동무 하나가 있었지요. 원래는 황주 땅 삼전방 출신 왈짜였는데 어쩌다가 시생과 죽이 맞아서 장산곶으로 작반케 되었지요. 그 동무는 되 사람 말도 조금 할 줄 아는 데다가 취리에 밝았지요. 한때는 그 동무도 백사(白沙)에서 나는 방풍(防風)을 캐서 작량깨나 하였고 나 역시 흑충으로 꿰미를 만졌지요.」

「흑충이라니요?」

「장산곶 앞바다에는 흑충이란 것이, 뼈가 없고 오이같이 길쭉하기만 한, 즘생도 아니고 그렇다고 생선도 아닌 전신에 살가지만 있는 것이 잡혔소. 되 사람들은 그것으로 피륙을 염색하는 데 쓰는가 봅디다. 되 사람들과의 거래는 대개 그 동무가 맡아서 해주었습니다요.」

「지금은 어디 갔소?」

「중패질*로 죄다 행탁을 털리고 둘 다 헤어졌지요. 한 계집을 구멍동서인 줄 모르고 반해 다니다가 둘 다 창병을 얻어 신세 망측한 꼴이 되었습니다그려. 안갑(鞍匣)*을 할 년이었지요.」

「계집 사단으로 신세 망친 도부꾼들이 한둘 아니오. 조신할 일이

---

*중패질 : 오입질.
*안갑 : 안장 위를 덮는 헝겊. 덮어씌우는 짓.

지요.」

「옳은 말이오. 그러나 어떡하겠수. 타관바치 삼십 년 서러움을 달랠 길이란 밑구멍 공론밖에. 어디 더 화끈한 게 있으면 말해 보우.」

시종이 여일하게 말참견이 없던 조성준이 그때에야 턱살을 쳐들고 껄껄 웃었다. 숲 속 길을 벗어나자 금방 개천 하나가 달빛에 가로 놓여 있었다. 세 사람은 금방 개천가 풀숲 위로 가서 앉았다. 내를 건너자면 미투리도 벗고 행전들을 풀어야 하겠기 때문이었다. 그동안 잠시 잊어버리고 있었던 밤 한기가, 냇물 소리가 귀에 와 박히자 몹시도 써늘하게 목덜미에 와 감겼다.

젓동이를 진 길소개(吉小介)가 먼저 개천으로 들어서자, 두 사람도 물속으로 발을 집어넣었다. 종아리 아래가 칼에 베이는 듯한 차가움으로 뒤틀리었다. 오장 육부를 빙판 위에다 내동댕이친 듯 써늘한데, 뒤따르던 사내가 젓동이 진 지게를 뒤에서 받쳐 주었다.

「내를 건너면 바로 연산 땅이오.」

뒤에서 받쳐 주는 사내에게 고맙다는 말을 내뱉기 쑥스러워 길소개는 급히 줄여 온 길이 얼마 남지 않았다고 넌지시 일렀다.

「바쁠 것이야 없지. 병문 앞에 마누라쟁이가 나와 서서 장맞이를 하고 있는 것도 아니고……. 그저 대중없는 세월이나 보내는 거지……. 젓장수로 접어든 지 꼬박 삼 년이 되었소만 여편네 코빼기는 일 년에 한두 번 본 것 같소. 저도 잘못이었지, 역마살 낀 사내인 줄은 모르고 덜렁 초례를 치렀으니…….」

「이제 마누라쟁이 타령은 그만 하슈.」

「총각은 지본이 어디시오?」

「지나온 주막 참에서 함경도 명천(明川)이라 하지 않았던가요?」

「그랬었지요. 물이 하도 차가워서 정신이 아물아물하누먼그려.」

개천을 곧바로 건너서 세 사람은 다시 자갈 바닥에 앉았다. 조성준이 힐끗 곁눈질하니 용익(容翊)이란 젊은이의 발떠꾸가 유난히 커 보였다. 행동거지가 어찌나 재빠른지 두 사람은 이제 겨우 감발을 쳤을 뿐인데 사내는 벌써 신들메를 고치고 일어서는 판이었다.

개천의 돌사닥을 벗어나니 금방 야트막한 잘록이가 나타났다. 개천을 건넌 다음에는 길소개가 선머리에 서고 용익이 뒤로 처졌다.

「명천 외장으로만 돌았나?」

이번엔 조성준이 물었다.

「아뇨, 명천뿐만이 아닙지요. 시생도 타관길은 오래여서 조선 팔도 안 가본 곳이 없소.」

「자네 가만 보니까 일족(逸足)을 가졌네그려.」

「어떻게 알았수?」

「자네 시방은 허기를 만난 터라 허둥지둥이지만 허기만 아니라면 하룻밤에 조급히 죄어서 이백 리 길은 거뜬하게 작로를 하겠는걸.」

「제 발떠꾸를 보았구려.」

「그냥 짐작이었네.」

「그렇소. 마음만 먹으면 이백사오십 리 길은 걸어서 곤하지가 않지요.」

「천상 도부꾼일세그려. 뒤를 봐주고는 곧장 서울로 작로할 작정인가?」

「그럴 작정이오.」

「그렇게 사뭇 괴나리봇짐으로만 다니는 입장인가?」

「지방 토산이 마음에 들면 고헐간(高歇間)에 사서 팔기도 하지요.」

「한양에선 계림팔도(鷄林八道)의 토산을 알아주는 게 따로 있다네. 한산의 세모시, 남양의 생굴, 서산의 어리굴젓, 연평의 조기, 나주의 소반, 담양의 죽물, 영광의 굴비, 안동의 세포(細布), 금산의 곡

삼(曲蔘), 풍기의 건시(乾枾), 통영의 갓이지. 울진은 장곽(長藿)*이
요, 울릉도는 오징어지. 광양과 하동의 김을 치고, 금강산 산채는
알아주지. 석왕사(釋王寺)의 취나물도 알아주구. 함경도 명태, 봉
산은 참배, 황주의 능금, 안성의 유기, 개성은 인삼, 강화의 화문석,
배천[白川]의 참기름도 좋고 강원도 꿀이라면 환장들을 하지. 길
주·명천은 세마포(細麻布)로 유명하지. 안주의 항라나 강계의 산
삼 같은 토산들을 서울로 가져가면 어느 객주에 맡기거나 길미 얻
기 수월하고 거간들도 서로 잡으려 해서 천세가 나는 판국일세.」

「고맙소. 염두에 두지요. 그러나 시생은 이렇게 단신으로 다니는
게 좋습니다.」

「내 말이 해롭지는 않을걸세. 도부꾼이 물화를 가지고 다니지 않
으면 행세하기가 거북할뿐더러 도대체 궁색을 면키가 어렵지 않
은가?」

「그렇겠지요…… 그러나 시생은 시생대로 물리를 익히는 게 따로
있고…… 팔도의 지리나 익히고 다니는 것으로 족할 따름입니다.」

뒤선 두 사람의 수작을 귀담아듣던 길소개가,

「허, 별난 총각도 다 보겠는걸. 하기야 팔도의 지리를 환하게 익히
는 것도 나쁘달 수야 없지만 그것도 역시 도부꾼에겐 큰 밑천이
지. 통문(通文)이 비전(飛傳)한다는 게 따로 있겠나. 어정뜬 역노
(驛奴)들보다야 산세에 익고 내[川]에 빠르고 임방(任房) 통기가
득달같은 도부꾼들을 두고 하는 말이지. 혹시 젊은이가 임방 통문
이나 지닌 게 아니오?」

「그런 말씀은 마시오. 시생은 다만 조송파(趙松坡)께서 동패를 잃
고 혼자서 거사를 치르고자 함에 부조가 되어 줄까 할 따름이오.」

---

*장곽 : 넓고 길쭉한 미역.

「허긴 그 말이 옳소. 나 역시 계집의 정을 두고 지나친 적은 있으되 유린을 당한 동무님 사정을 두고 갈 순 없어 입낙(立諾)하고 따라 나오는 길이니까. 이제 저길 보슈, 연산 장터 먼 불빛이 보입니다그려.」

「목이 좀 눅더라도 가까운 숫막으로 듭시다. 이러다간 얼어 죽겠소.」

「걱정 마슈. 가근방 주막 중에 어느 집 술구기가 후한지는 알고 있는 터이오.」

연산이야 고을이 크지 않고 물산이 흔한 곳도 아니었으나 강경이 지척인 데다가 마침 밤새우면 장날이 되는지라, 가근방 저자를 훑는 도부꾼들이 일찍부터 몰려들어 여럿도 아닌 객점들을 꽉 채우고 있었다. 용수 씌운 주기가 펄럭거리고 불이 환히 켜진 주막 마당에는 작로에 지친 나귀들도 여러 필 보였다.

길소개가 술구기 인심이 좋다던 객점으로 들어서긴 하였으나 이미 봉노에는 감발 냄새에 코끝이 싸할 만큼 숙박질인 도부꾼들로 꽉 들어찼다. 봉노에 들기 전에 우선 한저녁을 시켜 허기를 끄고 한기를 풀었다. 눈대중이 제대로 와 박히는가 싶은데 밤이 깊어 벌써 삼경이었다. 세 사람이 봉노로 발을 들여놓긴 하였으나 엉덩이를 붙일 마땅한 자리가 없었다. 먼저 든 패거리들이 아랫목을 다투어 차지하고 나니 썰렁한 윗목이 빠끔하게 남긴 하였으나 선뜻 드러누울 엄두가 나지 않았다.

빈대 물린 목덜미에 이똥을 켜바르고 누웠던 한 작자가 윗목에서 서성거리는 세 사람을 어섯눈으로 쳐다보다간 모잽이로 꺾어 눕더니 손바닥을 볼기짝으로 가져가서 수세미로 노구솥을 긁듯이 박박 긁어 대자 부들자리에 손톱만 한 비늘이 허옇게 떨어졌다. 바로 볼기짝 밑에서 입을 벌리고 다른 작자가 코를 골고 있는데도 방귀를 탕탕 꿰어 댔다. 어떤 작자는 잠투세로 손만 들어 바지 괴춤을 쓱 까더니 시꺼먼 샅을 드러내고 손톱자국이 나도록 긁어 대고 있었다. 여윈 잠이나마 눈을 붙여 보긴 글렀다 싶은데, 용익이 얼른 아랫목으로 가더니 바람벽에다 다리를 붙여 정강이를 푹 펴 나가자 등 뒤에 누웠던 패거리들이 윗목으로 쭉 밀렸다.

팔척장신에 미목이 그림 같고 응대함에 지체 없으되 음성이 청랑하여 경대(敬待)함이 서툴러도 과히 밉지 않은 사람인데, 섣불리 이르기는 뭣하나 어린 나이치고는 하는 짓이 어딘지 왈짜 결기를 삭이지 못하는 병통이 있어 보였다. 거동만 보고 있는데 아니나 다를까, 볼기짝을 긁어 대던 작자가 밀려 나가다 말고 벌떡 일어나 앉더니 험악하게 되어서 용익에게 대뜸 해라를 던졌다.

「어느 놈이 농간을 쳐? 늦게 든 놈이면 곱게 윗목으로 가서 처박혀 잘 일이지, 어디 분수없이 바람잡이 시늉인가?」

작자의 말인즉슨 이치에 타당할뿐더러 엄장 크고 목자 험악한 품이 능히 용익을 대적할 만한데,

「어느 놈이 반말지거리여? 네놈의 이마엔 구리를 깔았느냐?」

「어? 이 어디서 쫓겨 나온 산중 귀신인가? 여보게들, 일어나게. 너이놈, 마빡이 반들반들한 걸 보니 도방 대처 바람깨나 쐰 놈 같아 보이는데 말본새 한번 모양 좋구나.」

그 작자는 한걸음에 두 사람의 허리를 뛰어넘어 용익의 멱살을 틀어잡고는 당장 메어 던질 기세였다.

「이놈 봐? 얻다가 돼지 발톱을 내밀어?」

「이놈, 측간 발걸이에 모가지를 비틀어 꽂을 테다.」

작자가 멱살 쥔 손을 옆으로 낚아채며 얼른 뒷발길질로 용익의 몸무게를 허리춤에다 실을 거조인데, 용익이 어느새 용수를 부렸는지 멱살 잡았던 사내의 손목이 허공을 길게 가르면서 그만 동패들의 몸

위로 나둥그러지며 끽 하고 모가지가 꺾이었다.

「이게 웬 놈이여?」

잠자던 패거리들이 일어나 나둥그러진 동패의 얼굴을 쳐다보니 이맛전에 피가 낭자했다.

봉노를 아무리 휘둘러보아도 동패를 그 지경으로 만든 놈이 누구인지 모르겠던 것은, 마주 서서 방자를 부리는 놈이 당장 눈에 띄지 않았기 때문이다.

조성준은 곰방대만 빨고 앉았고 길가는 감발을 벗어 털고 있었고 용익은 아랫목 차지를 하고 앉아 있었다.

「자네 왜 그러나?」

괴이쩍었던 동패 한 놈이 이맛전에 피가 낭자한 작자에게 물었으나 작자 역시 대답이 없었다. 얻어맞은 놈 역시 언제 여기로 곤두박이게 되었는지 짐작조차 할 수 없었기 때문이다.

「어느 오합 잡놈이 아닌 밤중에 이런 패악질을 놓았나그래?」

우두커니 앉았던 용익이 그 말을 되받아쳤다.

「어느 놈이 했으면 아갈잡이를 시킬 테여? 너도 모가지 부러지고 싶지 않거든 나자빠져 자. 송방(松房) 차인 행수 어른 한 분이 날 저물고 허기 들어 산중 봉노에 들었더니 웬 깔따구들이 대중없이 대거린가?」

「동무가 차인 행수 어른이시우?」

「저분이시다.」

이용익은 조성준을 가리켰다. 잠이 깬 패거리들이 그제야 조성준에게 자리를 내주었다.

「자, 핏자국이나 닦으시우.」

용익이 풀었던 행전을 작자에게 던졌다. 문득 봉패를 당한 놈이 부근 임방놈이어서 내일 해 지기 전에 작당이라도 하면 어쩌나 하는 생각이 들었다. 그러나 아까 오금 박을 때 송방의 차인들이라고 을러 놓았으니 저희들이 함부로 분탕질할 요량만은 못할 것이었다.

바로 지척인 강경은 물론이요, 멀리로는 의주, 원산포, 동래포까지 송방이 버티고 있었고, 팔도의 대처 이름 있는 목쟁이에는 송방 상인들의 입김이 불지 않는 곳이 없을 정도였다. 그 위세가 자못 뜨르르한 판국이어서 송방에서 나왔다면 엄대를 긋고도 물화를 내주었고 송방에서 떼는 어음표(於音票)는 어느 산골 객주, 여각에서도 통하는 판국이었으니 이용익이 뱉은 말을 작자들이 곧이듣기만 하였다면 내일 장판에서 명색 없는 사매질이야 당하지 않겠다는 생각도 들었다.

2

이튿날로 세 사람은 곧장 강경으로 작로할 작정이었으되 기왕 강경에 들를 바엔 길소개가 그곳의 젓도가에 들러 젓동이를 바꾸어야겠으므로 연산장에서 젓동이를 비우고 발행하는 게 좋겠다는 공론들이 돌아서 파장이 되기를 기다렸다가 논산장으로 가는 도부꾼들을 따라가기로 하였다. 느지막이 일어나니 어젯밤 이용익에게 횡액을 당한 패거리들은 벌써 장판으로 나가고 보이지 않았다.

「행수 어른은 그만 숫막에 그대로 죽치고 앉아 계시오.」

목판에 앉아 감투밥*을 걸신스럽게 퍼 올리던 이용익이 그렇게 말했다.

「그럴 거 있나. 나도 장 구경이라도 해야지.」

「허술히 장판에 얼씬거리다가 어젯밤 내게 당한 담배장수들이 작

---

*감투밥: 그릇 위까지 올라오도록 수북하게 담은 밥.

패하여 대들까 봐 그럽니다.」

「걱정 말게나. 설령 자네 왜장치는 꼴에 눈심지가 편치 않았다 한들 뜨르르한다는 송방들이 바로 코앞에들 버티고 있다는 걸 그 작자들도 알 판국인데, 어디 함부로 범접이야 하겠는가.」

「그놈들이 내가 드센 체하니까 부득이 면종(面從)은 하였지만 속셈까지야 측량할 방도가 없지 않소? 그러니 장판에 나서지 말고 숫막에 그대로 눌러 계시오. 나가서 젓동이를 비우고 후딱 들어오리다.」

「좋도록 하게나. 허기야 젓 지게 하나에 세 사람이 붙어서 북새를 놓을 이치야 없지.」

주막 앞 고샅길을 벗어나니 금방 장판의 소요가 귓전에 와 잡혔다. 고샅길 앞 작은 공지에는 옹장이들이 밤새 지고 온 중배 부른 옹기들을 내려놓고 웅크리고 앉아 있었다.

겨울 장판이라 장꾼들이 아직은 모여들기 이르되, 지게 옆에 모닥불을 피우고 한둔하던 옹장이 한 놈이 벌떡 일어나더니 먼 시게전 쪽으로 주둥이를 내밀고 대중없는 어깻짓을 해가며 외쳐 댔다.

「자, 옹기들 들여가시우. 거무튀튀하고 헤석헤석하고 물색 좋은 부적(夫赤) 옹기들 사시오. 대자리, 칠부, 짝, 삼등, 사개, 오개, 육개, 팔개, 십개, 크기대로 담가 먹을 옹기들이 지천이오. 자, 반죽 좋은 광양 옹기요. 대단지, 댕구(중형), 큰 반액(뚜껑), 중반액·딸반액(손잡이 없는 뚜껑), 짝(큰 동이), 궁끼(손잡이 없는 둥근 항아리), 말단지, 모단지, 삼개단지, 판대기, 왕필대기, 장병, 약단지, 양병(술병), 옹기솥, 툭사발이오. 여수, 광양, 구례, 곡성으로 팔려 나가는 물색 좋은 옹기들 사시오.」

옆에 섰던 떠꺼머리란 놈이 제 손으로 허리춤을 탁탁 치며 절름발이 행세를 하더니,

「장바탱이 쌀독, 김칫독, 고추장독, 새우젓독, 약탕기, 물동이, 수박동이, 소래기, 불잇독 들 사려. 질독으로 쌀바탱이를 하면 십 년이 가도 벌레가 없소. 옹기 노구솥에 국밥을 끓이다가 남겨 두어도 냄새가 없소. 잿물이 새면 장맛이 없고 삿갓을 쓰고 장독 위에 앉아 있으면 난리가 나도 잡혀가들 않소.」

연산장까지 품을 나온 가자꾼* 두엇과 맥장꾼으로 보이는 농투성이 두엇이 입을 게하니 벌리고 소리치는 옹장이들을 바라보고 있을 뿐 옹기전 어름은 한산하기 이를 데 없었다.

「허, 이거 부비(浮費) 쓸 푼전도 만져 보지 못하겠는걸.」

먼저 소리치던 옹장이가 어깨를 푸르르 떨면서 모닥불로 다가서니 아예 모닥불을 끌어안다시피 하고 있던 취발이 상투에 채수염 달린 패가,

「연산장에 와서 어디 한번 쏠쏠하게 재미를 본 적이 있던가.」

가래를 득득 긁어 올려선 지겟바대 근처에다 탁 내뱉었다.

「아직 초장이니까 더 기다려 봅세. 옹기야 으레껏 해거름판에 가서야 길미가 있는 법 아닌가.」

「어디 기공행하[花代]라도 몇 푼 쥐어야 아래 주막에서 밉잖아 보이는 막창 한 년 궁둥이라도 찍어 보지.」

「허, 이 사람, 이목이 번다한 장판에 서서 그 무슨 놈의 고얀 소린가? 그 숫막에 있는 은근짜는 나도 얼핏 보았지만 용천뱅이더구먼. 하찮은 옹장이 주제에 아침부터 밑구멍 공론이니 오늘 하루 장사는 아예 초장 바람에 옴 붙었네그려.」

「이 육시럴 놈 보게? 사람 구박하지 말어. 오늘이 바로 내 귀빠진 날이여. 귀빠진 날 아침에 쓴 나물로 순대를 채웠는데 그거라도

---

* 가자꾼 : 지게꾼.

한번 해야 귀빠진 턱을 할 게 아닌가. 감투거리[反交]* 두어 번에 이깟 옹기짐 못 버틸 내가 아니니깐 걱정들 붙들어 매라구.」

「이놈아, 그 뺄때추니* 건드렸다간 종내 옹기짐 놓고 말 거여.」

「이끼, 이 육시럴 놈, 그런 헤살 다시 놓았다간 모가지가 부러질 줄 알어.」

옹기전을 내려가니 시게전이 분주했다. 말감고란 놈들이 이리 뛰고 저리 뛰면서 농투성이들이 내온 곡식들을 나무라기 시작하는데 원님 급창 나무라듯 했다. 시게전 옆에서는 담배장수가 소리치고 있었다.

「자, 담배들 사시우, 담배. 평양의 일초(日草), 강원도 영월초, 평안도 성천의 서초(西草), 직산초요. 장절초(長切草), 시초(市草), 입맛대로 들여가시오. 저기저기 저 산 밑을 서리서리 갈아엎고, 담바구씨를 술술 뿌려, 낮이면 찬물 주고 밤이면 찬 이슬 맞혀 겉에 겉잎 다 제치고 속에나 속잎을 잘 길러서 네모 번득 드는 칼로 어슥어슥 썰어 놓고, 총각의 쌈지도 한 쌈지요 처녀의 쌈지도 한 쌈지라 소상반죽 열두 마디는 수복을 맵시 있게 맞춰 놓고 청동화로 백탄불을 이글이글 피워 놓고 담바구 한 대 먹이고 나니 목구멍에 실안개 돈다. 또 한 대를 먹고 나니 청룡 황룡이 꿈틀거린다. 자, 담배에다 동래의 담뱃대요. 팔모죽, 육모죽, 파란죽, 은조죽(銀鳥竹), 민죽, 서산 용죽, 서천죽 담뱃대들 들여가시오.」

담배장수 옆에 삿자리를 벌이고 한지를 놓고 앉았던 지물장수가 곰방대를 빨면서 담배장수 외치는 꼴에 눈심지가 편치 못했다는 뜻인지 문득 오금을 펴고 일어섰다. 곰방대를 털고 괴춤에 꽂더니 시게전 어름으로 헛손질을 해가며,

---

*감투거리 : 여자가 남자 위에 올라가 하는 성행위.
*뺄때추니 : 어려워함이 없이 제멋대로 짤짤거리며 쏘다니는 계집아이.

「전지를 떠올려서 정이월에 소지를 올리고, 방풍지를 떠서는 삼사월에 신방을 차리세. 의령, 합천, 전주의 한지들 사시오.」

시게전 어름에서 웅성거리는 농투성이들은 어느 놈 하나 거들떠보지도 않았다. 길소개도 촉작대를 옆구리에 바싹 끼고 시게전 어름을 벗어나 주막들이 즐비한 장판 가녘으로 내려갔다.

「새우젓 사려, 조개젓 사려. 초봄에 담는 쌀새우는 세하젓이요, 이월 오사리는 오(五)젓이요, 오뉴월에 담는 육(六)젓이요, 가을에 담는 취(秋)젓이요, 겨울의 산 새우는 동백하(冬白蝦)젓, 전라도 법성포 중하(中蝦)젓 사시오. 어리굴젓 · 홍합젓 · 소라젓 · 꼴뚜기젓 · 황새기젓 · 밴댕이젓 · 권댕이젓 · 곤쟁이젓 · 오징어젓 · 멸치젓 · 갈치 창자젓, 입맛나는 것이요, 세월 따라 담근 젓, 오뉴월 배추쌈에는 달고 한겨울 김칫국에도 좋은 어리굴젓이요, 새우젓이오.」

금방 고샅길 안에 있는 주막 어름에서, 트레머리에 녹의홍상(綠衣紅裳) 떨쳐입은 계집 하나가 삽짝 밖으로 쪼르르 달려나왔다. 길소개를 보고 어서 들어오라는 손짓인데, 눈 밑에 푸릇푸릇한 납독 자국이 있는 걸 보니 색주가(色酒家)짜리가 분명했다.

「젓 사려우?」

고쟁이가 발등에까지 처진 계집에게 길소개가 뒤돌아보며 물었다.

「그럼, 내가 공연히 수작하는 줄 알았수?」

계집을 따라 삽짝 안으로 들어서니 썰렁한 초장 술청에 도포짜리 책상물림 서넛이 목판에 둘러앉아 있었다.

「지게 내리시우. 맛깔이나 봅시다요.」

지게를 내리자, 계집이 독 속으로 손을 쑥 집어넣어 밴댕이를 집어 입으로 가져갔다.

「맛보시오. 맛보는 데 품 달라는 소린 않을 테니.」

계집이 눈시울을 한번 짝 감았다가 손을 고쟁이에다 닦더니,

「밴댕이젓이 어찌 쌉싸고리하오?」

「허, 그런 소리 하지 마슈. 밴댕이젓으로 말하면 젓 중에는 알천*이오. 우리 집 논이 서울 흥인문 밖에 있는데 씻나락 한 말을 뿌리면 석 섬을 먹소. 우리 집에 크기가 낙산(駱山) 봉우리만 한 농우소가 두 필이오. 이삼월에 살이 풀리고 얼음이 녹아 쪽빛 냇물이 흐르기 시작하면 두 필 소에 쟁기를 지워 논을 갈고 써레질을 하여서 물을 댑니다. 한 필지에 보통 열다섯 두(斗)를 파종하는 논이 여러 자리외다. 팔월이 되어 초승달 같은 낫으로 올벼를 베어다가 타작을 하고 방아를 찧어 키질을 해서 노구솥에 넣고 불을 지펴 밥을 지을라치면 기름이 밥술에 자르르 흐르고 구수한 냄새가 혀 끝을 감치지요. 남새밭도 또 좀 기름지고 걸다구요. 배추와 상추가 얼마나 잘되는지 삼사월에 갈아엎고 거름을 넉넉히 주면 이슬을 머금고 비를 맞아서 잎이 담뱃잎처럼 너푼너푼 자라서 연하고 싱그러운 양이라니, 그걸 올이 성깃성깃한 죽바구니에 넘치도록 누르지 말고 담는단 말씀이오. 양지바른 곳에다 바랜 장독에 장을 담그면 그 달기가 꿀맛은 저리 가라지요. 제물포 안산(安山) 바다에서 그물로 곱게 올린 밴댕이란 것이 장에 나오면 그놈을 사다가 석쇠에 구울 제 기름간장을 바르면 냄새가 삼이웃에 진동하것다요. 그러면 상추의 물기를 탈탈 털고는 손바닥 위에 쩍 벌려 눕히고 기름이 자르르 흐르는 올벼 쌀밥 한 숟갈을 사정 두지 말고 듬뿍 떠서 담고 벌꿀 같은 된장을 얹은 뒤에 구워진 밴댕이나 밴댕이젓갈을 올려 정들여 쌈을 싼단 말씀이오. 그러구선 혜임령(惠任嶺) 황아장수 짐 들어 올리듯 두 손으로 들어 올려 입을 쩍 벌리고 숨을 푹 내쉰 다음에 입 안으로 밀어넣는데, 그때 옆에 앉았던 책

---

*알천 : 음식 중에서 가장 맛있는 음식. 재물 중에서 가장 값나가는 물건.

상물림이 같이 따라 입을 벌리다가 짧은 갓끈이 뚝 떨어졌다는 것이 이 밴댕이젓쌈 때문이란 것을 아시겠소?」

「그게 정말이오?」

「이 아낙이 되 사람과 겸상을 먹었나, 웬 의심이 그리 많수? 그럼, 내가 없는 소릴 반죽 좋게 씨부렸단 말이우?」

「아유, 난 그 밴댕이젓보다는 젓장수 입이나 한번 쩍 맞췄으면 좋겠소.」

「여러 말 말고 젓이나 들여다가 기둥서방 별반에다 올려 보시오. 아낙의 궁둥이에다 쩍 하고 입을 맞춰 줄 거요.」

자못 젓장수와 들병이 수작답게 초다듬이부터 언사들이 음란한데, 그때까지 술청에 앉아 송도순배*로 술잔을 연해 돌리고 있던 도포짜리들이 눈시울을 비껴 뜨고 계집을 술청으로 불러 올렸다.

「이봐, 거기서 간릉 그만 떨고 냉큼 올라와서 한잔 안 치려나?」

곤댓짓을 하고 섰던 계집이 금방 고개를 외로 꼬아 박으며 던지는 추파가 아금받았다.

「에그, 나으리들, 치다마다요. 술이 있는데 색이 빠지면 쓰나요.」

밴댕이젓, 새우젓, 굴젓, 입맛 가는 대로 맛만 보고는 홱 돌아서려는 자발없는 계집의 치맛말기를 길소개가 가만둘 리는 만무하였다.

「여보시오, 아낙네, 노닥다리 젓장수를 발림수*로 농락을 쳐도 분수 나름이지, 이게 무슨 도리요? 되잖은 년 궁둥이를 만져도 군돈을 치르는 판국에 황차 남의 젓독에 개짐 빨던 손을 넣었다 빼내었다 하다간 흥정 없이 그냥 돌아서서야 되겠소?」

분명히 신분을 빗대어 놓고 하는 말이란 걸 계집이 모를 리 없었다. 젓갈맛을 염치없이 좀 보았기로 계집의 신분을 가지고 초장부터

---

*송도순배 : 좌상부터 차례대로 돌리는 술잔.
*발림수 : 발림수작. 살살 비위를 맞추기 위하여 하는 말이나 행동.

농도 아닌 시비를 걸 조짐인데, 당장 눈꼬리가 시어 터진 계집이 유자코를 한 길소개에게 삿대질을 하고 대들었다.

「여보시오, 젓장수, 내 궁둥이가 밴댕이젓 한술보다 못하단 말이오? 남의 궁둥이를 초장부터 그만치 갖고 놀았으면 됐지, 어디 술청 손님들 보는 앞에서 행티를 놓으려고 그러시오?」

「어허, 어디다 삿대질인가? 장터 앞 지나는 젓장수 불러들였으면 젓을 사든지 궁둥이를 내놓든지 둘 중에 하나는 거조를 차려야 할 게 아닌가. 그럼, 나를 심심파적으로 불러들였단 말인가? 심심파적이라면 나도 자넬 상종 못할 입장은 아니네. 내 하찮은 젓장수이되 네게 내밀 해우채는 넉넉하지.」

그때, 술청에서 불콰해서 앉았던 도포짜리들이 드디어 목청을 가다듬고,

「허, 저놈 봤나? 계집은 우리가 부른 터수에 갖고 놀기는 종시 저놈이잖나? 이놈아, 되다 만 상것이 대낮부터 뉘 앞에서 계집에게 야료를 부리느냐? 네놈 눈에는 보이는 것이 없느냐?」

도포짜리 하나가 결기를 버쩍 긁어 올리며 술자리를 파의하더라도 젓장수 버릇을 고쳐 놓을 거조임이 분명한데, 길소개가 문득 제정신이 든 듯 하정배를 드리는 시늉으로 발명한다는 입에서 튀어나온 말은 퍽이나 불손했다.

「눈에 보이지 않을 리가 있겠습니까. 쉰네가 이제까지 살아오는 동안 눈에 뭐가 보이었기에 장바닥 물리를 익힌 게 아니었겠습니까요.」

「너 같은 도부꾼놈이 체모를 중히 여기는 사람들을 앞에 두고 대중없는 희롱은 고사하고 그 말대답이 어찌 그리 괴이하냐, 이놈.」

「말대답이야 이제 겨우 부리만 헌 셈입니다. 나으리께서들 쉰네를 불러 세우고 자꾸 물으시니 개주둥이를 놀렸을 뿐입죠.」

「아니, 이놈 보게. 천상 양반을 욕보이고 있지 않나. 그럼 네놈과 상종하고 있는 우리는 누구냐?」

「그걸 제가 어찌 알겠습니까요. 기어이 말씀하라시면 선다님들 체모에 크게 손상 입으실 테니 그만두겠습니다요.」

셋 중에 젊어 보이는 한 놈이 오금에 부드득 소리가 나게 자리를 박차고 일어나더니 버선발째로 봉당으로 내려서려는데 눈시울에 불이 퍼렇게 켜졌다.

「네 이놈을 그냥 둘 수 없다. 당장 물고를 내리라.」

그러나 금방 줄행랑을 놓거나 파랗게 질렸어야 옳을 길소개가 젓지게를 내린 자리에서 단 한 치도 물러서지도 않았거니와, 드잡이를 하려는 책상물림의 어깨를 촉작대로 툭 쳐내면서 하는 말이,

「내 행색이 시방은 천상 젓동이나 지고 도방 대처로 떠도는 시러베 신세요만 내 진작부터 근본은 서울 오간수다리 밑에 득실거리는 깍정이들의 꼭지딴*이었소. 담 두르고 울 치고 사는 입장들이 아니어서 세상에 거칠 것이 없었소. 밤이슬을 맞고 다녀도 순라 잡힐 걱정도 없었거니와 좌우변의 장교들도 알고 지내는 터가 여럿이었소. 데데한 책상물림들쯤이야 꼭뒤잡이에다 학춤도 추이고, 무릿매*로 넙치를 만드는 데는 이골이 났었다, 내 손에 강포(强暴)의 욕을 당한 양반들이 한둘이 아니오. 세시(歲時)엔 대감댁 문간에서 걸식도 하였지만 때로는 사사로운 잡사(雜事)들도 우리 아니면 성사가 되지 않은 게 없었소. 모두들 염치 불고하였고, 눈에 보이는 것이 없었으니 수작이 거칠고 범절이 말이 아니었소. 그런 악소 패거리들 틈에서 꼭지딴으로 행세한 쇤네가 나리의 헷손질 두어 번에 얼혼이 빠질 리 만무요.」

───────────

*꼭지딴 : 땅꾼이나 패거리의 우두머리.
*무릿매 : 몰매.

「네놈이 포도청 문고리를 혼자서 다 뺀 듯 수작한다마는, 그래서 어찌 되었단 말이냐? 네놈이 그 주제를 하구선 우리에게 공갈을 친다 해서 감히 미투리를 돌려 신을 주제만은 아니다. 네놈의 불경은 형방에 떨어뜨려 마땅한즉, 그것이 외착 나면 내 성명 삼 자를 조상에게 되돌리겠다, 이놈.」

길소개의 구변을 그대로 믿을 수는 없다 하되, 워낙 다부지게 맞대거리를 하고 선 형국에 일시 가위가 눌린 양반놈이 도포 자락을 푸르르 떨며 땅땅 벼르는데도 젓장수놈은 시종 안색 한 번 변하지 않는다.

「나으리, 그만 결 삭이시우. 쉰네는 근본이 구차하여 조상께 돌려 드릴 성명 삼 자도 변변치 못하옵고 쉰네 역시 한식에 죽으나 청명에 죽으나 상관없는 놈입죠만, 오늘 이 자리에서 쉰네를 형방으로 떨어뜨린다 한들 그 불경으로 치도곤을 당하되 목숨까지야 멸하겠습니까. 똥은 칠수록 튄다 하였습니다요. 여기서 쉰네를 상종하여 어설프게 드잡이를 하고 소동을 벌이면 구경 온 사람들 중에 면분 있는 상것들의 입초에 나리가 오르내릴 거요. 사단이야 어찌 되었든 속으로는 나리를 욕할 것이니 나리가 잃으실 것은 많으나 쉰네는 오히려 책상물림들과 감히 상종해서 북새를 놓았다 하여 얻을 것이 많을 것인즉, 여러 말로 화를 당하지 말고 저 계집으로 하여금 제 젓동이에다 함부로 손짓을 한 무례를 따지도록 내버려 두는 게 편할 것이오.」

댓바람에 물고를 낼 요량으로 버선발로 봉당을 내려섰던 책상물림은 속으로는 낭패를 보았다는 심사가 들지 않은 바 아니었으되, 오지랖 넓은 체하는 젓장수놈에게 실패를 당했다는 망측한 꼴은 되기 싫었기에,

「너 이놈, 구변 하나로 사람을 구워삶듯 한다마는 네놈이 장돌림

인 이상 이 고을을 크게 벗어나지는 못하리라. 저승길이 대문 밖이란 말도 못 들었느냐? 양반 알기를 우습게 알았다간 명대로 살지 못하리란 걸 명심하거라. 오늘은 일진 탓으로 돌리겠으니 새우젓이고 밴댕이고 더 이상 입정 놀리지 말고 득달같이 지게 지고 나가거라.」

「너무 홀대하진 마십시오. 쉰네가 저년에게 욕본 만치 팔지 않고는 한 치도 물러날 수가 없으니 그건 그리 아시오.」

길소개는 술청 맞은편 헛간 앞으로 가서 앉았다. 괴춤을 뒤져 부시와 들통대를 찾아내어 불을 댕기는데 책상물림들은 어이가 없어 서로 얼굴을 마주 볼 뿐이었다. 길소개의 대담하고 거칠 것 없는 행동을 보건대, 손가락 한 번 떨지 않고 수리취를 곰방대로 갖다 댔다.

초장 바람에 하찮은 젓장수 한 놈에게 가근방에선 내로라하는 양반 주제 셋이 입 한 번 뻥긋하지 못하고 고스란히 당한 판국인데도 들병이년이 젓동이를 비워 주지 않는 한 쉽게 물러날 것 같지도 않았다. 체수 작은 양반 하나가 어금니를 삼켜 물고 계집을 나무라기 시작했다.

「화근인즉슨 네년 때문이다. 이년아, 사지도 않을 젓 장수를 무슨 반죽으로 마당까지 불러들였느냐? 저놈도 장돌림이긴 하되 명색이 사내이고 보면 속에 불을 댕긴 형국이 아니겠느냐?」

「무슨 말씀이세요? 나리님들 몸에서 동취(銅臭)*가 등천을 하기에 부르시는 대로 날름 올라왔을 뿐입니다요. 젓갈은 우선 맛보아 두었으되 푼전도 없으니 잔술이라도 팔아 놀이채라도 얻어 줘어야 한 주발 젓을 사든지 동이를 들이든지 할 것 아닙니까요. 쉰네가 대궁술이 궁해서 올라온 줄 아십니까요?」

───────────

*동취 : 동전에서 나는 냄새. '재물을 자랑하거나 돈으로 출세한 사람'을 조롱하여 이르는 말.

젓갈 들던 손을 고쟁이 속에 집어넣어 부샅을 석석 긁으며 대거리하는 계집의 대답이 또한 가관이니, 잠시 한둔하러 숫막을 찾았던 책상물림 셋은 벼락을 두 번 맞은 꼴이 되어 여섯 개의 눈이 허공에 뜨고 말았다.

「네 이년, 그럼 당초부터 이 술판 놀이채로 젓갈을 살 요량을 했더란 말이냐, 아니면 저기 쭈그리고 앉은 저놈에게 사화술이라도 내란 말이냐?」

「그렇다마다요. 나으리들이 쉰네에겐 마수손님들이니까요.」

「죽이 맞는구나. 네 저 젓장수놈과 미리 짜고 이러는 수작인 것을 진작 몰랐었구나. 이 창피를 어찌한다?」

「미리 짰다면 저 젓장수가 쉰네의 기둥서방이라도 된다는 말씀인가요? 기둥서방 잃은 지가 벌써 일삭(一朔)이 넘었는뎁쇼.」

「네년은 언제부터 이 주막에 와서 일했느냐?」

「며칠 되지 않습니다. 어서 놀이채랑 식대를 놓으셔야 젓장수를 내쫓지요?」

「천상 시러베장단에 호박죽 끓이게* 되었군. 꿈자리가 어지럽더라니. 네 이년, 오늘 식대는 엄대 긋거라.」

「농이시겠지요. 잔술을 팔아 겨우 이문을 남기는 터수에 엄대 긋는다니, 그건 체모에 손상 입으실 일 아닙니까요? 마수걸이에 재수 없는 말씀 그만 하시오.」

길소개를 드잡이하려던 젊은것이 당장 부르르 떨며 계집의 귀쌈을 붙이려고 손을 쳐드는 차에, 건너편 봉당에 쭈그리고 앉았던 길소개가 다시 일어서며 소리 질렀다.

「여보시오, 나리들, 초장 바람부터 웬 건주정들이시우. 양반 못된

─────────

*시러베장단에 호박죽 끓여 먹는다 : 실없는 사람들과 엉뚱한 일을 벌임을 비유적으로 이르는 말.

것 장에 가서 호령한다더니 천상 그 꼴이시구려.」

「저놈을 심상(尋常)하게 두어선 안 돼. 양반을 능욕하는 자는 엄히 다루어야 하느니. 이놈, 내 당장 그냥 보고 있을 수가 없다.」

봉당 아래로 쭈르르 달려나가더니 지게에서 젓동이 하나를 번쩍 들어선 마당 귀퉁이에다 패대기를 쳐버렸다. 온 마당에 젓 냄새가 등천을 하는데 그참에야 부스스 일어난 길소개는 박살 난 젓동이는 상관 않고 뜸베질하는 도포짜리에게 다가가서 멱살을 단단히 쥐어 잡았다. 그러나 술청의 것들도 그 북새를 그냥 보고만 있을 리는 만무하였다. 술청 바닥을 땅땅 구르며 꾸짖기를,

「너 이놈, 당장 그 바닥에 꿇어 엎디어라. 이놈, 감히 뉘 앞이라고 손찌검에 패악질이냐?」

담 너머로 장꾼들의 머리채가 들쭉날쭉하고 삽짝 밖에선 풍각쟁이 한 놈이 들어서려다 말고 멈추었다. 길소개는 멱살 잡은 손에 침을 퉤 하고 뱉었다.

「이놈, 되다 만 남행(南行) 부스러기가 무고한 도붓쟁이 젓동이를 박살 내? 양반놈들은 빠질 때부터 이마에 구리를 깔고 나오느냐?」

그 당장 물고를 낼 요량으로 촉작대를 번쩍 들어 인중을 겨냥하고 꼬나 잡는데, 멱살 잡힌 놈은 고사하고 술청에 선 것들이 더욱 난색이었다. 길소개가 도포짜리 멱살을 잡은 채로 박살 난 젓동이께로 홱 끌어 박으니, 징검다리 헛디뎌 여울물에 엎어진 상두꾼 꼴이 되었다.

갓이 찌그러지고 도포 자락엔 젓치레요 목덜미엔 진흙이니 양반의 체면을 차마 볼 수가 없어 눈 뜨고 서 있기가 민망할 지경이었다. 더 이상 가다가는 장바닥에서 창피는 고사하고 병문 안팎의 일가붙이들에게조차 행세하기 어렵게 되었다는 낭패가 폐부를 찌르는데, 술청에 서 있던 것들이 버선발째로 마당으로 달려 내려가선 길소개를 잡고 애걸하기 시작했다.

「여보게, 젓동잇값은 판상할걸세. 제발 소동을 그치게나.」

「젓동잇값은 필요 없소. 이놈이 논틀밭틀* 헤매는 신세라고 허술히 여기는 모양인데, 우리 동패들을 불러서라도 이놈을 내친김에 사그리 조지고 말 것이오.」

길소개가 드디어 게거품을 물고 숭어뜀을 하니 저들이 가근방에서 행세깨나 하는 토반이라 한들 당장 벌어질 일에 꾀어들기가 거북하고 남우세스러운 일이 아닐 수 없었다. 길소개가 그 눈치를 보았는지 오금 박기 바빴다.

「치도곤이 무서워 손톱여물*을 썰 사내가 아니오. 나도 성깔깨나 있는 놈으로 기왕 내친김에 끝장을 볼 것이니 상관없는 나으리들은 저리 비키시오.」

「자네가 어디 기댈 언덕이 있어서 그러나? 이 사람을 욕보이고 나면 자네 성할 성싶은가?」

「내가 여기서 곱게 물러나면 우리 동패들이 그냥 있지 않을 거요.」

「그럴 거 있나. 우리도 작로할 일이 바쁜 사람들일세. 여기서 북새만 놓고 있을 한가한 사람들이 아니니 어서 자네 젓동잇값이 얼마인지 말하게. 행낭을 풀어서라도 판상을 하겠다는데 웬 잔말이 그리 많은가?」

「행중(行中)에 지니신 것이 얼마나 되는지는 모르겠으나, 박살 난 젓동이로 말하면 울주 땅 언양 옹기로 사장(私匠)에게 쉰네가 일삭이나 물지게 품을 팔고도 모자라 마누라쟁이 다리를 끊어 팔아 겨우 얻은 젓동이 셋 중에 기중 상품이오. 나으리들 보시기엔 측간 옆에 있는 똥장군에 불과할지 모르나 십 년이 가도 물 한 방울 새는 법이 없거니와 쉰네에겐 한 죽이나 되는 권솔들의 섭생과 희

─────────────────
* 논틀밭틀 : 논두렁과 밭두렁을 따라서 난, 꼬불꼬불하고 좁은 길.
* 손톱여물 : 손가락을 입에 대고 손톱을 앞으로 자꾸 썰어 뜯는 것.

로애락이 다만 거기에 매달렸소이다. 쇤네의 마누라쟁이는 젓장사로 출신할 적에 젓동이에다 떡을 찌고 걸귀를 잡아 굿을 놀아 발빈(拔貧)을 빌었습죠. 운수 사나운 젓장수를 만나 저자 바닥에서 박살이 난 형편이긴 하나 쇤네에겐 가히 보화였소. 그 안에 든 뱀댕이젓으로 말하자면, 냄새만은 뒷물 않은 계집의 밑구녁이겠으나 제물포 앞바다에서 난 뱀댕이 중에서는 상품으로 절인 것이오. 푼전에는 뚜껑도 열지 않았소이다. 또한 제물포에서 여기까진 오백 리 길이라곤 하나 물길 산길을 거쳐 장바닥을 훑어 오느라면 천 리 길이 족할 거요. 그 태가(駄價)*가 어찌 말곡식이나 몇 필의 피륙으로 대신할까요.」

백지 허황하게 지어낸 소리인 줄은 빤히 알 만한데, 그러나 앞뒤가 생판 두서없지 아니하고 이미 약점이 잡히고 말았으니 달리 발뺌하고 빠져나갈 궁리도 없는지라, 만약 그렇다고 발악하다간 어떤 풍파가 닥칠지 전연 예상하기 어려웠던 도포짜리가 대중없이 묻기를,

「도대체 네 주작대로라면 태가 합쳐 얼마가 된다는 수작이냐? 사설은 그치고 뚝 부러지게 여쭈어라.」

「예, 쇤네 역시 아무리 궁리를 터봐도 적당한 값을 말하기 난처합니다. 그런 데다 보아하니 궁박한 살림이 틀림없을 나으리 주제에 어찌 과분한 물대를 청할 수 있겠습니까. 보건대 나으리들 행낭 속에 초피(貂皮)* 싼 것이 든 것 같은데 그중에서 열 장만 내어 놓으신다면 숫막에서 기다리는 우리 동패를 부르지는 않겠소이다.」

「네놈들 결찌*가 몇이냐?」

「스무남은 명이나 되지요.」

---

*태가: 짐을 실어다 준 삯.
*초피: 노랑 담비의 모피.
*결찌: 어찌어찌하여 연분이 닿는 먼 친척.

「공갈이 아니냐?」

「쇤네가 어느 분들 앞이라고 감히 거짓 발명이겠습니까. 의심이 나시면 금방 장터거리로 나가서 옹기전 어름에 외따로 떨어진 숫막을 찾아가 보십시오. 금방 거덜이 날 공갈을 쳐서 쇤네가 어찌 살아날 요량을 하겠습니까.」

「오늘 강겡이로 가는 길에 잠시 한둔하려고 숫막에 들렀다가 네놈을 만나 천하에 몹쓸 창피를 당하는구나. 우리 행낭에 초피 든 것은 어떻게 알았느냐?」

「나으리들께서 맨 처음 쇤네를 보고 눈에 보이는 것이 없느냐고 말씀하시지 않으셨습니까. 그 초피 가지신 걸 몰랐다면 나으리가 젓동이를 박살 내게 그냥 보고만 있지도 않았습지요.」

책상물림 셋이 울며 겨자 먹기로 초피 열 장을 길소개에게 내주고 행구를 챙겨 총총히 주막을 뜨니, 그때까지 싸리문 밖에서 하염없이 떨고 있던 각설이패가 궁둥잇짓을 해가며 뜰 안으로 들어섰다. 하나는 사내였지만 곁꾼으로 붙은 건 계집임이 분명하였다. 사내는 상투튼 배코 밑을 너무 돌려 머리채가 숭늉 쪽박 엎어 놓은 듯하였고 소매는 메추리를 매단 듯하였고 들창코에 인중으로 누런 코가 석 자나 빠진 주제였는데, 마당 가운데로 주척거리고 들어서는 길로 전라도 장타령으로 들어갔다.

「뚜울뚤 돌아왔소 각설이가 돌아왔소. 각설이라 떡설이라 동서리를 짊어지고 뚜울뚤 몰아서 장타령. 흰 오얏꽃은 옥과장(玉果場), 노란 버들 김제장, 부창부수(夫唱婦隨)는 화순장, 시화연풍(時和年豊)에 낙안장, 쑥 솟았다 고산장, 철철 흘러 장수장, 삼도(三道) 도회 금산장, 일색 춘향 남원장, 십 리 불긋 황아전, 파삭파삭 담배전, 얼컥덜컥 옹기전, 딸각딸각 나막신전, 품마품마 잘한다. 지지리지지리 잘한다. 사신 행차 바쁜 길에 마중 참이 중화(中和)로다. 산도 첩첩 물도 중중 기자(箕子) 왕성이 평양이라, 청천에 뜬 까마귀 울고 가니 곽산(郭山), 모닥불에 묻은 콩이 튀어나니 태천(泰川), 찼던 칼 빼어 놓으니 하릴없는 용천검(龍泉劍), 청총마를 올라타고 돌아오니 의주(義州)로다.」

나무비녀가 뒤꼭지에 모잽이로 붙었고 동강치마가 겨우 허리춤에 매달리고 속곳 가래를 푼 채 평나막신을 신은 계집이 그참에 앞으로 쑥 나서며 개구리타령으로 떼방정을 떠는데,

「개골개골 청개굴아, 에헤야 에헤야. 애오개 큰애기는 망근 뜨기로 나간다, 모악산 전주 땅에 공당 뒤메기가 격이라. 안성 땅 큰애기는 숟가락장수로 나간다, 은동골 반수저에 깨끼숟갈이 격이라. 신재령 큰애기는 올벼 훑기로 나간다, 달때 홀깨를 만들어 죽죽 소리가 격이라. 수양산 큰애기는 고사리장수로 나간다, 고비·고사리·두릅나물에 용문산채가 격이라. 함경도 큰애기는 명태장수로 나간다, 명태 떼가 무어냐 전라도 상고선(商賈扇)이 격이라. 왕십리 큰애기는 미나리장수로 나간다. 유각골 큰애기는 쌈지장수로 나간다. 순담양(淳潭陽) 큰애기는 바구니장수로 나간다. 영암·강진 큰애기는 참빗장수로 나간다. 에헤야 에헤야 충청도 당대추는 벙긋벙긋 열렸네, 전라도 중복숭아는 주줄주줄 열렸네, 녹엽이 낙화되면 어느 나비가 돌아오나 관우 장비 유현덕은 조자룡 오기만 기다려. 기생 중에 몇 알기로는 앵무비취가 날개더라, 사당 중에 몇 알기로는 영산홍이 날개더라……. 하늘이 높다 해도 삼사오경에 이슬이 내리고 곤륜산이 높다 해도 하늘 밑에 보인다오.」

엉덩이를 주척거리고 살만 남은 부채로 연방 허리춤을 때리는데, 담 너머로 고개를 디밀고 구경하던 맥장꾼들 입에서는 탄성이 터져 나왔다. 그래도 한잔의 탁배기가 나올 기미가 보이지 않았는지 사내가 사설을 늘어놓았다.

「이 몸이 하릴없어 각설이꾼으로 나섰으나 이팔청춘 소년 시절에는 만 섬을 먹던 대갓집 아들이었소. 이놈의 천성이 본디 짬 없이 착하여 굶어 죽게 된 사람에게 먹던 밥 덜어 주기, 얼어서 병든 사람 입던 옷 벗어 주기, 늙은이 짊어진 짐 자청하여 져다 주기, 장마 때 큰물가 지키다가 삯 안 받고 월천하기, 남의 집에 불이 나면 세간살이 지켜 주기, 길바닥에 흘린 보물 지켜 주고 주인 찾기, 청산에서 백골 보면 열 길 깊이 묻어 주기, 수절 과부 보쌈하면 쫓아가서 빼어 내기, 어진 사람 모함 잡히면 대로에서 발명하기, 주막에서 병든 사람 본가에다 기별하기, 초상 난 집 부고 전하기, 출상할 제 명정(銘旌) 들기, 들병장수 공짐 지기, 방 뜯는 데 조역꾼, 담 쌓는 데 자갈 주워 주기. 이 집 저 집 동네방네 돌아가며 갖은 행역 치르다 보니 일 년 사철 헌 옷이고 아이들은 부황 나고 삼순구식도 어려워 각설이패로 풀렸으되 탁배기 한잔에 푼전이나 던져 주면 더 바랄 게 무어며 더 먹을 것이 무어 있겠소.」

그제야 들병이 계집이 정지로 쭈르르 달려가서 주발이 철철 넘치도록 안다미로 술을 담고 전부침을 가져와서 턱밑에 바치니, 각설이꾼 내외는 사발을 받아서 벌컥벌컥 마시고 마당 가로 쫓아가 흙 묻은 밴댕이젓 두어 마리 집어 올려 우적우적 씹으며 삽짝을 나섰다.

담 너머로 구경하던 사람들도 그제야 흩어지고, 좀 뜸해진 틈을 타서 길소개는 술청으로 가서 걸터앉았다. 괴춤에서 들통대를 쑥 뽑아내어서는 헛김 새는 아래통을 아드득 돌려 놓고 찰쌈지의 가루 담배를 한 줌 내어 가래침을 퉤 뱉어서 손바닥 위에 모아 놓고 비벼서 들통대에 꾹꾹 눌러 모질게 비틀어 담았다. 수리취로 불을 댕기려는 참에 마당 가에서 깨어진 젓동이를 치우던 들병이가 힐끗 길소개를 건너다보며 물었다.

「이녁은 어디로 가시는 참이오?」

「이제야 눈썰미가 바로 박히는 모양이구먼. 어디로 가든 아낙이 무슨 상관인가?」

「쇤네도 따라갈까요?」

「허어, 내가 가진 초피 몇 장이 무어 대단하다고 그러나?」

「그깟 초피 몇 장에 눈이 뒤집혀 세의(世誼)*도 없는 댁네를 따라가려구 그러는 줄 아시오?」

「그게 아니라면 내가 옥골선풍이어서 홀딱 반했단 말인가? 젓동이나 지고 다니는 도붓장수인데?」

「사람 잘못 보았소. 내 평생에 양반 사람 멱살 잡고 기운껏 흔들고도 눈썹 한 번 까딱 않는 상사람을 처음 보아서 그렇소.」

「옛수다. 내가 이 초피 열 장을 다 챙겨서 팔자 고칠 입장이 아닐 바에야 반으로 뚝 잘라서 나눕시다. 허기야 아낙의 훈수가 아니었더면 내 그놈들께 고스란히 빨릴 뻔하지 않았소.」

「그만두시오. 내 들병이 신세로되 입맛 하나는 까다로운 편이우. 가져가서 깨진 젓동이나 진작 구처하시오. 난 그깟 초피 몇 장 있어도 살고 없어도 살아요.」

「정녕 싫다는 거요?」

「싫다마다요. 오랜만에 십 년 묵은 체증이 내려갈 북새판을 구경했는데 무어 더 바랄 것이 있겠수? 그러나 관속들 들이닥치기 전에 얼른 장바닥이나 뜨시오.」

들병이와는 체면이 틀리게 되었으나, 하는 말이 그럴듯하고 고마워서 길소개는 젓동이를 수습하여 주막을 나서고 말았다. 닥칠 봉욕에 겁먹기보다는 공연한 북새통으로 동패들의 일을 그르칠까 두려웠기 때문이다. 왁자지껄한 시계전 앞을 돌아 나가니 무시로전과 목

---

*세의 : 대대로 사귀어 온 정.

물전(木物廛)이 즐비했다.

쟁기 · 끌쟁이 · 길마 · 써레 · 삿갓 · 도롱이 · 발고무래 · 괭이 · 곡괭이 · 쇠스랑 · 가래 · 살포 · 갈퀴 · 삽 · 호미 · 벽채 · 잿박 · 용두레 · 장군〔長本〕 · 도리깨 · 넉가래 · 멱서리 · 동구미 · 채롱 · 키 · 지게 · 구럭 · 어리 · 구유 · 벼훑이 · 삼태기 · 부등가리 · 부엌비 · 공석 · 멍석 · 맷방석 · 짚소쿠리 · 닭장 · 따비 · 씨아 · 다듬잇돌 · 빨랫방망이 · 우삼(雨衫) · 갈모 · 절구 · 체 · 체솔 · 용수 · 고리 · 이남박 · 조리 · 양념 절구 · 도시락이 널려 있고, 그 앞으로는 소반장수 대여섯이 소반짐을 내려놓고 웅성거리며 서 있었다. 원반(圓盤) · 통영반(統營盤) · 돌상〔八隅盤〕 · 해주반(海州盤) · 번상〔公故床〕 · 귀상 · 단각반(單脚盤) · 개다리소반 · 나주반(羅州盤) · 모판 · 부담(負擔) · 찬합 · 주합(酒盒) · 피롱(皮籠)이며, 반주합(飯酒盒) · 표주박 · 호리병 · 주전자 · 약탕관 · 쇄금(鎖金) · 용충항〔龍尊缸〕 · 가께수리 · 반닫이 · 문갑 · 비누합 같은 잔세간들을 팔고 있었다.

산골 저자치고는 대처를 방불케 할 만큼 내륙의 많은 물화들이 쏟아져 나와 있던 것은 분명 강경으로 가는 도붓쟁이들이 많기 때문인 것 같았다. 그런 때문인지 부적(夫赤) 옹기가 나도는 옹기전은 중화참이 되자 붐비기 시작하였다. 옹기전과 시계전 이외는 파장 기운이 썰렁하니 돌아서 길 바쁜 드팀전 도붓쟁이들은 벌써 난전들을 걷고 있었다. 거개가 놀미나 강갱이로 떠나는 축들이어서 달만 뜬다면 심심찮은 작로가 될 것 같아 길소개도 젓동이 처분을 단념하고 옹기전 앞에 있는 주막으로 돌아가고 말았다. 그러나 막상 작로할 작정이었던 이용익은 온데간데없었다. 당초에 같이 저자로 나가 젓동이 처분을 거들겠다던 이용익이 보이지 않았기로 장터거리에 써늘한 저녁 바람이 불 때까지 기다렸으나 용익은 끝내 코빼기도 내밀지 않았다. 그동안 하릴없이 탁배기만 마셔 대어서 취기까지 도도하여 작로할 일이 더욱 걱정인데, 이제 장판에 어둠이 깔려 먼뎃사람은 보이지도 않을 만큼 되어도 이용익은 끝내 나타나지 않았다.

「이거 괘씸한 사람 아니오?」

길소개가 결기를 북돋워 씨부렸으나 조성준은 말이 없었다. 도붓쟁이들이란 언약을 함부로 하는 법이 없으되, 그러나 한번 언약을 두었으면 취리를 단념하고서라도 동패의 언약을 파의할 수 없으매 이용익이 끝내 나타나지 않는다면 그 배신을 그냥 두고 볼 일만은 아니라는 생각들을 하였다. 미리 거취를 알리지 않았으매 그냥 두고 떠날 수도 없거니와 기약 없는 사람을 그냥 묵새기고 앉아 기다릴 수도 없어 행구를 챙기기 시작하는데, 금방 어둑한 주막 앞 고샅길로 이용익이 들어서고 있었다.

「이 사람, 난쟁이에게 붙들렸던가? 통기도 없이 어딜 갔다가 이제 오나그래?」

조성준이 그렇게 반나무라듯 하긴 하였으나 이용익이 무슨 소간(所幹)으로 어딜 다녀오는 것인지 속짐작을 하고 있는 눈치였다.

「강경엘 다녀왔소.」

용익이 대답하고 봉당에 털썩 주저앉는 품이었으나 그리 곤하게 보이지도 않았다.

「짐작하고 있었네. 내가 말하던 그 김가의 집엘 가보았던가?」

「그랬소. 연산 장터에까지 김학준(金學準)이 하면 모르는 놈이 없기에 좀이 쑤셔 배길 수가 없었소. 선길에 강경으로 가서 사람을 놓아서 넌지시 살피고 돌아왔소.」

「연산서 강경까지는 하룻길이 빠듯한데 중화참에 떠나서 해 질 녘에 돌아왔으니 자넨 천상 삼현령역마(三懸鈴驛馬)*일세그려.」

---

*삼현령역마 : 예전에, 급한 공문을 전해 주던 날쌘 말.

「그건 그렇고 이렇게 붙박여서 뜸만 들일 것 없이 어서 길을 뜹시다. 살피고 온 일은 작반 중에 말씀드리기로 하겠소. 우선 준총을 두어 필 구처해야 하겠는데 근방엔 마방 딸린 숫막이 보이지 않소.」

인근 사정에 밝은 길소개가 괴춤에 손을 찌르고 섰다가,

「놀미까지 가야 세마 놓는 마방이 더러 있지…….」

「어서 뜹시다. 중도에 놀미에서 지체한다 하더라도 홰치기 전까지는 쉬이 강경에 닿을 겁니다.」

행구는 챙긴 뒤였으니 주막을 뜨는 데는 긴 시간이 필요치 않았다. 용익이 강경 김학준의 집에서 무엇을 수탐하고 돌아왔는지 당장은 알 수 없으되, 보아하니 사람이 총명한 데다가 셈속도 빠르니 아귀다툼할 것 없이 용익의 마련대로 따르기로 하였다.

그들은 곧장 연산 장터를 떠났다. 장터에 늦게 처진 도부꾼들 몇이 주막 앞에서 웅성거리고들 있었다. 신새벽까지는 강경 장터에 닿아야 할 패거리들이었다.

3

청동골〔靑銅里〕 앞 마전내를 끼고 한참 내려가다 보면 한전(閑田)의 옹기점 못미처 마전내는 강폭을 훨씬 벌려 넓히면서 앞이 환하게 터진 학정미의 개활지로 흘러 들어가고, 길은 올목고개를 바라보면서 왼편으로 성급하게 꺾였다.

올목고개를 넘어서 한 마장 정도 좋이 걸으니 길은 노류재 세거리에 이르렀다. 노류재 세거리에서 반송골로 내려가서 성평내〔城坪川〕를 건너기만 하면 곧바로 은진(恩津) 땅에 들어설 수가 있었다. 그러나 세마를 내자면 천생 세거리에서 오른편 길을 따라 아호(阿湖)로 내려가는 도리밖에 없었다. 놀미에 들를 일이 없는 대개의 도붓쟁이

들은 주막에서 목들을 축인 다음 성평내의 나루를 건너서 반야산(般若山) 아래 관촉사(灌燭寺) 앞을 지나는 작로를 택하였다.

세거리 주막에서 잠깐 어한을 하고 마구평(馬九坪) 쪽으로 접어드니 앞은 훤히 트였으되 밤길은 더없이 한산하였다. 헐벗은 개활지를 스쳐 온 바람이 목덜미를 스치니 살갗이 베어 나는 듯 따가웠다. 세 사람은 등토시 속에 두 손들을 꽁꽁 묻었다. 추위 때문으로 걸음은 더 빨라 아호리의 다리뜸에 다다랐는데도 밤은 겨우 술시 말에 이르렀을 뿐이었다.

다리뜸 주막거리에서 모닥불을 피우고 어한을 하는 소몰이꾼들을 만나 수소문하였더니, 놀미 장터를 훨씬 지나가면 세마 놓는 집이 있다는 것이었다. 놀미 장터에 닿아 창말〔倉洞〕 연산강창(連山江倉)과 봉화산(烽火山) 샛길에는 번듯한 마방이 딸린 주막이 서너 집 있었다. 우선 술청에 올라 너비아니* 안주로 탁배기 몇 잔 들이켜 허기를 끈 다음 주막 뒤켠에 있는 조용한 봉노를 빌려 공론들을 하였다. 성미 급한 용익이 먼저 발설을 하였다.

「우리 셋 중에 두 사람은 가외요, 한 사람은 양반이 되어야 합니다. 언문은 물론이요 진서*글도 대강은 뜯어볼 줄 알아야 욕을 당하지 않을 겁니다.」

들통대를 들고 앉았던 길소개가 뜨악한 낯짝이 되어,

「진서글이라면 조송파가 대강은 뜯어보지 않소?」

「나는 그놈과 면분이 있으니 금방 들통이 날 것이오. 안 됩니다.」

「시생이 언문에는 대강 문리가 틔었으나 진서글이라면 곰의 발바닥이오.」

---

*너비아니 : 저미어 양념해서 구운 쇠고기.
*진서 : 우리 글을 언문이라고 낮춘 데에 상대하여 진짜 글이라는 뜻으로 '한문'을 높여 이르던 말.

44

가만히 듣고 있던 용익이 나서기를,

「딴 도리가 없소. 나중엔 넙치가 되는 한이 있더라도 길(吉) 동무께서 맡아 주셔야겠소. 처신만 점잖아 보인다면 그놈들이 방자히 굴거나 금방 본색을 알아차리지는 못할 것이오.」

길소개가 들통대 불을 털고 금방 도리머리를 흔들었다.

「금방 내 본색이 들통나는 날엔 그 싸개통에서 여축없이 당하고 말 것이 아닌가?」

「안면이 있어야 본색이 드러나지 않겠소? 길 동무께서야 장터거리에 나선다면 혹 면분 있는 상것들이나 농투성이들을 만날 수는 있을지언정 양반놈들이야 동무님과 면분 트고 있는 것들이 있을 까닭이 없지 않소?」

「꼭히 사정이 그러하다면 내가 팔자에 없는 양반 행세를 하는 수밖에 없네만, 그러나 내가 낭패를 보기 전에 일은 얼른 해치워야 하네.」

「그럼 양반 행차에 경마 잡는 배행꾼이 있어야 하니까, 그건 내가 맡겠소. 조송파께서는 부담마를 몰도록 하시오. 그렇게 행세하지 않고서는 바로 대문 밖에서 쫓겨나기 십상입니다.」

조성준이 걱정하기를,

「그럼 행세옷*은 어디서 구처한단 말인가?」

「내가 저녁나절 강경에서 떠날 적에 도포 한 벌과 녹비혜〔鹿皮鞋〕* 한 켤레는 구해 왔소이다.」

「녹비혜는 좋지 않아. 시골 양반티를 내야지, 공연히 서울 시체 모양을 내면 오히려 유표(有表)*할뿐더러 그 유표한 덕분으로 실수

---

* 행세옷 : 나들이옷.
* 녹비혜 : 사슴 가죽으로 만든, 목이 짧은 남자 신발.
* 유표 : 여럿 중에 특히 두드러짐.

가 눈에 더 뜨일 것이니, 그저 시골 토반으로 문벌이나 있고 형세가 굶지 않는 형국이면 되겠지. 동티를 낸 뒤에 피신할 적에도 녹비혜는 추심(推尋)할 놈들의 표적이 될 것이고…….」

「갓은 어찌한다?」

「제가 나가 보지요.」

용익이 길소개의 머리통을 대강 어림하여 일어서 나가더니 담배두 대 털 즈음하여서 통량갓 한 벌을 구처하여 들고 들어왔다.

반죽 좋고 뱃심 있는 길소개도 50평생을 두고 한 번 입어 본 일이 없는 도포를 입으려니 어딘가 꺼림칙하고 심사가 고약해져서 슬슬 꽁무니를 빼는 판국이었다.

「좀 더 생각해 봅시다. 김학준의 집에 들어가는 방도가 꼭 이 방도밖엔 없을까요? 차라리 마주잡이로 수구문(水口門)을 백 번 드나드는 편이 낫지 양반 행세는 차마 자신이 없소.」

용익이 그 단박 결기를 긁어 올리며,

「다른 방법은 없소. 우리가 화적 떼처럼 월장을 해서 들어갈 수는 있소. 그러나 월장해서 들어간 사람들이 대문 열고 나올 수는 없지 않소? 천상 손님으로 가장할 수밖에 없소. 이제 와서 딴청 퍼지 말고 나가서 손발이나 씻고 머리나 감으시오.」

이용익이 떼밀다시피 길소개를 봉당으로 내쫓으니 길소개도 더 이상은 고집을 부릴 수가 없었다. 구변이 그만하니 그깟 시골 토반들 사이에 끼어들어 말대답하는 것쯤이야 한나절인들 두려울 것이 없었다. 양반들이라 하여 말끝마다 공자만 주워섬기지도 않을 터이긴 하나, 다만 두려운 것은 행동거지를 어떻게 다스려야 하는가가 큰 난사였다. 인사수작도 치러야 할 것이고 살고 있는 고을을 대고 나면 문벌이 어떻고 고을의 공사(公事)는 어떠한가 넌지시 물어 오는 놈도 있을 것이었다.

시종여일 모르쇠로 방패막이하다 보면 금방 새우젓장수 본색이 드러나기 십상이었다. 발림수도 한두 번이겠고 거짓말 뒷갈망으로 언죽번죽 거짓말치레를 하다 보면 이야기의 곡절이 가리산지리산으로 뒤죽박죽이 될 건 뻔한 노릇이었다. 상것이 섣불리 양반 행세 하였다고 꼭뒤잡이로 내쫓는 일로 끝난다면 몰라도, 똑바로 홍살문 안으로 잡혀가서 구초(口招)*를 당하고 스물닷 근짜리 칼이나 쓰고 나면 신세 조지는 판세가 아닌가.

도붓쟁이들이 모이는 봉놋방이란다면, 이제 신수 늙어 노닥다리 신세일망정 저놈이 박으면 저 또한 자신이 있고 저놈이 삿대질이라면 저 또한 자신이 있었다. 그러나 아무리 시골 토반 행세일망정 50평생을 새우젓장수로 늙어 가는 신세가 풍골이 준수하고 범절깨나 차린다는 양반들 틈에 끼여 진땀 흘릴 생각을 하니 등골에 식은땀이 절로 흘렀다. 길소개가 등밀이로 정지 앞까지 밀려 나오긴 하였으나 우물가로는 가지 못하고 엉뚱하게 탁배기만 두어 주발 들이켜고 있는데, 낌새를 알아차린 용익이 어느새 정지까지 쫓아 나왔다.

「동무님께선 시방 뭘 하고 있소?」

「보시다시피 목을 축이고 있지 않나?」

「낭패구려. 목을 씻으라고 하였지 누가 목을 축이라고 하였소?」

「축이나 씻으나……」

「어찌 그리 겁이 많소? 나중에야 극변으로 귀양살이를 갈망정 초다듬이부터 겁을 집어먹는다면 앞으로 장삿길인들 온전하겠소?」

주모를 재촉하여 우물가로 목간통을 내오게 하고 어거지로 사람을 끌어다가 상투에서 동곳을 빼 던지고 머리를 끌어 박으니 길소개도 이젠 용뺄 재간이 없었던지 목간통 앞에 넙죽이 엎드렸다.

---

*구초: 예전에, 죄인이 신문에 대하여 진술함, 또는 그 진술.

감발을 풀고 발떠꾸를 씻긴 하였으되 50평생을 달고 다니던 발 고린내가 목간통에 담긴 시답잖은 물로 금방 가실 리가 없었고, 상투를 풀어 헹구었다 하나 50년을 두고 켜켜로 내려앉은 팔도의 저자바닥 땟국이 금방 빠질 리도 만무하였다. 귀한 소금 얻어 이빨을 닦았으나 50년을 두고 굳어 온 이똥이 금방 사그라질 리도 또한 만무하였다. 그러나 개숫물 같은 목간통을 세 번이나 갈아 대니 약소한 대로 겉땟국은 가시고 그런대로 본살이 드러났다.

이맛전과 볼따구니에 잡힌 깊은 주름이야 완연하였으되 이목구비가 제자리에 들어앉은 것 같은 감회야 없지 않았다. 신수가 그런대로 멀끔해 보이고 몸에 배었던 땟진 내도 다소는 가시었다. 목간이래야 여름 외장을 돌 때, 한산한 개천을 만나면 땀이나 씻을 정도로 첨벙거리다가 가을 들면서부터 물 냄새를 맡지 못했으니 살에 낀 땟국만은 아직 그대로였고 등줄기에 밴 젓국 냄새만은 어찌할 재간이 없었다.

허여멀건 길소개가 봉노로 들어서자 모 꺾어 앉아 곰방대를 빨던 조성준이 얼른 농을 걸었다.

「신수 그만하면 깎은서방*이구려. 서울 남촌 기방에 가서 뒹굴어도 어느 놈 하나 근본 없는 새우젓장수로는 보지 않겠구려.」

「양반 되기가 이렇게 고역인 줄은 몰랐소……. 차라리 고향땅에서 따비밭이나 일구며 엎드려 살걸, 강경 땅에 와서 공연한 허세 부리다가 큰 봉패 당하지 않을까 실로 걱정이오.」

「임자 봉욕당하도록 가만두고 볼 성싶으오? 임자도 차제에 평생에 한 번 양반 행세도 해보지 않소?」

「허긴 그렇소. 코 떼어 괴춤에 차는 한이 있더라도 근본 없는 도붓

---

* 깎은서방 : 말쑥하고 단정하게 차린 남자.

쟁이들 틈에서만 놀다가 이목이 준수한 양반들과 허교(許交)를 해 보는 것도 소원이긴 하였습니다. 까짓것 시생도 진잎죽 먹고 잣죽 트림 한번 하게 생겼으니 소원으로 말한다면 여한이야 없게 되었소.」

「체모나 갖추시오.」

길소개가 도포로 갈아입는 걸 기다렸다가 조성준과 이용익은 다시 저잣거리로 나갔다.

우선 농삼장[三丁]과 사람 하나가 능히 들어갈 만한 부담롱 하나를 구처하였다. 그 안에는 허름한 옷가지와 피륙 몇 필을 차곡차곡 담아 넣었다. 그리고 한편으로는 민어, 광어, 상어, 전복, 홍합 등속의 마른 어물을 담아 넣고 다련에는 누비이불 한 채를 넣었다. 그리고 궤에다가는 육초[肉燭]를 넣었다. 호로병에는 술을 착실하게 담고 찬합에다가는 장산적과 천리산(千里散), 북어무침, 고추장볶음을 다 져 넣었다. 수저는 광친쇠요 매화틀은 맞춤 물건인 것처럼 하였다.

누가 보아도 양반 행차로서 외착이 나거나 섣불리 의심 두지 않을 만큼 범절을 차렸으되 비용은 전부 조성준이 대었으니, 조성준도 이제는 행탁에 몇 닢의 동전이 달랑거릴 뿐이었다.

상산 땅 물상객주에서 빌려 온 백 냥이 완전히 바닥난 건 고사하고 행탁에 지녔던 몇 푼도 거덜이 나버렸다. 그에겐 만약 이번 일이 실패로 끝난다면 도리 없이 걸궁패*로 떨어질 판국이었다. 모두 잊어버리고 그만 회정해 버릴까 하는 마음도 없지 않았으되 이제 김학준을 바로 코앞에다 두고 그냥 돌아선다면 평생을 두고 후회할 것만 같았다. 게다가 이용익과 길소개가 곁꾼으로 훈수를 드는 바람에 이젠 자기도 끌려드는 판이었다. 이제 와서 그만두겠다고 나

*걸궁패 : '걸립패(乞粒牌)'의 사투리. 동네의 경비를 마련하기 위해 집집마다 다니면서 풍악을 울려 주고 돈이나 곡식을 얻기 위하여 조직한 무리.

선다면 동패를 농락한 죄로 되레 자기가 멍석말이 사매질을 당할 판국이 되었다.

마방으로 가서 삯말을 내달라고 하자 마방의 말먹이란 놈이 두 사람의 행색을 한참이나 아래위로 재어 보더니 딱 잡아떼었다.

「왜 그러시오? 우리 행색이 초라해 전나귀 두어 필을 몰고 도망해 버릴 위인들로 보이시오?」

용익이 당장 물고를 낼 거조로 차인놈에게 삿대질로 대들었다.

「면분도 없는 객지 사람들에게 배행 없는 삯말을 어찌 내줄 수 있겠소?」

「우린 경마꾼이 필요 없소.」

「그러니까 안 됩니다.」

「여보시오, 객지 사람이 아니면 뭣 때문에 삯말을 낼 거며 경마잡이 딸린 삯말을 내면 부비가 수월찮을 터인데 그걸 누가 감당하겠소?」

「좀 더 올라가면 시게전거리에 마방이 하나 더 있으니 그리로 가 보시오.」

「생청*으로 잡아떼지 마슈. 우리도 강경으로 들어가는 차인들이오. 채장도 좋고 자문도 좋소. 원하는 대로 맡길 터이니 안심하고 나귀를 내주시오.」

「그러다가 나귀를 잃으면 어떡하우?」

「여보시오, 그렇게 의심이 많고서야 마방 건사가 제대로 되겠소? 우리가 나귀 두 필에 모가지를 내걸 잔챙이들로만 보이시우? 채장을 맡기겠다고 하지 않았소?」

그참에서야 마방 차인놈은 다시 두 사람의 행색을 유심히 살피면서 한참 뜸을 들인 후,

---

*생청 : 시치미를 떼고 하는, 앞뒤가 맞지 않는 말.

「어느 임방이오?」

「송도 임방이지 어느 임방이겠수?」

「셈은 쌀로 하시려오, 결곡식으로 하시려오?」

「무명은 어떻소?」

「서른댓 자가 꽉 차는 상목으로 네 필만 맡겼다가 나귀를 돌려줄 때 두 필은 찾아가시오.」

「좋소이다. 셈이야 고헐간에 어서 나귀나 풀어 주시우.」

「강경에 닿거든 박유복의 여각에다가 나귀를 맡겨 주시오.」

「박유복이란 사람과는 세의가 있소?」

「서로 나귀를 재워 주고 있지요. 그 여각은 건어물을 취급하오만 마방도 번듯하고 드나드는 등짐장수들도 여럿이니 그 여각에 들면 거래도 쉽소이다.」

「알았소. 그 여각에 들도록 하죠.」

밤이 삼경을 넘겼으나 세 사람은 길을 뜨기로 하였다. 아예 놀미를 뜰 때부터 길소개를 나귀에 올리고 이용익이 경마를 잡았다. 조성준은 말뚝벙거지로 바꿔 쓰고 부담마를 끌고 뒤따르니 어느 누가 보아도 양반 행차임이 틀림없었다.

그들은 곧장 창말 앞을 벗어나서 앞이 훤히 트인 봉화산의 산성(山城)을 돌아 양지뜸 앞으로 내려섰다. 멀리 오른편 개활지로는 금강으로 흘러 들어가는 성천내가 축축이 흘러가고 있었다. 양지뜸에서 들꽃메로 들어서면 그나마 왼편으로 야트막하게 보이던 언덕도 보이지 않고 동서남북이 막힌 데 없이 트인 채운들〔彩雲平野〕이 나타났다. 들녘을 지나는 겨울 찬바람으로 세 사람은 눈시울과 볼따구니가 터져 나갈 지경이었다. 나귀도 마냥 고개를 숙이고만 걸었다. 마상에 앉았던 길소개가 견디다 못해 말에서 내리겠다고 채근하기 시작했다.

「이젠 그만 내릴라네. 살이 쓰려 죽을 지경인 데다 우선 턱이 떨어질 판국이네.」

등토시 속에 손목을 넣고 묵묵히 경마 잡던 이용익이 대답하였다.

「양반 행세가 그렇게 쉬운 줄 알았소?」

「차라리 자네와 바꾸는 게 어떤가? 내가 경마를 잡는 편이 아무래도 상책일세. 맞는 매보다 겨누는 매가 더 못 견딜 지경이라더니 이건 그 짝이 아닌가?」

「가만히 앉아 계시오. 만약 나귀에서 내렸다가 새벽길에 마주친 행인들이 수작을 본다면 지금까지 들인 공이 헛수고가 된단 말요.」

안달인 길소개를 주저앉히고 반 식경이나 걸었을까. 멀리 강경의 저잣거리 새벽 불빛이 희미하게 건너다보이는 나루에 닿았을 때는 인시 말이 되었다. 동편 하늘이 뿌옇게 밝아 오고 바람이 잠잠하였으되 사람도 나귀도 찬 밤길을 걸었으니 말갈기와 턱수염 언저리엔 서리가 하얗게 얼었다. 조금만 몸을 비틀어도 어깨뼈가 와그르르 무너져 내릴 것만 같았다. 강은 얼었으되 살얼음이어서 거룻배가 뜨자면 늦은 아침께나 되어야 할 판국이었다.

강경 저잣거리로 들어가는 길은 어상산(御床山) 아래의 화산하교(花山下橋)를 건너거나 원항교(院項橋)를 건너는 길이 있으나 다릿목이라는 곳이 기찰하는 포리나 장교들이 설치게 마련이었고, 또 더 이상 이 새벽 한기 속을 뚫고 다릿목까지 걸어갈 기력도 없었다.

도선목에는 겨우 등바람이나 막을 만한 사공막이 허물어진 채로 서 있었다. 우선 어한부터 해야겠기에 사공막을 뜯어 모닥불을 피우고 둘러앉았다.

「나루를 건너면 보행객주(步行客主)를 골라 들어 요기한 후에 눈도 조금 붙이고 늦은 아침이 되어서 찾아갑시다.」

마음부터 바빠진 이용익이 그렇게 말하자 조성준이 도리머리를 흔들었다.

「아닐세, 종일 기다리다가 해 질 녘에 들어가는 것이 좋으이.」

「만약 김학준이 취해 떨어지면 어떡하우?」

「별로 술을 즐기는 사람이 아닐뿐더러, 오랜만에 가근방 토호들이나 일족들이 모여들겠으니 초저녁부터 내사로 들진 않을걸세.」

「어쨌든 사랑채에 있을 때 그놈을 옭아내어 결딴을 내야 합니다. 만약 내사로 들기라도 한다면 일은 복잡해집니다.」

「내가 겨냥하는 것은 김학준이 한 놈뿐인즉슨 혹시나 일이 뒤틀리어 노속들이나 일가붙이들이 눈치를 채더라도 절대로 해칠 요량은 말게. 만에 하나 대적하려 했다간 큰 경난(經難)을 겪게 될 것일세. 사세 다급하여 월장을 했으면 했지 일을 번거롭게 틀진 말게.」

「알았소. 장정 셋이 그 늙은 놈 하나를 끌어내자는 데 쉬이 실패를 볼 성싶지는 않소이다.」

잉걸불에 얼굴이 벌겋게 달아오르고 사추리가 후끈해지자, 이젠 등이 시려 왔다. 등을 돌리고 배를 쓰다듬으며 거루 뜨기를 기다리는 동안 날은 훨씬 밝아졌고 도강목에는 행인들이 붙어 갔다. 거개가 인근 산골을 헤매는 도붓쟁이들이었고, 간혹 차려입은 도포짜리들도 보였다.

묘시 말이 되어 해가 한 뼘이나 뜨자, 건너편 사공막 앞에 사람이 얼씬거리더니 겨우 배를 풀었다. 배를 기다리던 행객들이 도강목을 꽉 메우도록 들어찼지만 양반 행색인 길소개의 덕으로 세 사람은 첫배에 오를 수 있었다. 배를 타고 바라보니 벌써 비린내가 코에 스미는 듯하였다.

멀리 바라보이는 금강은 공주 너머에까지 뻗어 있었지만 공주에서 동쪽으로 나가면 물이 얕고 여울이 많아서 배가 통하지는 않았다. 그러나 부여와 은진에선 바다의 조수와 통하게 되어 백마강 아래 진강(鎭江) 일대는 바닷배가 쉬지 않고 들어올 수가 있었다. 은진은 강경으로 꾸려 간다*는 말이 있듯이, 강경은 충청도와 전라도 사이에 끼여 있어 바닷사람과 내륙의 사람들이 모여들어 교역이 활발하였다. 봄과 여름 동안은 생선을 잡고 해초를 뜯느라고 비린내가 포구에 넘치고, 토선(土船)과 만장이, 당도리선* 들이 황산(黃山)과 세도(世道)로 마주 나누어진 포구에 담처럼 둘러서서 꽹과리를 쳐댔고 화장(火匠)*들이 내뿜는 연기로 포구의 하늘은 다시 암회색의 바다였다.

한 달에 여섯 번씩이나 열리는 장에는 전라도의 곡식과 경강(京江)으로 가는 조곡(租穀)과 화물이 포구에 쌓였고 내포(內浦)와 임천(林川)·한산의 모시가 쏟아져 나왔다. 부여·홍산(鴻山)·은산(恩山)·임천·갓개[笠浦]에도 큰 장이 총총히 놓여 있었다. 더욱이나 강경과 군산의 중간에 있는 갓개의 나룻장은 어물장으로는 가히 강경에 뒤지지 않았다. 5월의 황새기젓과 7월의 새우젓이 풀릴 때는 갓개에만도 50,60척의 배가 몰려들었다.

연평도의 조기 파시(波市), 거문도와 청산도의 고등어 파시, 추자도의 멸치 파시도 볼 만하였지만, 군산 앞바다 칠산 어장(七山漁場) 위도(蝟島)의 조기 파시는 황해에서 손꼽히는 파시였다. 겨울 들면서부터는 1백만 마리의 조기가 잡혔고, 7만 섬의 소금이 생산되었다. 명태는 원산포에서, 대구·청어·멸치는 마산포에서, 그리고 연평도와 칠산 어장에서는 조기가 잡혔으니 포구에 잇대어서는 여각과 숫막이 즐비하였다.

---

*은진은 강경으로 꾸려 간다 : 은진은 강경이 있기 때문에 버티어 나갈 수가 있다는 뜻으로, 남의 힘을 빌려서 겨우 버티고 견디어 나가는 경우를 이르는 말.
*당도리선 : 바다로 다니는 큰 나무배.
*화장 : 배에서 밥하는 사람.

조기는 칠산 어장에서 잡혔으나 거래는 대개가 강경 포구에서 이루어졌다. 그것은 대개의 선주들이 강경에 버티고 앉아 있었기 때문이다. 이른바 출매선(出賣船)이라 하여 어부들에게 자금을 전대(前貸)하고 출어하여도 반드시 선주의 사주에 따라서 매도(賣渡)하게 되었다. 선주가 어획물을 매수(買收)할 때에는 조기 1천 미를 7백 미로 계산하였는데 나머지 3백 미는 전대금의 이자로서 무조건 삭감하였다.

선주가 아닌 객주·여각에서도 전대에 월 4, 5푼의 이자를 붙이되 6삭변(朔邊)이라 하여 대부 기간이 6개월 이내인 경우에는 2개월의 차용에도 6개월의 이자를 받아 챙기었다. 그러고도 그것을 어획물로 반환 받을 때에는 반드시 시세가 1년 중 가장 하락하였을 때를 기준으로 하였을 뿐만 아니라 해를 넘길 때는 복리로 계산하였다.

김학준은 송파에서 만금을 챙긴 뒤 강경으로 내려와서 송방들과 안면을 트고는 차인 여럿을 고용하여 여각을 열고 출매선 여러 척을 사들여 강경의 어물 시장 시세를 좌지우지할 수 있을 만큼 그 세력을 확장시켰다.

가난한 어부들이 김학준의 토색질에 분개하지 않는 바 아니로되 배가 없는 그들로서는 당장 먹고 살자니 어쩔 도리가 없었다. 어물이란 당장 썩기 잘하는 물화여서 포구에 와서 재빨리 매도치 않으면 안 되었고, 둘째로는 소비지(消費地) 반출 능력이 그들에게 있을 턱이 없었고 또한 객주·여각을 통하지 않은 매매야 관아에서 금하고 있었으니, 김학준 같은 사람이 기생(寄生)하여 치부하기에는 더할 나위 없이 좋은 곳이었다.

강경에서 집하된 어물은 서울의 삼개와 동작진으로 실려 갔다. 경강의 외어물전 무뢰배들은 칠패(七牌)에다 난전을 차려 놓고 동쪽으로는 누원(樓院) 숫막과 남쪽으로는 삼개와 동작진으로 차인들을 풀어 어물은 몇 천 바리라도 모두 매점해서는 칠패에다 쌓아 두고 중도위〔中徒兒〕 거간들을 통하여 수각교(水閣橋), 회현동, 주자동(鑄字洞), 어의동(於義洞), 이현(梨峴) 등지로 내다 팔았다.

김학준이 서울의 삼개와 동작진에다가도 건방(乾房)을 내놓고 강경에서 올라가는 어물을 비운 배에 잡화를 싣고 오거나 황당선(荒唐船)들을 만나 은밀히 밀매를 도모하고 있다는 것을 조성준은 알고 있었다. 황당선에서 도자기나 비단, 피륙 등을 사들이긴 하되 그곳에서 묻어 오는 아편을 사들여 주로 등짐장수들을 통하여 삼남(三南)에다 풀어먹이고 있다는 것도 조성준이 탐지한 사실이었다.

도선목으로 내린 세 사람이 놀미의 마방 말먹이놈이 일러 준 대로 갯가로 뚫린 대로를 한참 동안 올라갔더니, 박유복이란 자가 건사하는 제법 큰 마방이 보였다. 이쪽에서 졸가리를 따지기 전에 마방의 사노(私奴)쯤으로 보이는 떠꺼머리란 놈이 뉘 집 나귀인가를 금방 알아보았다.

「놀미에서 낸 삯말이군요.」

「이곳에 여각이나 객주 말고 보행객주는 없소?」

도부꾼들과 거간들이 쉴 참 없이 들락거리는 여각거리에서 지체하고 섰기엔 마땅치 않아 배행을 가장한 이용익이 사노 녀석에게 넌지시 물었다.

「오던 길을 다시 올라가서 왼편으로 꺾으면 조용하고 방도 여럿인 객줏집이 두엇 있습지요.」

「내일로 나귀를 내갈 테니 잘 먹여 주시오.」

「어련하겠소.」

한 필만 맡기고 부담마는 그대로 끈 채 보행객주로 가서 일단 방을 얻어 들었다. 그러나 해 지기만을 무작정 기다리고 있기엔 뭣하여 조성준과 같이 김학준의 집을 한번 둘러볼 요량으로 길소개를 남기고 일어서려 하자, 길소개가 대뜸 가로막고 섰다.

「심보가 실로 고얀 사람들이군그래. 나 혼자 객주방에 처박아 둔 채 자기들만 저자로 나가겠다는 수작인가?」

봉당으로 내려서려던 용익이 조급히 머리 조아리며 은근히 빗대기를,

「먼 길 행보에 곤하실 텐데 안돈*하시고 노독이나 푸시지요.」

「내가 무슨 고황에라도 든 처지인가? 대낮 객주에 명색 없이 처박혀 있게?」

「별말씀을 다 하십니다. 선다님께선 옥관자*를 달고 지내시는 처지에 상것들만 득실거리는 저잣거리에 납신다는 말씀입니까?」

「이마에 옥관자를 달고 지내는 처지이기로서니 갯가의 귀동냥 한 번에 체모 떨어질 까닭이야 없지 않느냐?」

「군자는 눈을 옆으로 굴리지 않는 법이라 하였습니다. 갯가에 나가시면 자연 울 센 잡배들과 상것들의 고함 소리가 낭자할 것인즉, 혹시 무안을 당하시거나 상것들과 수작하게 되면 체모에 손상 입고 지체 더럽힐 것이 분명합니다.」

「어허, 알음도 없는 타관에 와서 너희놈들에게 구박당함이 자심하구나. 명색이 지체 높은 양반으로 너희놈들과 다투고 있기도 체면이 아닐뿐더러, 그렇다고 마냥 앉아서 해를 보내자니 열불이 날 판이로구나.」

「그만하면 말씀이 되었습니다요.」

드나드는 행객이나 중노미 녀석들이 모르게 의미심장한 눈길을 주고받은 다음 길소개를 주저앉히고 두 사람은 곧장 병문으로 나섰다. 짐바리 실은 복마(卜馬)와 교군들이 심심찮게 오르내리는 대로를 훨씬 벗어나서 원항교 쪽으로 대중하여 한참 올라가다 보니 제법

---

* 안돈: 편안히 정착함.
* 옥관자: 옥으로 만든 관자.

용마루가 묵직한 한택(閑宅)들이 쭉 늘어선 큰 골목이 보였다.

「저 집이오.」

이용익이 회칠한 담장이 덩그렇고 대문채가 늘씬한 기와집을 가리켰다. 주위의 기와집들 중에서도 김학준의 집은 훨씬 돋보였다. 대문 앞에는 당나무 한 그루가 서 있는 한터가 있었다. 한터에는 나귀 몇 필이 매여 있고 누비등거리들을 걸친 말구종과 교군들이 모닥불을 피워 놓고 어한을 들이고 있었다. 두 사람은 대여섯 명의 노속들이 둘러서 있는 모닥불로 다가갔다.

「어 춥다, 불 좀 쬡시다요.」

사추리를 쬐던 떠꺼머리란 놈이 자리를 내주는 둥 마는 둥 하며 물었다.

「어디서 왔소?」

「가근방 사람이네. 자네는 어디서 온 배행인가?」

나이 차가 있어 보이긴 하되 대뜸 해라를 던지는 조성준의 언사에 눈심지가 뒤틀렸던지 떠꺼머리란 놈은 마뜩찮은 얼굴로 아래위로 흘기더니,

「부여에서 왔소이다.」

「잔치는 언제까지요?」

곁에 섰던 용익이 말을 가로채고 들어왔다.

「먼 고을에서 오신 손들이 많아서 이삼 일이나 끌겠지요.」

「몇 분들이나 되지요?」

「일가붙이들이나 가근방에서 모인 손들까지 치면 육칠십 명은 될 테지요.」

「노속들도 많소?」

「집 안에까지 들어가 보진 못했소만 이만한 제택(第宅)을 꾸미고 살고 있는 품이 노속들이 여남은 명은 되겠지요. 헌데 그런 건 왜

58

자꾸 물으시우?」

「가택이 보통 아니니깐 그렇소.」

「강경서도 뜨르르한다는 거상인데 어련하시겠소. 뫼시고 온 분은 집 안에 계시우?」

「아니요. 원행한 터라 우선 객사에 들러 잠깐 먼지를 털고 계시지요.」

「어디서 오셨소?」

「인근 고을이라 하지 않았소?」

「이 집과는 전사에도 교분이 두터운 사이요?」

「바깥어른들의 교분을 하정배들이 어떻게 알겠소.」

「거, 말대답이 어찌 그리 뻣뻣드름하오?」

떠꺼머리란 놈과 되잖은 수작을 주고받는 동안 두 사람은 문간채에 드나드는 사람들을 유심히 살펴보았다. 혹시 관속것들의 출입이 번다하지는 않을까 하는 걱정에서였다. 부담롱이나 짐바리들을 등에 진 노속들을 거느린 지체 있는 도포짜리들이 네댓 번 솟을대문으로 들어서는 모습이 보였을 뿐이었다.

한터에서 웅성거리는 시도(廝徒)*들이나 노속들을 상종하여 입씨름하여선 오히려 본색이 드러날 염려도 없지 않았으므로 우선 바깥의 동정만 살핀 뒤에 일찌감치 객줏집으로 돌아오고 말았다.

하루해를 보낸 뒤 해 질 녘 저녁참을 기다려 세 사람은 범절을 차려서 김학준의 집으로 찾아갔다. 조성준은 바깥 한터에 그대로 남아 있다가 약차해서야 집 안으로 숨어들기로 하고 이용익 혼자서 길소개를 배행하여 집 안으로 들어가기로 하였다. 마침 밤을 지낼 손들만 남아 있는 품이어서 낮보다는 북새통이 덜한 편이었다.

---

*시도: 예전에, 말이나 소를 먹이는 따위의 천한 일에 종사하던 하인.

4

　부담롱을 걸빵에 진 용익을 뒤세우고 솟을대문으로 들어선 길소개는 소매를 떨치며 그 일생에 단 한 번 투전판에다 목숨을 거는 심정으로 문지기를 불렀다.

　「이리 오너라.」

　목소리도 담대할 뿐 아니라 몸이 그런대로 부대(富大)해 보이고 의관이 의젓하여 다소간 위엄이 있어 보였다. 사랑채 누마루 앞에서 어정거리던 비부쟁이* 한 놈이 쭈르르 달려 나와서 길소개를 흔연맞이하여 사랑으로 모시었다.

　이용익은 우선 문간채에다 걸빵을 풀고 부담롱을 내린 다음 신들메를 고치는 체 능장을 부리면서 사랑채를 살펴보았다.

　솟을대문에 잇대어 노속들과 차인들이 기거하는 문간채가 있고 그 좌우로는 담장이 연결되어 후면 안채까지 장방형의 경계를 이루게 되어 있었다. 사랑채는 솟을대문을 똑바로 마주 보게 되어 있었다. 사랑채와 광채 사이에는 축담이 있어 안채와 사랑채를 구분하고 담을 쳐서 중문을 내놓았다. 사랑채는 육간 대청을 중심으로 왼편으로는 세 개의 방이 연달아 놓이었고, 대청 오른편으로는 널찍한 사랑방이 하나 더 놓여 있는데 왼편의 끝쪽 방과 대청 오른편 끝에는 누마루가 잇대어 있었다.

　문지기란 놈은 길소개를 안내하여 우선 왼편의 작은사랑으로 모시었다. 길소개는 방에 들어서는 길로 둘러앉은 선객들에게 읍하여 예의를 표하고 마른기침을 하며 자리하고 앉았다. 금방 조촐하게 차린 다담상(茶啖床)이 나왔다. 방이 그득하게 손들이 들어차 있었고

---

*비부쟁이 : '계집종의 남편'을 낮잡아 이르는 말.

주안상과 다담상을 나르는 하인들이 안채의 숙설간(熟設間)과 사랑
채를 쉴 새 없이 들락거리고 바깥 한터에 있는 시도나 노속들도 대
궁상들을 받아 가느라고 문간채 앞이 부산하였다.

　다담상을 받는 둥 마는 둥 하는데 집사인 듯한 놈이 길소개에게
다가와서 허리를 굽히면서 김학준을 현신(現身)할 터냐고 중얼거렸
다. 집사를 따라 대청 건너인 큰사랑으로 고개를 디밀었다. 일족인
듯한 도포짜리 셋이 책상다리하고 앉아 있는 방 안쪽에 보료를 깔고
앉은 김학준의 체수 작은 모습이 보였다. 소창의(小氅衣) 차림으로
안석(案席)에 등을 기대고 앉았던 김학준은 길소개가 현신하자, 겨
우 인사를 받는 체하였다. 물론 김학준이 길소개를 알아볼 리는 만
무하였다. 한동안 길소개를 빤히 건너다보던 김학준이 채수염을 만
지작거리면서 물었다.

「뉘신지 처음 뵈는 분 같소이다.」

길소개가 짐짓 무안당한 듯이 고개를 외로 꼬아 박고는,

「예, 옳은 말씀입니다. 시생은 명색이 공주 고을에 사는 향족이긴
하나 출입이 옹졸합니다. 게다가 한동안 고황에 들어 도무지 기거
좌립(起居坐立)이 자유롭지 못하고 촌보가 극난이었던 관계로 범
절을 차려 진작 뵙지 못하였습니다. 어른의 함자를 긴히 알고 있
었습니다만 문득 어른의 수연(壽宴)에 임하여 변변찮은 주찬과 어
육을 준비하여 통기도 없이 찾아뵈었습니다.」

「그래, 신환은 좀 어떠시오?」

「다행히 월여 전에 신통한 의원을 만나 불과 약 몇 첩에 병기가 가
시고 행보에도 지장이 없게 되었습니다.」

「고맙구려. 선비의 함자는 어디로 쓰시오?」

「본관은 전주 이가라 하옵고 승익이라 하옵니다.」

「먼 길 행보에 곤하시겠소.」

「별말씀입니다. 안동한 구종(驅從)들이 나귀를 몰았고, 나루에 닿으면 사공이 배를 띄워 대접하고, 길가마다 한둔할 객점이 총총히 박혔으니 총망중에도 곤한 줄 모르고 예까지 닿았습지요.」

「초행에 그런 중화(重貨)까지 가져오셨다니 미안하오. 이제 우리집에 오셨으니 예법의 구속을 파탈하고 며칠간 푹 쉬었다가 떠나도록 하시오.」

「말씀은 고맙습니다만 오늘 밤만 쉬었다가 동이 트는 길로 발행하여야겠습니다요. 저의 고을에 동접(同接)들이 벌이는 시회(詩會)가 있어서 곧장 회정하여얍지요.」

대강 인사수작을 끝내고 다시 작은사랑으로 건너오고 말았다.

김학준은 찾아온 인근 고을 선비란 놈이 행동거지나 인사치례가 어딘가 부드럽지 못하고 돌아서 방을 나가는데 도포 자락을 여미는 품이 어딘가 상것의 냄새가 풍길뿐더러 해진 버선 뒤축으로 삐죽하게 들여다보이는 발꿈치에 묻어 있는 땟국이 맹랑하였다. 의심 드는 바가 없지 않았지만 적실히는 알 수 없는 노릇이어서 나중에 천천히 알아보기로 하고 우선 못 본 체하였다.

부담롱을 가진 이용익은 비부쟁이 하나를 따라 중문을 거쳐 광에 있는 숙설간으로 가서 가져온 산적과 육초와 피륙을 집사 한 놈이 보는 앞에서 비웠다. 안채에도 20여 명이나 됨 직한 일가붙이 계집들과 노비들이 주안상들을 진설*하느라고 부산하게 움직이고 있었다. 안채에도 방이 여섯 개나 있었고, 사랑채와 안채와의 상거는 눈대중으로 10여 행보의 거리였다. 담장이 훨씬 높고 마당을 건너다니는 계집들의 발이 끊이지 않았으니 일은 생각보다 수월할 것 같지 않았다. 그러니 길소개가 무슨 농간을 부리든지 간에 김학준을 바깥 한터로

*진설 : 제사·잔치 때 상 위에 음식을 차림.

끌어내는 것이 상책이었다. 거기까지만 끌어낸다면 빈 부담롱에 아갈잡이하여 집어넣을 방도야 어렵지 않을 거였다. 그러나 초면인 길소개를 따라 김학준이 과연 바깥까지 제 발로 걸어 나와 줄 것인지는 의문이었다. 어쨌든 낌새를 보아 거조를 차릴 방도밖엔 없겠는데, 마침 건넌방으로 간 길소개가 주안상을 받고 있는 꼴이 가관이었다.

주안상은 기명(器皿)이 정결하고 찬품이 진기하여 한껏 나물이나 담아서 주림을 참고 견디던 길소개에겐 난생처음 구경하는 것들이어서 마파람에 게 눈 감추듯 하였다. 명색이 시골 토반이라고 제 입으로 발설하여 놓고 찬그릇을 개 핥는 자국으로 비워 내고 있으니 보기에 민망한 건 고사하고 뜰 아래서 어슬렁거리는 이용익은 통 심사가 복잡해졌다. 그런 데다가 해가 지자 노복들이 사랑채의 문들을 닫기 시작하고 불을 댕겨 방을 밝히었다.

손들은 외상으로 주안상을 받기는 하였으나 집사가 돌리는 술잔만은 송도순배식이니 주린 창자에 술 털어 넣기가 더욱 바빠졌다. 길소개 옆에 앉아서 찬그릇을 비우고 있는 꼴을 아까부터 유심히 바라보고 앉았던 곱상하게 생긴 한 놈이 무슨 생각에선지 은근히 당겨 앉으면서 농을 걸어 왔다.

「많이 시장하셨던 모양이구려?」

몇 잔의 술로 불쾌해진 길소개가 산적을 씹고 있던 낯짝을 들어 대답하기를,

「그건 왜 물으시오?」

「무엇이 그렇게 바쁠 것이 있소? 상것들이 받은 대궁상도 아닌데, 선비의 꼴이 말이 아니구려.」

응당 본색이 탄로 났는가 하고 놀랄 줄 알았던 길소개가 해찰을 놓고 있는 궐자를 비뚜름하니 쳐다보며 입 안의 것을 씹어 삼킨 연후에,

「여보시오, 선비의 창자가 아무리 곧은 것이라 하나 채우고 봐야

행세하는 짐승의 순대와 다를 바가 어디 있소?」

「뱃속의 걸귀를 때려누이는 것은 막지 못하겠으나, 그러시다간 건
건이 종지까지 삼키실까 걱정스러워 그럽니다.」

「어찌 말씀 나오시는 품이 시생에게 시비라도 걸겠다는 수작 같아
보이우?」

「말씀이 양반의 지체를 하시구선 좀 거칠지 않소? 잔치에서 밥을
먹을 때는 젓갈로 떠먹지 말며, 국물을 그지없이 들이마시지 말며,
먹던 부침을 그릇에 도로 놓지 못하며, 적게 먹어 빨리 삼키고 자
주 씹되 입노릇을 하지 말라 하였소. 함께 마실 때는 배부르게 먹
지 말며, 뼈를 깨물어 먹지 말라 하였소. 구태여 남 앞의 것을 먹으
려 하지 말며, 밥을 흘리지 말고 젖은 고기는 이로 베어 먹고 마른
고기는 이로 베어 먹지 말며, 구운 고기를 한입에 넣어 먹지 말며,
이 쑤시지 말며, 젓국을 마시지 말라 하였소. 규범이 그러하거늘
범절을 안다는 양반 주제를 해가지구선 대궁상을 얻어먹는 북청
물장수 모양으로 허겁지겁이니 방 안에 좌정한 여러분 보기에 민
망한 건 고사하고 뜰 아래 있는 비복들에게도 낯이 아니지 않소?」

「어느 고을 선비인지는 모르겠소만 올챙이는 알되 개구리는 모르
는구려.」

「허, 내가 여기 와서 창피를 당하는구려.」

「자고로 학문이 높은 자는 섭생의 도리보다는 그 행실을 중히 여
겨 왔음은 삼척동자라도 알고 있는 일이오. 선비란 그릇된 일에
참견하지 말며, 생기지 아니한 일을 억측하지 말며, 남의 옷과 만
든 그릇을 비꼬지 말며, 알고 있는 사람의 그릇된 것을 말하지 말
것이요, 곁의 사람에게 몸을 맞대지 말며, 그윽한 곳을 엿보지 말
며, 장난스러운 안색을 하지 말며, 귀신을 모독하지 말라는 말은
모르고 있구려. 사람이 비록 어리석어도 남을 꾸짖는 일은 밝게

하고 비록 총명한 사람이라도 자기를 용서하는 일은 어둡게 하는 법이니 제가 보기엔 댁이 천상 그 꼴이오. 남이야 개밥에 도토리를 건져 먹든 건건이 종지에 코를 박든 이는 잔칫집에서 대접받은 바를 충실하게 실행하여 주인을 기쁘게 하려는 뜻이었지, 내 비록 원행으로 허기 든 입장이긴 하나 댁의 상에 올린 부침 한 조각 넘보지 않았소이다. 어찌하여 댁은 나잇살이나 먹어 가지고 수저도 들기 전에 철없는 아이들처럼 밥투정부터 먼저요?」

「말씀 다 하였소?」

「그럼 제가 댁을 드잡이하란 말이오?」

「어찌 백지 무근한 말을 지어내고 있으시오?」

귀가 새파래진 궐자가 정색을 하자, 길소개는 적이 무안당했다는 듯이 낭패한 얼굴로,

「오늘은 일진이 나쁘게 되었군. 용이 개천에 떨어지면 깔따구가 덤빈다더니, 되다 만 남행 부스러기 하나가 공연히 곁에 붙어서 남의 잔치에 범절을 나무라니 이는 분명코 액땜일세.」

「아니, 이러다간 여축없이 덮어쓰는 판국이 아닌가? 시생이 언제 반찬 투정을 하였으며 남의 잔치의 범절을 논하였다는 거요?」

길소개의 하는 짓이 양반의 지체치고는 미심쩍어 긴가민가하고 반농담으로 시비를 걸어왔던 궐자는 이제 얼굴을 벌겋게 해가지고 발명하였으나, 우선은 창피한 일이라 목소리만은 좌중이 들리지 않을 정도로 나직나직하였다. 잘못하다간 백지 무근한 창피를 뒤집어쓰게 되었을 뿐 아니라 이제까지 읽은 글이 헛되게 되었으니 빨리 발뺌부터 해야겠다고 심기를 도사려 먹는데, 길소개는 마침 던졌던 낚시에 대어가 걸린 판국이라 버럭 결기를 긁어 올리고 목청을 돋워 다그쳤다.

「여보시오, 그럼 내가 초면부지인 댁을 보고 백지 무근한 말을 만

들어 댁을 욕보이고 있단 말이오? 나보고 먼저 말을 걸고 시비를 건 게 누구요? 댁이 먼저인 건 좌중이 알지 않소?」

「그래서 내가 어쨌다는 거요?」

궐자도 이제 더 참을 수가 없다는 듯이 댓바람에 삿대질로 대거리였다.

「댁은 수륙진찬이 상에 그득한 대접과 후의를 받고 있으면서도 이 집의 허물을 들추지 않았소? 이 집의 주인은 매양 친기(親忌)*를 당하여도 쌀 세 됫박에 밴댕이 세 마리를 놓고 제사를 지내는 위인이라고 백지 비정의 말을 지어내는 심사가 천만 아름답지가 못하지 않소?」

「선비가 목구멍 때문에 구차해지면 백 가지 행실이 이지러지는 법, 당신이야말로 사람을 모함 잡아서 구렁텅이에 빠뜨리고 있는즉 이는 분명 속내에 다른 농간이 도사리고 있는 거요.」

방 안에 앉았던 사람들이 그제야 사단이 심상치 않아 보이는지 술잔들을 놓고 시뻘게진 두 사람을 쳐다보았다. 사단은 뜯어말려야 한다는 도리를 모르는 바 아니었으나 발단이 음식 투정에서 나온 터라 스스로 창피하고 무안들 하여서 씁쓰레한 얼굴들로 서로 마주 쳐다보고만 앉았을 뿐이었다. 이젠 대청을 건너다니던 집사들조차 무슨 일인가 싶어 방 안에 고개를 디밀고 있는데, 가쁜 숨을 몰아 잡고 있는 애매한 선비에게 길소개가 마주 삿대질하며 대거리하였다.

「나로 말하면 이 댁과는 일찍이 세의도 없을뿐더러 어르신네의 회갑을 당하여 이 고을에 당도한 것부터가 초행이오. 그러한 내가 이 댁의 내력이나 성장을 척도할 겨를이 있었겠소? 이 댁이 강경에 온 지 이삼 년 만에 마당에 노적이 충만하고 관아 사람들에게

----

*친기 : 부모의 제사.

는 연일 주찬과 어육으로 인정을 쓰며 식솔들 밥상에는 비린 반찬이 떨어지지 아니하되 문중의 일가나 마름들에 대한 대접이 소홀한 건 말할 것도 없고 뿐만 아니라 차인 노속들을 개 부리듯 하고 친기를 당하여도 제상 진설에 인색함이 그지없다고 내 귀에 대고 채신없이 속삭이지 않았소? 내가 무슨 억하심정이 있어 거짓 발고 하였다면 지금 당장 내 목을 돌려 앉혀도 원망하지 않겠소.」

길소개가 분을 참기 어려운 듯 마주 일어서서 도포 자락에 바람을 넣으면서 뜸베질을 하였다.

방 안에 앉은 손들은 이제 상종할 바를 모르고 마냥 엎드려 있는 것이 분수다 싶어 망연히 이 낯선 자를 바라볼 뿐이었다. 길소개가 길길이 날뛰는 품이 도대체 점잖지는 않아 보이되 애당초 흥분된 까닭이 김학준을 보비위*하자는 데 있었고 눈빛이 제법 행티깨나 놓아 보이는 무변 출신 같아 보이는지라 속수무책으로 궐자가 진정되기만 기다릴 뿐이었다. 건넛사랑에 앉아 있던 김학준은 형용은 보이지 않았으나 이쪽의 북새통을 귀 기울여 듣고 있던 처지였는데, 잠시 조용한 틈을 타서 건너와 뜸베질인 길소개의 두 손을 덥석 잡았다.

「선비를 만남이 어찌 이리 늦었는고.」

그 당장 사양하는 길소개를 이끌고 큰사랑으로 가서 마주 앉히고 둘러앉았던 권속들을 내친 다음 집사들을 불러 따로 주안상을 내오도록 하였다.

「내가 오늘 잠깐 사람을 잘못 보았소. 아까 손님이 인사하고 나서는 행색을 보고 내가 잠시 손님의 신분 됨을 미심쩍어했던 적이 있었소이다. 남의 후의를 받고 앉아 있으면서도 생쥐 모양으로 허물을 뜯는 시골 토반과는 바탕부터가 다르다는 것을 진작 몰랐던

---

*보비위 : 남의 비위를 잘 맞추어 줌.

게 불찰이오.」

「과찬이십니다. 제가 읽은 글은 비록 짧습니다만 인륜을 우습게
여기는 놈만은 그냥 두고 보는 성미가 아니어서 간혹 때 아닌 경
난을 당하는 수가 있지요.」

「그것이 바로 선비의 행실 됨이 아니겠소? 평생을 두고 글을 읽었
으되 아예 바탕 됨이 글렀으면 그것 또한 전부가 허사요.」

「지체를 생각하다 보니 궐자의 모가지를 돌려 앉지 못하였소이
다.」

「그만둡시다. 내 오늘 손님과 박주(薄酒)나마 밤늦도록 대작하려
하오.」

「시생이 아직 연소한 처지에 대작을 하다니 안 될 말씀입니다.」

「그렇지가 않소. 아까도 말했듯이 인물을 만났으니 예의를 파탈하
고 마시는 거요.」

김학준은 술을 따르겠다는 집사를 내치고 길소개와 은밀히 대작
하기를 고집하였다. 밤이 이슥토록 술병이 수없이 방을 드나들었고
작은사랑의 손들은 더러 곯아떨어지기도 하였으나, 길소개 때문에
파흥이 되어 버린 가근방의 손들은 거개가 자리를 뜨고 없었다. 길
소개가 애매한 선비 한 놈을 잡고 모함을 잡은 것도 파흥이 되기를
농간했던 터라 손님들이 흩어진 건 천만다행이나 김학준의 주량이
생각보다는 감당키 어려워 조마조마하였다. 그러나 대처의 저잣거
리를 돌며 화주(火酒)에 길들이고 또한 속셈이 따로 있어 마시고 있
는 술에 김학준의 두주불사(斗酒不辭)*도 당해 낼 재간이 없을 터였
다. 대작은 삼경에 가깝게 계속되었고 이제 두 사람은 눈앞에 오가
는 술잔이 하나로도 보이고 둘로도 보이게끔 되었다. 그때 길소개가

---

*두주불사: 주량이 매우 큼을 이르는 말.

문득 생각난 듯이 김학준에게 일렀다.

「이제 시생은 객점으로 돌아가야 되겠습니다.」

「사처로 가려구 그러시오?」

「예, 말하기는 뭣합니다만, 실은 제가 묵는 객점에 근간에 사귄 기녀(妓女)를 두고 왔습지요.」

「과연 걸출한 군자시구려.」

김학준도 겉으로는 호연지기를 뽐내는 양반이라고는 하나, 양반의 신분으로 일찍이 상리에 눈을 뜨고 글이래야 시서(詩書)보다는 성수패설(醒睡稗說) 같은 음서(淫書) 따위를 읽은 것이 고작이었고, 그러자니 일찍이 환로(宦路)*에 들 것을 작파한 대신 양반 지체를 핑계하여 계집질과 패악질을 일삼았으니 송파 고을에서도 이름난 소골객(消骨客)으로 군림하던 터였다. 심지가 깊지 못하고 야비하긴 하되 선비의 풍류가 대강은 어떠한가를 짐작하고 있었고, 가재는 게 편이듯이 욱기 있는 선비가 또한 계집을 즐긴다니 금방 의기투합이었다.

「꼭히 사처로 나서야 한다면 바깥 한터까진 전송하여야지요.」

「바깥바람이 차갑습니다.」

길소개는 주안상을 타고 넘어 김학준의 겨드랑이에 한 손을 집어넣어 잡아 일으키면서 사양하는 체하였다. 휘청하였으나 김학준은 제 발로 문을 열고 대청으로 나섰다.

이용익이 그때까지 문간채 봉당에 쭈그리고 앉았다가 대청으로 나서는 길소개를 보자 사랑채 누마루 앞으로 쭈르르 달려갔다.

「밤도 삼경이온데 이제 사처로 납시지요.」

길소개가 짐짓 대취한 체하며,

「너 아직 거기 있었느냐?」

---

*환로 : 벼슬길.

「예.」

「너 야심한데 체면이 아니다마는 어르신께서 한터까지 나가서 달을 보시겠다니 먼저 모시어라. 나는 잠깐 정랑에 다녀오마.」

이용익이 득달같이 김학준을 부축하여 문간채로 나가는 것을 기다렸다가 길소개는 잰걸음으로 문간채 안쪽에 있는 측간으로 다가갔다. 길소개 혼자서 측간 출입을 가장한 것은 집사나 노속들의 관심을 그 자신에게 두고자 함이었으니, 마침 마당에 서성거리는 노속을 불러 측간을 대라 일렀고 노속을 뒤로 세워 둔 채 오래도록 소피를 보는 체하였다.

김학준을 부축하여 바깥 한터로 나간 용익은 당나무 뒤로 무작정 끌고 갔다. 당나무 뒤에는 대문에 걸어 둔 장명등을 등지고 초저녁부터 조성준이 빈 부담롱을 끼고 기다리고 있었다. 김학준이 게걸거리며 나무 뒤로 돌아서는 것과 함께 득달같이 달려들어 목덜미를 내려치니 김학준은 끽소리 한 번에 그대로 발아래에 쓰러졌다. 짬 두지 않고 아갈잡이를 한 다음 숙마바로 뒷결박을 짓고 부담롱에 거꾸로 처박았다. 워낙 체수가 작은 위인이라 조성준은 그리 힘들이지 않고 김학준을 포착할 수 있었다. 부담롱을 나귀에 싣고 북두끈을 단단히 쥔 다음 위편 고샅길로 급히 나귀를 몰아 잡았다. 노속들이 눈치를 채기 전에 적어도 반 마장쯤은 벗어나야 하겠기에 미리 약조했던 세도나루까지는 세 사람이 제각기 흩어져 걷기로 하였었다.

5

조성준은 등줄기에 땀이 흐르는 것을 느꼈다. 3년 동안이나 별러 오던 원수를 이제 냉큼 나귀에 싣게 되었다는 긴장 때문이었다.

조성준이 나귀를 조급히 몰아 원항교를 거슬러 세도나루를 겨냥하고 내닫는 동안, 김학준의 문간채 측간에서 느긋하게 소피를 본 길가는 노속들의 눈을 피해 어물쩍 대문을 나섰다. 담장을 오른편으로 끼고 세도나루로 가는 길과는 반대쪽 고샅길로 접어들었다. 고샅길 초입에서부터 활 한 바탕 상거한 곳에 풀뭇간이 있었다. 그 풀뭇간 모퉁이만 꺾어 돌면 세도나루로 갈 수 있는 우회로가 환히 트여 있었다. 그러나 그 길은 왼편으로는 아직도 김학준의 집 안채를 둘러친 긴 담장을 벗어날 수 없었다.

세 사람이 제각기 노정을 바꾸어 잡은 연유는 물론 낌새를 알아차린 겸인들과 노속들의 추쇄에 쫓긴다 할지라도 그들을 흩뜨려 말미를 벌자는 것이매, 설혹 사세가 다급하게 되었다 할지라도 약조된 작로를 파의할 순 없었다. 길소개는 고샅길 어름에 이르러 곧장 도포를 벗어 뚤뚤 말아 겨드랑이에 바싹 끼고 갓은 벗어 오른편 담장 너머로 던져 버렸다. 김학준이란 놈과 오래도록 대작한 탓으로 몽롱한 취기가 코끝에 맴돌았으나 바깥 찬바람에 그런대로 맑은 정신이 드는 것 같았다. 이대로 고샅길을 벗어나 한길로만 나선다면 일은 예정대로 결판이 날 것이었다. 열불나게 길을 줄여 마침 풀뭇간 모퉁이를 돌아서려는 참에, 불과 네댓 칸 앞에서 딱 부러지는 목소리로 길을 막는 사람들이 있었다.

「이놈, 게 섰거라.」

길가는 금방 고개를 들어 궐자들을 살폈으나 김학준 집의 긴 용마루가 비스듬한 달빛을 막고 있어 금방 요량이 서질 않았다. 그러나 우선 보기에는 나장이*들이 아니요, 김학준의 수하것들이 아닌 양반 차림새들이어서 안심 놓고 처연히 묻기를,

「저를 두고 이르심인가요?」

---

*나장이 : '나장(羅將)'을 낮잡는 뜻으로 이르던 말. 조선 시대에, 군아에 속한 사령(使令).

「그래, 이놈, 여기 너 말고 상것이 또 있느냐?」

「상것이라는 데는 할 말이 없소만, 나으리들은 아닌 밤중에 길 가는 상놈을 잡고 웬 호령이십니까?」

「저놈 입정만은 여전하구나.」

금방 뒤돌아서 튀지 않고 길게 대거리하고 있었던 것은 되도록이면 탈 없이 빠져나가자는 심사 때문이었다. 그러나 두어 마디 주고받는 동안 앞을 가로막고 선 패거리들이 초면부지가 아니란 느낌이 문득 길가의 뇌리를 스치고 지나갔다. 눈자위를 고쳐 잡고 앞에 선두 놈의 행색을 정색으로 살피는데 뒤편에는 곁꾼 두 놈이 더 붙어있었다.

「도대체 나으리님들, 왜 이러시오?」

앞에 섰던 한 놈이 핑계할 곳이 없다는 투로 콧방귀를 뀌더니,

「이런 봉패가 있나? 이놈아, 정녕 우릴 알아보지 못하겠느냐?」

「제가 초면부지인 나으리들을, 더욱이나 이 삼경 깊은 밤에 알아볼 리 있겠습니까?」

「이놈이 밥알이 곤두서서 눈에 보이는 것이 없구나. 그럼, 연산 주막에서 초피 열 장을 네놈에게 발린 사람들이라면 알아보겠느냐?」

그때에야 길가는 한 손을 괴춤에 넣어 차고 있던 패도를 얼른 빼내 들었다. 놈들이 방자히 교 부리는* 것이나 말투 거센 품이 종시 올러대는 것으로는 결판이 날 것 같지 않았다. 길가는 여차하면 찔러 버릴 거조로 패도를 자신의 코앞에다 바싹 꼬나들고 나직하나 옹골찬 목소리로 대거리를 던졌다.

「어허, 네놈들이었구나. 그러나 이렇게 외진 곳에서 다시 만났으되 허술히 욕을 당할 내가 아니다. 이참에 길을 트지 않으면 네놈

---

*교 부리다 : 교만 부리다.

72

들 뱃구녁에 똥구멍을 다시 낼 테니 그리 알아라.」

「저놈이 종시 도부꾼을 가장한 화적이 분명하이. 그러나 여기서 네놈의 명줄이 다하였다. 여보게들, 우린 이놈을 지키고 섰을 테니 어서 가서 노속들에게 통기하세.」

「네놈들이 호박잎에 청개구리 뛰어오르듯* 사람을 희롱한다마는 네놈들 극성에 놀라 뛸 위인이 아니다, 이놈.」

으르딱딱 공갈을 놓긴 하였으되 일은 난감하였다. 뒤돌아서 튀자니 곧바로 김학준의 집 한터이고 앞을 뚫자니 세 놈이 버티고 섰으니 하늘로 솟을 재간까지야 없는 길가에겐 이젠 여축없이 당할 일만 남게 되었다. 마주 선 세 놈들도 이제 길가의 처지가 어떠한가를 짐작한 터로 혀까지 끌끌 차며 어르고 문지르는데,

「네놈이 행세옷을 입고 이 댁으로 숨어든 데는 분명 무슨 농간이 있으니…… 네놈이 행세옷을 하긴 하였으나 주안상을 받고는 허기진 강아지 물찌똥에 덤비듯 하는 꼴이 연산에서 만난 젓장수 행색이기에 긴가민가하여 유흥을 작파하고 줄곧 네놈의 거동만 살폈느니. 네 이놈, 네놈의 본색을 토설하거라.」

아차, 실수였구나. 이미 놈들에게 한 수 넘겨준 것이 분명하였고 꼼짝없이 포착당할 것도 틀림없었으나 그렇다고 기가 죽을 수는 없었다.

「길을 비키지 않으면 불을 발겨 놓을 테니 그리 알아라.」

재차 으름장을 놓았지만 세 놈은 꿈쩍도 하지 않았다. 길가는 그 순간 두 눈을 크게 뜨고 숨을 들이마신 다음, 날아라 하는 기분으로 훌쩍 몸을 솟구쳐 날리고는 오른팔에 힘을 주어 허공에다가 힘껏 패도를 내리그었다. 그러나 칼끝에는 옷깃 하나 스치는 것이 없었고

---

* 호박잎에 청개구리 뛰어오르듯: 나이 적은 사람이 나이 많은 사람에게 버릇없이 구는 경우를 비유적으로 이르는 말.

세 놈이 서너 발짝 뒤로 물러났을 뿐이었다. 세 놈의 손에는 길가를 대적할 만한 병장기가 없었지만 멀리 달아나지 않은 것은 금방 홰 든 노속들이 밀어닥칠 것을 알기 때문이었다.

길가는 다시 한 번 허공에다 패도를 내리긋는 시늉을 하면서 크게 소리치고는 세 놈을 겨냥하여 쫓아갔다. 비로소 담장 양 옆길로 달려오는 노속들의 발소리가 낭자하고 쳐든 횃불이 담장 위를 밝히었다. 그때다 싶어 길가는 문득 몸을 뒤로하여 풀뭇간 바깥쪽으로 난 실골목 안으로 튀었다.

패도를 휘두르며 세 놈을 위협한 것은 풀뭇간 뒤쪽으로 트인 실골목으로 튈 말미를 벌자는 것이었다. 그러나 길가가 잽싸게 몸을 돌려 잡자, 등 뒤에서 지체 없이 고함 소리가 터져 나왔다.

「저놈 잡아라.」

그걸 예상 못했을 길가가 아니었다.

담장을 끼고 양편에서 쫓아온 홰 든 노속들이 풀뭇간 앞에서 맞닥 뜨려 길가가 튄 실골목 쪽으로 대중없이 몰려갈 때, 길소개는 아직도 그 자리에 있었다. 몸을 날려 뛰는 시늉만 했을 뿐 불과 대여섯 발짝 앞인 풀뭇간 담벼락을 끼고 왼쪽으로 돌아선 풀뭇간 안으로 숨어 버린 거였다. 그러나 풀뭇간에서 바깥 한길까지는 불과 30여 행보밖엔 상거하지 못했으므로 놈들은 길가가 그리로 튀지 않았다는 것을 금방 눈치 챌 터였다. 노속들이 분수없이 한길로 뛰는 것과 동시에 다시 밖으로 나온 길가는 그 당장 횃대에 동저고리 넘어가듯 김학준의 집 안채 담장을 뛰어넘고 말았다. 짐작했던 대로 저쪽 담장 아래로 발을 내려놓는 순간, 한길로 빠졌던 놈들이 되돌아오는 발소리가 다급하였다.

「이놈이 대장간에 숨었지 않아?」

어떤 놈이 숨이 턱에 와 닿아서 소리치자 몇 놈이 풀뭇간 안으로 몰려들었다.

「여기도 없네?」

「이놈이 어디로 튀겼나?」

잠시 낭패한 듯 말이 없더니 한 놈이 제법 그럴싸하게 산통을 놓았다.

「놈의 농간에 우리가 속았네. 당초부터 한길로 튈 놈이 아니었네. 그렇다면 다시 한터 쪽으로 달아나 버린 게 아닌가?」

어떤 놈이 조급히 가로막기를,

「모르는 소리. 한터에도 사람이 있다는 걸 그놈이 모를 리 없지.」

「그럼 이놈이 어디로 날았나?」

「그 사세가 절박한 참에도 우릴 속일 잔재주가 있는 놈이라면 한터나 한길 쪽으로 튈 놈이 아닐세.」

「답답하이, 그럼 뭐란 말이여?」

「그놈은 어디로 튀질 않았어. 이 근방에 숨어 있어.」

「그럼 월장을 했단 말인가?」

「바로 그거여.」

「그럼 옆집인가?」

「아녀, 바로 나으리 댁일세. 만약 내가 그놈처럼 쫓기는 형국이라면 옆집으로는 뛰어넘지 않겠네. 등잔 밑이 어둡다고 나으리 댁으로 곰돌아드는 것이야말로 우리를 기만하기 알맞은 일이 아닌가?」

「어서 가세. 그놈을 포착해야 나으리 행방을 알게 돼.」

「만약 그놈을 잡지 못하면 나으리의 생명이 위태롭다네.」

「어떡한다?」

「네댓은 담장 주변을 지키고 나머지는 돌아가서 문간채부터 뒤져 나오게. 그놈은 필시 이 집 안에 있을 것인즉 안채 뒤꼍에 있는 참대밭 속까지 메주 밟듯 뒤져야 하네.」

「그러다가 되레 그놈이 멀리 도망할 말미만 주는 꼴이 아니겠나?」

「어림없는 소리. 그놈은 시방 우리가 주고받는 말조차 죄다 듣고 있을지도 모르지.」

「그럼 우리도 곧바로 담장을 넘어 그놈을 덮치지?」

「그놈은 패도를 가졌네. 경황없이 대들다가 안방마님 방에라도 뛰어들어 위협한다면 낭패가 아닌가?」

말을 주고받는 놈들의 형용은 볼 수가 없었으나 길가의 속셈을 자로 잰 듯 환하게 들여다보고 있는 것 같아 가슴속이 뜨끔하였다. 목소리가 얼추 귀에 익은 것으로 보아 연산 장터에서 만난 놈들임이 틀림없었다.

혼인날 똥 싸더라고 길가는 또 한 번 실수를 범한 셈이었다. 이는 자기가 생각하는 바를 다른 이는 짐작하지 못할 것이라는 얕은 심기에서 저질러진 일이니, 앞으로 생각하는 바를 그들 또한 넘겨짚을 터이므로 이 북새판 속에서 길가는 짐짓 괴로웠다. 다만 이제 와서는 조성준이나 이용익이 저희들끼리나마 무사히 나루에 닿길 빌 뿐이었다.

그는 자기가 관아로 붙들려 가면 주장질과 단근질을 이겨 내지 못하여 그들과 작당 모의한 내막을 토설하고 말 것이란 것을 스스로 예견하고 있었다. 김학준이 왈짜들에게 보쌈이 된 것을 알면 관아에서는 후에 김학준으로부터 받아 낼 인정과 후의를 바라고서라도 길가를 작죄시킴에 사정 두지 않으리라. 그것은 필시 불가항력일 테고 강경 인근의 나루와 저잣거리엔 기찰이 깔리고 장교·사령놈 들은 눈에 불을 켜고 설치리라. 길소개가 바라는 것은, 설혹 자기가 혼돌림에 견디다 못하여 두 사람의 행방을 토설한다 한들, 그때 두 사람은 이미 세도나루를 훨씬 벗어나 무사타첩(無事妥帖)*되어 있기를 바라는 것이었다. 그 스스로 위안하는 것은 자기 역시 세도나루 이

후의 계책은 모르고 있었기 때문이다. 그들이 세도나루를 벗어날 말미만 얻도록 모르쇠로 버틸 수 있기만을 바랄 뿐이었다. 그러나 또한 나중에야 홍살문 안 대청 섬돌 아래, 잡혀 엎쳐지는 한이 있더라도 우선은 죽기를 한하고 이판사판으로 뛰어 보아야 한다고 한 번더 속내를 고쳐먹었다.

그가 뛰어내린 곳은 안채 뒤꼍이 분명했고 담장에 잇대어 네댓 칸쯤은 다행히도 대나무 숲이 우거져 있었다. 우선은 몸을 숨길 수 있겠으되 곧장 홰 든 노속들과 겸인들이 몰려와 대숲을 뒤질 것이 분명하였다. 결김에 월장을 하긴 하였으나 바깥 고샅길 높이보다 대숲이 깊어 안에서 가늠하기에 담장은 두 길이 착실하였다. 그렇다고 이 한절에 대숲에만 엎드려 지체하다간 얼어 죽기 십상일뿐더러 가만히 기다리고 있기에도 더욱 난감하였다.

계집들이 부산하게 오가는 안채 주방 쪽의 거동을 살필 심사로 대숲 밖으로 가만히 모가지를 디밀어 올리는데, 때마침 뒤꼍으로 낸 일각문을 밀치고 키가 작고 암팡지게 생긴 여인이 대숲을 겨냥하여 서둘러 걸어오고 있었다. 반회장저고리에 남스란치마를 떨쳐입은 것으로 보아 제법 행세깨나 한다는 대갓집 계집임이 틀림없겠는데, 걸음새가 지체 없고 뒤따르는 노속들이 없는 것으로 보아 길가가 대숲에 숨어 있으리란 짐작은 본디부터 없었던 거동이었다.

길가는 뺴 올렸던 모가지를 황급히 움츠려 넣었다. 궐녀는 지체 없이 뒤꼍을 가로질러 주척주척 대숲 속으로 기어들었다. 가까이서 바라보니 20세 전후의 젊은 계집으로 가르마를 단정하게 가르고 태깔 고운 은비녀에 노리개까지 차고 있었다. 아마 김학준의 회갑잔치를 보러 온 종반 간이나 일가붙이임이 분명하였다.

---

* 무사타첩 : 별 사고 없이 일이 끝남.

궐녀는 두어 칸이나 허겁스럽게 대숲을 헤치고 들어와서는 바로 길소개가 엎딘 코앞에 와 서더니 문득 사방을 살피었다. 인적이 없는 것을 알고는 홀쩍 치맛자락을 걷어올렸다. 치맛자락을 걷어붙이고는 단속곳과 속곳을 차례로 벗어 내리더니 풀썩 주저앉았다. 소피를 참다못해 노속들이 북새판을 이루는 안채의 측간을 피해 은밀한 뒤꼍의 대숲을 찾아온 모양이었다. 그런 와중에서도 길가를 맹랑하게 만든 것은 궐녀가 기물(奇物)이 있는 사추리 쪽을 곧바로 길가의 코앞에다 보란 듯이 까발리고는 고개를 아래로 깊숙이 꼬라박고 소피를 걸판지게 내쏟았기 때문이었다.

길가는 바위틈에 끼인 메기처럼 몸을 땅에 붙이고 궐녀가 내보인 그 뻔뻔스러운 기물을 유심히 노려보았다. 꽤 오랫동안 볼일을 끝내고 길게 곁방귀까지 내지르고는 천천히 일어섰다. 이번엔 몸을 돌려 박속같이 희디흰 볼기짝을 보란 듯이 구경시키더니 속곳으로 사추리를 꼭꼭 눌러 닦는 시늉이었다.

궐녀가 속곳을 올리고 치마를 내리는 순간 길소개는 불과 세 발짝 상거인 궐녀의 어깨를 낚아채는 것과 동시에 한 손에 풀어 쥐었던 토시로 아갈잡이를 하였다. 물론 궐녀는 에멜무지로 밀막는 시늉이다가 길가와 한 덩이가 되어 대숲으로 나자빠지고 말았다. 길소개는 토시를 궐녀의 입 안 가득히 틀어넣었다. 대숲이 한동안 요란하게 흔들리었으나 담장을 스치고 지나는 바람 소리가 더 거세었다. 길가는 계집의 귀에다 대고 나직이 속삭였다.

「가만있어. 발버둥만 치지 않는다면 목숨만은 건질 터이다.」

궐녀는 길소개의 말이야 어떠하든 소리를 치려고 발버둥이었으나 이미 옴나위없게 닦달을 해놓은 터라 별 소용이 없게 되었다.

「이년, 원기 적탈할라, 가만있거라. 나는 도깨비가 아니니깐 그건 안심하거라. 대신 별반거조 차리려 했다간 가랑이를 찢어 놓을 테니 그리 알아라. 내가 노리는 것은 결코 네년의 목숨이 아니거늘, 나를 믿고 조용히 내 말을 듣거라.」

「⋯⋯?」

「난 이미 네년의 하초에서 그 잘난 것을 보았다. 내 평생에 닭과 개에 쫓기어 팔도를 메주 밟듯 하며 청루주사(靑樓酒肆)*를 두루 맛보았다만, 오늘 우연히 김가의 집 후원에 뛰어들어 소슬히 앉았다가 약조에도 없던 네 기물을 보았구나. 내겐 과람하여 만 리 행역이 싹 가시는 듯하구나. 그러나 난 벌써 널 범한 것이나 진배없게 되었다. 여차하면 뛰어나가서 대숲에서 네년을 겁간하였다고 길길이 뛰고 소리칠 참이다.」

길소개가 톡톡히 오금을 박았으되 궐녀가 끙끙대고 뒤틀기를 그치지 않자, 길소개는 궐녀의 귀싸대기를 겨냥하여 치는 시늉 하며 나직이 이르기를,

「이제 금방 노속들이 대숲을 뒤지려고 잔나비처럼 뛰어들 터이다. 너는 그때 소피를 보는 양 앉았다가 갑자기 일어서며, 이 어인 패악질이냐고 소리치거라.」

「⋯⋯.」

「만약 이르는 대로 하지 않았다간 이 칼로 네년의 사추리를 도리겠다. 그것뿐이냐? 대숲으로 들어온 내가 겁간하였다면 어느 누가 믿지 않겠느냐. 네년의 목숨은 내가 훈수하지 않더라도 네년 스스로 결판내어야 할 것인즉, 총망지간이긴 하다만 생각해 보아라. 나도 살고 너도 살리려느냐, 너도 죽고 나도 죽기를 택하려느냐?」

「⋯⋯.」

「옳지, 그래야지. 넌 양반의 계집이고 나는 상것이다마는 전생에

---

*청루주사 : 계집들이 기다리는 호화로운 술청.

원수진 것이 없으면 구태여 이승에까지 와서 피를 볼 것도 없는 일이다.」

아니나 다를까, 조금 전 계집이 들어온 일각문 밖이 시끌시끌해지더니 홰를 든 노속 셋이 뒤꼍으로 들이닥쳤다.

「가까이 올 때까지는 가만있거라. 내가 네 등허리에 칼끝을 갖다 대거든 득달같이 일어서야 하느니.」

길소개는 잽싸게 궐녀를 주저앉혔다. 그리고 가만히 아갈잡이한 것을 풀어 주었더니 고개를 외로 꼬아 길소개 손에 들린 패도를 훔쳐보았다. 궐녀는 예상했던 대로 소리를 지르지 않고 대숲 쪽으로 달려드는 노속들을 기다렸다. 횃불이 밝기는 하였으나 워낙 높아 후원을 전부 밝히지는 못하였다. 노속들이 바로 네댓 칸 앞으로 다가오는 것을 기다려 길소개는 궐녀의 목덜미에다 싸늘한 칼끝을 갖다대었다. 궐녀는 얼결에 벌떡 몸을 솟구치며 외치기를,

「이놈들, 어인 패악질이냐?」

오히려 다가오던 노속들이 질겁을 하고 삐쭉 서버렸다. 홰를 이리저리 비춰 보던 한 놈이,

「거 뉘시오?」

「뉘시라니 이놈들, 몰라서 묻느냐?」

「어, 아니 운천댁 새마님이 아니신가요?」

「대숲은 왜 뒤지느냐?」

허공에 홰를 저어 저만치 서 있는 운천댁 새마님을 본 노속들이 응당 주눅이 들어 낭패한 듯 서 있는데,

「이놈들, 바깥에 있는 측간이 당초에 소란하여 여기까지 쫓겨 왔더니 낭패를 시키지 않느냐?」

「마님이 계신 줄은 몰랐습니다.」

「계신 줄 알았으면 썩 물러갈 일이지 아직도 서 있느냐?」

「그런데 후원에서 뭐 수상쩍은 기미는 못 보셨습니까요?」

「수상쩍은 일이 있었다면 내가 아직도 성했겠느냐? 어서 홰를 끄고 나가거라.」

「예, 죄송합니다.」

노속들은 그제야 서로 옆구리를 쿡쿡 찌르더니 나가자는 눈치를 주고받았고, 두 녀석은 킥킥 웃기까지 하며 안채로 되돌아갔다.

「후원에도 보이지 않습니다요.」

「그럼 이놈이 어디로 잠주(潛走)를 했다는 거냐? 정녕 대숲을 뒤졌것다?」

「뒤지구말굽쇼. 거기 숨었더라면 쉰네들이 벌써 물고를 내고 말았겠습죠.」

「아차, 그럼 이놈이 옆집으로 월장한 게 아니냐?」

「가히 옳은 말씀입니다요. 그놈이 실성하지 않구서야 섶 지고 불로 뛰어들 이치가 없지 않습니까요.」

「서둘러라. 아직 그리 멀리 튀진 못했을 거다.」

안채 마당에서 들려오는 수작들을 듣고 보니 우선 발등에 떨어진 불은 끈 셈이되, 이 집을 빠져나갈 일은 더욱 난감하였고 섣불리 뛰다간 몇 칸을 못 가서 포착이 될 것도 분명하였다. 그런 데다 옆에 있던 궐녀는 그제야 반정신은 차렸는지 사시나무 떨듯 통사정이었다.

「뉘신지 알 수 없으나 이제 목숨을 건사하였으니 나를 놓아주시오. 내 옥지환을 빼어 드리리다.」

길소개는 궐녀의 치맛말기를 냉큼 낚아채며 씹어뱉기를,

「이년, 뉘게다 자발없는 입정을 놀리느냐? 옥지환에 걸신들린 놈인 줄 아느냐? 내가 무사히 빠져나가야 네년을 놓아줄 일이다.」

「소리치지 않을 터이니 뒷담장을 넘으시오.」

「사내대장부가 잠시 잠깐 액운을 당하여 월장을 하였으되 또다시 채신없이 굴 수야 없지 않느냐? 내 당당하게 대문으로 나가야겠다.」

궐녀는 땅이 꺼지게 한숨을 토하며,

「대장부가 일개 아녀자의 목숨을 두고 살길을 흥정하는 것도 옳은 일이 아니지 않습니까?」

「호랑이 코빼기에 붙은 것도 떼어 먹을 처지다. 옳은 일이고 아니고는 내가 따질 일이지 네년의 채근에 따를 일이 아니다. 자, 이제 내 처지가 이리 되었으니 내게 수청을 들겠느냐, 아니면 이 칼에 모가지를 걸겠느냐?」

제 나름대로 길가의 흉중을 더듬어 빌미를 찾던 궐녀는 생각지도 않던 말이 그의 입에서 불쑥 튀어나오자, 사색이 되어 길가를 밀막았다.

「당신의 행사가 당초부터 아주 불미하였지만 아무리 듣는 이가 없다 한들 상사람으로 어찌 그런 말을 함부로 하오? 남녀 간이라면 길도 비켜서는 예법이매 그런 우격다짐이 어디 있소?」

「어허, 여드레 삶은 호박에 도래송곳 안 들어갈 말이다. 남녀 간의 음욕에도 반상의 구별이 있다더냐? 아니면 해웃값부터 먼저 던지라는 거조냐?」

「어디다 음사(淫辭)를 함부로 내뱉으시오? 남의 부녀자를 간통하는 것은 국법이 엄금하는 바가 아니오? 유부녀를 욕보인 자는 마땅히 불을 발리거나 발뒤꿈치를 도려내어 행보를 못하게 하는 중벌을 내리거늘, 어찌 잠깐 실수로 평생을 그르치려 한단 말입니까?」

「내 살길이 다만 너에게 매달렸기에 하는 말이다.」

「아니 됩니다. 길가 객줏집 상사람의 여자라도 그럴 수 없는데, 하물며 지아비를 섬김에 목숨과 바꾸는 사부(士夫)의 여자가 어찌

설레꾼 개평 주듯 절조를 허술히 동강 내겠습니까.」

「잠깐 실수로 비역살에 방긋 핀 꽃을 보이고 만 주제긴 하다만 말인즉슨 그르지 않다. 그러나 나는 이 집을 빠져나가야 하고 네년은 잃지 않아도 좋을 절조를 잃을 판국에 있다. 그러나 내게는 한사람의 모가지가 달린 일이지만 너에겐 다만 흘러가는 물 퍼주기가 아니냐?」

「인두겁을 쓰고 어찌 그런 말을 비위 좋게 한단 말이오? 내가 무슨 외대머리인가요?」

길가가 고개를 돌려 가래를 퉤악 뱉어 내며 두 눈을 부라렸다.

「내가 너의 두남을 받아* 여길 빠져나가야 네년이 산다. 내가 붙잡히면 네년은 하룻밤 사이에 화냥년이 되는 건 고사하고 오지[婚書]를 두 동강 내고 생이별해야 할 건 생각지 못하느냐? 내가 너를 겁탈하였다고 거짓 발설한다 하더라도 네년은 한갓 증거할 물증이 따로 없지 않느냐? 백 마디의 변백인들 그게 무슨 소용 있겠느냐?」

「댁네가 바라는 건 무사히 도망하는 것인즉, 왜 진작에 월장을 하지 않고 있소?」

「담장 밖에는 김학준의 수하것들이 결진을 하고 있지 않느냐?」

「그렇다면 제가 나가서 어찌 작간(作奸)토록 하리다……. 제발 가련한 계집의 일생을 망치려 들지 마십시오.」

궐녀는 불고염치하고 길가의 고린내 나는 발떠꾸를 틀어잡고 엎드려 적선을 간구하니, 얘기를 변죽만 울려 가지고는 안 되겠다 싶었던지 잡힌 발을 떨쳐 내며 길가는 다시 오금을 박고 나왔다.

「그것이 내가 원하는 바다. 그리고 그 원하는 바를 위해 널 바깥으

---

* 두남 : 편들거나 도와줌.

로 내보내야 되겠는데 널 밖으로 내보내자니 그 심기를 가늠할 방도가 없다. 한속이 들어 썩 좋지는 않다마는 옷을 벗어야 하겠다.」

「그러다가 옥사에 떨어집니다.」

「음전 떨지 마라. 나야 불을 발기든 옥사에 떨어지든 네가 무슨 상관이냐?」

「제발 그 일만은 안 됩니다.」

「양반의 행세가 무어냐? 채신을 지키기 위해 절조를 버리는 일도 달갑게 하는 게 양반놈들 아니더냐?」

「제가 또한 불각시에 몸것이 있습니다.」

「네년이 소피 볼 때 개짐 찬 것은 보지 못하였다. 여기서 조빼고*앉아 지체하면 할수록 밖에 있는 아랫것들의 의심을 받아 지청구되기 십상이다. 똥 본 오리 새끼 모양으로 지절대지만 말고 냉큼 작정하는 게 또한 너에게 이롭다.」

이제 앞뒤 돌볼 처지가 아닌 궐녀는 가리산지리산이었다.

「제가 몸것이 있은 지 여러 날째 되어 자칫하여 회태(懷胎)되면 하늘의 벼락을 받을 것입니다.」

「이년아, 날벼락 무서워 행세 못할 위인 같으냐? 그리고 너 또한 이참에 내 복력으로 차태(借胎)가 되어도 좋지 않느냐. 너의 문벌이 어떤지는 모르겠으나 그깟 명색 없는 안방샌님의 씨앗을 대중 없이 내질러 엮은들 어디다 쓰겠느냐? 역시 외양이 썩 의젓하지도 못하고 송곳 하나 꽂을 땅도 없이 부지거처한다마는 뼈대가 세고 건장하니 병치레 않아 기쁘지 않느냐?」

「내 입장이 전혀 꼴이 아니군요. 더 이상 여기서 지체할 수가 없습니다……」

---

*조빼다 : 난잡하게 굴지 아니하고 짐짓 조촐한 태도를 나타내다.

「내 천직이 젓장수로 잠시 잠깐 맛만 보는 데는 이골이 난 위인이다. 젓국 잠깐 맛보는 데 오랜 시간 지체할 리 만무하다. 시간이 지체되고 빠른 건 전혀 네 작정에 달렸지 않느냐?」

궐녀도 이젠 도리가 없게 되었다. 예부터 하자는 놈 하나에 만류하는 열이 못 당한다더니, 얼혼이 나간 아녀자와 차붓소 같은 사내와의 줄다리기니 목숨 부지하고 살길 도모하자면 어쩌는 도리가 없게 되었다. 살아난들 훼절됨을 건질 일이 없으되 싸늘한 칼끝이 코앞에서 춤을 추니 그것이 우선 사람의 간장을 녹이었다. 나중에야 자문을 하는 한을 남기더라도 우선은 이 분란을 넘기고 봐야겠다는 심사가 들었다. 짧은 한숨 끝에 궐녀가 강잉히* 말하였다.

「천벌을 받을 일이로되 청하심이 이토록 간절하니 요청에 따르긴 하겠거니와 이제 간장은 다 녹고 말았습니다.」

「계집의 간이란 작을수록 좋은 법이다. 작정하였거든 어서 거조를 차려라. 키잡이와 삿대잡이가 싸워 보았자 뱃길만 험할 뿐이다.」

「벗으라니요?」

「아무리 체면 차릴 계제는 아니다만 범절을 차려야지.」

「뒤에서 오는 호랑이는 속여도 앞에서 오는 팔자는 못 속인다더니 계집의 팔자란 대중이 없군요. 역외(閾外)*의 사정을 모르고 집에 박혀 있으면 탈 없이 천수를 누릴 줄 알았더니 그 또한 믿을 일이 아닌 줄 젊은 나이에 깨닫게 되었습니다.」

「거참, 입정도 드세다. 여기가 문안이냐, 김학준이란 놈 집 후원이지.」

「어서…… 하례*들이 눈치 채면 저는 끝장입니다.」

---

*강잉 : 마지못하여. 부득이.
*역외 : 문지방 바깥.
*하례 : 종.

「내 팔자가 기박하여 이곳에서 우연히 복에 없는 소실치레를 하게
생겼구나.」

한속이 들어 어금니가 딱딱 마칠 지경이었으나 길가는 액땜하는
셈 치고 궐녀의 속곳을 내린 다음, 동짓달 자리끼같이 싸늘한 궐녀의
몸 위로 턱을 끌어 박았다. 사내와 계집이 맞물려 똑같은 일을 저지
르고 있으되 속내가 서로 다르고 겨냥하는 바가 따로 있으매 아무리
음일이 방자하다 하더라도 그곳에 정분이 있고 애타는 즐거움이 있
을 리 만무하였다. 이를 악물어 잡고 정분은 텄다 하되 조만간 후원
으로 어느 놈이 다시 뛰어들지도 모르고 담 너머를 지키고 있던 노
속들이 흔들리는 대숲이 수상쩍어 넘어올지도 몰랐다.

바짓말기만 겨우 내린 터라 길가의 볼기짝은 설한풍에 떼어 나가
는 듯 쓰라렸고 궐녀의 등 뒤로 돌려 잡은 손엔 버석거리는 낙엽이
싸늘하기 그지없었다. 명색뿐인 합환이고 정분이었지 그것이 일이
라고 말할 건덕지가 못 되었다. 완자창에 희미하게 불 밝히고 콩기
름 잘 먹인 구들방 아랫목에 원앙금침 깔고 누워야 구면(垢面)도 월
용(月容)의 구실을 하지 월궁 선녀가 봉당에 나자빠지면 행색이 걸
궁패 계집과 다를 바 없었다. 그럴진대 길소개란 놈 천지를 휘저을
수 있는 기물을 가졌다 한들 자궁이 온전히 맞아떨어질 리 없었다.

잔나비 장구 치듯 형용만 요란하게 중패질을 끝낸 후에 궐녀는 허
겁스럽게 속곳을 꿰입었다.

「네 일복(衵服)* 한 가지는 내게 벗어 주고 가야겠다.」

「어인 말씀이오?」

「조금 전까지만 하여도 내 모가지가 네 손바닥에 있었다만, 이젠
사정이 달라졌다. 이제 너와 내가 무슨 휘할 일이 있겠느냐. 넌 치

---

*일복: 부녀자들이 입는 속속곳.

마로 삭숭이나 가리고 내사로 들어가서 의관 한 벌만 변통하여 들고 오너라.」

「그리하겠으니 제발 목청 돋우지만 말아 주오.」

「네가 까탈만 부리지 않는다면 오늘 일은 천지간에 우리 당사자만 알고 넘기기로 하리라.」

「하례들이 의심 둘까 두렵습니다.」

「네가 평소에 거동이 단정하였고 언사가 엄중하였다면, 오 척 단신 내 한 몸 두남키엔 별로 어려울 것이 없다. 그렇다고 네가 그냥 달아나거나 관아에 고자질을 하였다간 이 속곳이 강경 포구 저잣거리에 내걸릴 줄 알아라.」

길가는 벗어 준 궐녀의 속곳을 받아 옆구리에 끼었다. 가난뱅이 구들장에 물난리가 겹치더라고 그 꼴이 가위 눈 뜨고는 못 볼 지경이었지만 자신이 무사타첩하자니 어쩔 도리가 없었다. 담배 한 대 태울 참이 되었을까, 다시 담장 밖으로 사람들이 우르르 몰려가는 발소리가 들리더니 어느 놈이 숨넘어가듯 다급하게 소리를 질러 댔다.

「그놈이 흘리고 간 갓을 옆집 담장 아래에서 찾았습니다.」

집사인 듯한 놈이 되묻기를,

「안쪽이냐, 바깥쪽이더냐?」

「안쪽입니다요.」

「그러면 이놈이 옆집으로 월장을 한 것이 아니냐?」

「관아에 통기하는 것이…….」

「가만있거라. 분수없이 설칠 일이 아닌지도 모른다.」

「나으리가 위태롭지 않습니까?」

「너희들은 홰를 끄고 우선 포구 도선목 어름으로 내려가서 그 무뢰배들의 행적을 수탐하거라. 만에 하나 관속것들이 눈치 채어선 안 된다. 내가 보기엔 이 사단에 뭔가 심상치 않은 기미가 보인다.

만약 관아에 알렸다가 긁어 부스럼이면 되레 욕을 당할지도 모를 일이다.」

「정말 홰를 끌까요?」

「눈치 빠른 몇 놈만을 조발하여 포구를 훑어라. 단시간에 강경 지경을 뜨는 방도로는 포구를 이용함 직하지 않느냐.」

6

시간은 삼경이 훌쩍 넘어 사경 축시에 이르렀으매, 조성준과 이용익은 벌써 포구를 떴을 참이었다. 그러나 포구에서 그들의 행적을 놓치더라도 김학준의 수하것들이 맥을 놓고 앉아 있지는 않을 것이었다. 김학준이란 모리배가 본디부터 밑이 구린 위인이니 원한을 가진 자의 행패가 아닌가 하는 짐작으로 관아에 통기하는 일을 일단 자제시킨 것은 조성준의 붕당으로 보아서도 잘된 일이되, 또한 그럴수록 세 사람 중 어느 한 사람이 포착된다 하는 판국이면 쥐도 새도 모르게 멸구를 당할 공산 또한 더욱 커져 버렸다.

경기 지경 송파 쇠전거리에 목을 달고 연명하던 쇠살쭈*나 소장수들은 김학준의 발호(跋扈)*와 농간에 숱한 재물과 계집을 발리지* 않은 자가 없었다. 항거하는 장사치들이 있으면 수하것들을 풀어 무릿매로 물고를 내거나 관아의 아전들과 야합하여 송사를 만들어 기어코 칼을 씌웠다. 많은 백성들이 무고로 횡액을 당하고 심지어 보잘것없는 가산이나 장토를 빼앗긴 자가 십수 명에 달하였으며 그 언걸로 귀양 간 사람도 없지 않았다. 그로 하여 김가가 이재발신(以財

---

* 쇠살쭈 : 장에서 소를 팔고 사는 것을 흥정 붙이는 사람.
* 발호 : 함부로 세력을 휘두르거나 제멋대로 날뜀.
* 발리다 : 빼앗기다.

發身)*하였으나 원성이 저자에 널리고 하늘에 닿은 것을 알고 솔권하여 강경으로 행적을 감춘 것이었다. 그러나 김학준인들 전사에 저지른 적악을 목숨 다하기 전에는 잊을 리가 없었고 원한을 가진 자들이 언젠가는 자기를 수탐해 내고야 말 것도 염두에 두었으리라. 김학준의 밑이 구리다는 것을 수하에 있는 겸인들이 또한 모를 리 없었다. 궐자들은 오늘 새벽의 분란이 묵어 온 원한에 의해서 발단이 된 것임을 눈치 채어 버렸다. 그래서 분수없이 유난을 떠는 노속들을 주저앉히고 은밀히 붕당의 행적을 수탐하기로 작정한 것이었다. 사단이 의미심장하게 꾀어 가는 판에 의관을 구처하러 갔던 궐녀가 다시 일각문을 밀치고 후원 대숲으로 돌아오고 있었다.

「진둥한둥* 의관을 구처하긴 하였습니다만 반빗아치들이 눈치를 챘을까 두렵습니다. 어서 여길 뜨시오.」

「겸인 노속들의 거동은?」

「집안 두레할 두어 놈만 남기고 모두들 포구와 나루로 몰려간 듯합니다.」

「일가 권속들은 어찌하고 있더냐?」

「영문을 모르는 아녀자들은 사랑으로 몰려가서 한숨만 쉬고 있을 뿐이죠.」

「노비들은?」

「모두 일손을 놓고 문간채 고방에 웅성거리고들 있습지요.」

「흣, 고년, 대거리 한번 고분고분하게 나오는구나. 그렇다면 안채에는 사내자식 씨라고는 없다는 얘기냐?」

「숙설간에 다리 저는 숙수 한 놈이 취해서 졸고 있습다.」

「김학준이 송파에서부터 데리고 온 비첩(婢妾)이 있다는 소리를

---

* 이재발신 : 재물의 힘으로 출세함.
* 진둥한둥 : 매우 급하거나 바빠서 몹시 서두르는 모양.

들었다. 나를 그 방으로 안내하거라.」

「안 됩니다. 왜 구태여 빌미잡힐 일을 사서 하려 합니까? 더 이상 설치다간 제가 살아남질 못합니다. 댁은 이 새벽으로 여길 뜰 사람이되 저는 낭군이 고을을 뜨지 않는 한 이 고을에 붙박여 있어야 할 입장이 아닙니까? 어찌 여인의 안타까운 소원을 그리도 외면한단 말이오? 제가 죽기를 한한다면 이참에 소리를 칠 수도 있다는 것을 왜 모르신단 말이오?」

「헛, 그년. 하룻밤 사이에 웬 놈의 입방아가 그리도 옹골차냐?」

「객담하고 지체할 처지가 아니지 않습니까? 날 따라오시오. 작은 마님 방까지만은 내가 동행하리다.」

「그 여편네는 혼자 있느냐?」

「권속들이 전부 바깥채 사랑으로 몰려 나갔으니까요.」

길소개는 의관을 정제하고 벗어 끼었던 도포를 도로 꿰입었다. 먼저 안채로 나간 궐녀가 조급히 손짓을 하였다.

후원을 건너 일각문 안으로 들어섰으나 안마당은 횅뎅그렁하게 비어 있었다. 길소개는 잽싸게 뜰을 건너 궐녀가 가리킨 대로 동편 끝에 있는 마루로 올라섰다. 닫힌 문을 소리 없이 열고 방 안으로 들어섰으나 아랫목에 오도카니 앉아 있는 여인은 고개를 들지 않았다. 길소개는 득달같이 여인의 목덜미에다 패도를 들이댔다.

언뜻 보아 30세 전후일까. 낭자를 곱게 하고 산호비녀 찌른 품이 비첩의 행세치고는 김학준의 후한 대접을 받고 있는 처지임이 분명하였다. 승새* 고운 의복도 화려하고 거동에 빈틈이 없어 보였다. 길가는 그 순간 주저하였다. 금방 아갈잡이를 하고 공갈을 칠 것인가, 아니면 그냥 두고 본색을 드러낼 것인가 하는 것이었는데, 잠시

---

*승새 : 피륙의 올.

낭패이던 것은 목덜미에 패도를 들이대었는데도 여인은 반 푼어치도 놀라는 기색이 아니었던 것이다. 그러나 고개를 들어 길가를 뚫어지게 바라보는 안색만은 마름질한 무명이었다. 길가는 재빨리 말하였다.

「오늘 새벽 댁의 나으리가 붕당들에 보쌈을 당한 일과 관계가 있는 사람이오. 그러니 분수없이 소리치진 마시오. 만약 이참에 날뛰었다간 모든 일이 허사요.」

궐녀는 다시 고개를 숙였다. 자로 잰 듯 반듯이 넘어간 궐녀의 가르마가 가늘게 떨리었다. 궐녀의 손이 그 순간 가만히 저고리섶으로 올라가고 있었다.

「허튼수작은 마시오. 여기서 잘못되면 댁의 나으리는 물론 댁네도 죽고 나 또한 기약이 없게 됩니다.」

문득 손을 내려 스란치마를 여미는 궐녀의 손이 떨리고 길가를 쳐다보는 눈시울이 파랬다.

「내가 이르는 대로 하시오. 곧장 불을 끄고 밖으로 나가서 바깥마당에 있는 노속들을 포구로 내쫓으시오.」

「도대체 댁은 뉘시관데 양반을 모칭(冒稱)*하고 되지못한 행학(行虐)을 부리고 있소?」

「김학준을 보쌈한 붕당이라고 하지 않았소?」

「어찌해서 너 같은 잡배가 아낙이 거처하는 규방에 함부로 뛰어들어 패악질이냐? 여기가 시궁골 기생촌인 줄 아느냐?」

궐녀는 길가를 똑바로 쳐다보며 해라로 대거리를 하였다. 그 당돌하고 옹골참에 길가는 순간 가슴이 섬뜩하였다. 득달같이 달려들어 아갈잡이부터 하지 못한 것을 금방 후회했다.

─────────

* 모칭 : 이름을 거짓으로 꾸며 댐.

「기생집이 아닌 줄 알고 있느니.」

「당당한 품이 가히 유서통(諭書筒)*을 진 놈이구나. 그렇다면 관가로 가지 않고 아낙의 규방엔 왜 들렀느냐?」

「이년아, 새벽 호랑이*를 그렇게 다루는 게 아니다. 가랑이를 찢어놓기 전에 해라를 거두어라.」

「그럼, 내가 네놈과 허교를 할 성싶었더냐? 대장부가 아무리 다급했기로서니 규방에 들어와서 공갈을 놓다니, 이놈아, 네놈이 달고 있는 것은 개도 물어가지 않겠다.」

「어허, 입정 한번 사납구나. 내 당초부터 곡절이 있어 이 방으로 뛰어든 것일진대 해라로 대접을 해?」

「그 곡절부터 듣고 보자, 이놈.」

「그 곡절을 정히 알아야겠다면 이길로 나하고 동행하면 밝혀지겠지.」

「내가 어찌 도척 같은 네놈을 따라 새벽길을 나선단 말이냐?」

「네 늙은 서방이 강경의 읍호(邑豪)*인 줄은 안다마는, 나는 그놈의 재물을 발기러 온 양경장수는 아니다. 그렇다고 애매한 아녀자의 목숨을 노리려는 자객도 아니다. 김학준의 만금 재산을 노렸다면 의롱이나 화각함(畵角函)을 뒤졌을 터이요, 목숨을 노렸다면 벌써 옛날에 버이고 말았을 터이다.」

「그럼 무엇을 노리느냐?」

「다만 그 망종(亡種)의 악덕을 징치하려 함이다.」

거동에 흐트러짐이 없던 궐녀의 얼굴이 잠시 낭패로 일그러졌다.

「네 늙은 서방이 염려가 되거든 내가 무사히 빠져나가도록 바깥의

* 유서통: 왕의 유서를 넣어 가지고 다니던 통.
* 새벽 호랑이(다): 세력을 잃고 물러나게 된 신세를 비유하여 이르는 말.
* 읍호: 고을에서 으뜸가는 부호로 가장 유력한 사람.

노속들이나 내칠 일이요, 서방과 안면을 바꾸기 싫거든 나와 동행하거라.」

궐녀가 일어나서 불을 불어 껐다.

「네 칼이 무서워 영을 따르는 건 아니다. 명색이 지아비를 섬기는 계집이 내 살길만 도모하고 마냥 앉아만 있을 수 없어 너와 동행하려는 거다. 그러니 칼을 거두어라. 거두지 않으면 소리를 지를 테다. 칼이란 것도 겁이 있는 년에게나 효험이 있었던 게 아니냐?」

「거 무슨 소리냐?」

「네놈이 여기까지 숨어든 데는 필시 어떤 계집의 두남을 받아야 했었기에 이르는 말이다.」

「지청구는 그만 하고 어서 앞서거라.」

길소개는 속으로 무척 놀랐으나 태연한 체 궐녀를 따라 마루로 나섰다. 안마당을 거쳐 사랑채로 나가는 동안에도 인적이라곤 없었다. 사랑채로 나가 뜰을 조급히 가로질러 문채로 나서는 판국인데 느닷없이 솟을대문 바깥이 시끌벅적해지면서 대여섯 명의 노속들이 패랭이 쓴 한 놈을 땅에 질질 끌며 들어섰다.

횃불에 비치는 궐자는 분명 초주검이 된 이용익이었다. 앞섰던 궐녀가 그중 겸인인 듯한 놈에게 조급히 물었다.

「그게 누구요?」

「월장했던 놈을 배행하고 왔던 경마꾼입니다요.」

「어디서 잡았소?」

「벌써 멀리 도망한 줄 알았습죠만 장터거리 시게전 어름에서 되잡아 기어 올라오는 놈을 아이들이 덮쳐서 옭았지요.」

「나으리 소식은 못 들었소?」

「아직 입을 열지 않는뎁쇼. 주리를 틀든지 거조를 차려야 토설을 할 것 같습니다.」

「뭣 하는 놈 같아 보이오?」

「행색은 도붓쟁이 꼴입니다요.」

노속들에게 대문채 곳간으로 질질 끌려가는 이용익의 꼴은 차마 눈 뜨고 못 볼 지경이었다. 분명 길소개를 찾아가던 길을 되짚어 오르다가 포착된 게 확실한데, 억적박적 밟아 조진 사매질에 형용이 흡사 보라매에 찢긴 메추리였다. 비색(否塞)*도 이만하면 앞이 없구나 싶은데 때는 이미 늦은 감이 없지 않았다.

길소개는 긴가민가하는 즈음에 험악하고 건장하게 생긴 노속들 대여섯 명에 둘러싸인 꼴이 되었다. 이용익이 포착된 것을 알게 된 떨거지들이 연이어 문간채로 달려들었고, 그들은 김학준의 비첩 등 뒤에 행세옷을 한 낯선 자가 갈피를 못 잡고 서성대는 꼴을 보았다. 아니나 다를까, 이용익을 드잡이해 온 수하것들과 처연히 말을 주고받던 비첩이 느닷없이 뒤돌아 서면서 사랑채와 안채 사이의 중문으로 되짚어 뛰고 있는 길가를 가리키며 새된 소리를 내질렀다.

「저놈을 잡아라.」

얼추잡아서 10여 명이나 되는 겸인·노속 들이 그 말 한마디에 득달같이 내달아 담을 밟고 허공으로 오르려는 길가의 등줄기에 사매질을 하였다.

「이놈, 언다가 물거미 뒷다리를 올려붙이느냐?」

「이놈을 아주 삭신이 노글노글하도록 멍석말이를 시켜?」

입정 좋은 대로 씨부리며 인성만성*인 노속들이 아니라 할지라도 엄동설한에 얼어 터진 길소개의 몸뚱이야 단매에 기가 꺾이어 오뉴월 장마에 토담 무너지듯 마당 가에 속절없이 주저앉아 버렸다. 쓰

---

*비색 : 불행해짐. 운수가 꽉 막힘.
*인성만성 : 많은 사람이 모여 혼잡하고 떠들썩한 모양.

러진 길가에게 대고 몇 놈이 불문곡직하고 어깨쭘을 찍어 내리자 배포 좋던 길가도 그제야 고깃값을 하느라고 입에서 절로 신음 소리가 터져 나왔다. 길가로 보아서는 다 퍼 담은 죽사발에 코 빠뜨린 격이 되었으되 김학준의 가권들로서는 그런 천우(天遇)가 없었다.

집사와 겸인들이 들이닥쳐 혼절한 길가의 턱을 쳐들어 보니 바로 겨냥하여 수탐하던 위인인지라, 이놈이 어쩐 연고로 그제까지 집 안에 서성거렸는지 가늠할 길이 없어 김학준의 비첩을 멍청히 바라볼 뿐이었다.

「그놈의 괴춤을 뒤져 보아라.」

비첩인 천씨(千氏)가 노속들을 다그쳤다. 빈 전대에는 하룻길 노수(路需)도 모자랄 동전 몇 닢과 공주 임방에 추보전을 바친 자문 한 장이 꼬깃꼬깃 접힌 채로 들어 있었다.

「이놈의 생업이 도부꾼인가 봅니다요.」

겸인놈이 자문을 내혼들며 보란 듯이 소리쳤다.

「내가 그놈을 징치하겠소.」

담 밑에 거꾸러진 길가를 끌고 곧장 곳간으로 가려는 겸인들을 내치면서 천씨가 앞으로 나섰다.

「이놈을 주리 틀기 전에는 자백 받기 어려울 겁니다.」

비첩인 주제에 소동에 뛰어들어 오지랖 넓은 체하는 것이 집사와 겸인들에게는 뒤틀린다는 뜻이겠으나, 병중에 있는 안방마님 대신하여 나리의 행방을 찾겠다는 것임에야 어거지로 내칠 수가 없었다.

「그놈을 단단히 결박해서 앉히게.」

천씨는 노속 두 놈만을 데리고 곳간으로 들어가서 길가를 이용익 옆에다 앉히었다.

「어느 년이 나를 징치하겠다는 거냐?」

길소개는 핏자국이 낭자한 얼굴을 들어 마주 보고 선 천씨를 흡떠 보았다. 비첩의 신세이긴 하되 서시(西施)*를 내칠 만한 옥골인 여인의 옹골지게 다문 입가에 서린 서릿발 같은 냉기가 그 순간 길소개를 섬뜩하게 만들었다.

「이 천하에 발간 상놈이 뉘게다가 함부로 호년으로 대거리냐? 사매질이 시원치 않았느냐?」

곁에 섰던 노속이 천씨의 한마디가 떨어지기 바쁘게 모둠 발길로 길가의 복장을 쪼듯 질러 버렸으나, 그간 기를 되찾은 길가는 두 눈을 부릅뜨고 발길질인 노속을 노려보았다.

「이놈, 물고를 내기 전에 어서 나으리의 행방을 대거라.」

「나를 함부로 다룰 일이 아니다. 만약 나를 종시 이 꼴로 박대하였다간 김학준의 일가에 똥칠을 하게 된다는 것을 알아야 할 거다.」

「형방에 떨어뜨려 칼을 씌우기 전에 나으리의 행방을 토설커라. 네놈이 무슨 공갈을 치든 이 마당에 와서는 효험이 없느니라.」

「나는 잘 모를 일이다.」

「네놈의 동패가 옆에 혼절하여 있다는 것을 모르고 있느냐? 네놈이 곧이곧대로 대지 않는 이상 이 사단이 무사하게 끝장날 리 만무하다.」

「내가 액운을 당하여 이 꼴이 되었다만, 나를 징치하려 드는 건 기름 엎지르고 깨 줍는 격이다. 나를 야박하게 다루었다간 너의 일가에 살아남을 계집이 없게 된다.」

「안 되겠다. 이놈이 이실직고할 때까지 몽둥이찜질을 허술히 마라.」

두 놈의 노속들이 겨끔내기로 길가의 어깨쯤에다 매를 내렸으나 길가는 시종이 여일하게 모르쇠로 버티었다.

---

*서시 : 중국 춘추 시대의 미인.

「네놈 둘이서 방조하여 나으리를 보쌈질한 그 즉살할 놈이 누구냐?」

「우리 붕당의 행수 어른이시다.」

「그놈도 도붓쟁이냐?」

「그럼, 양경장수로 알았더냐?」

「팔도에 널린 모리배들이 작당하여 보부상으로 가장하고 염소털 같은 머리를 뒤꼭지에다 붙이고 여러 고을을 들쑤시고 다니면서 백통을 내놓고 은이라고 우기는가 하면 염소뿔을 내들고 대모(玳瑁)라고 속이고 개가죽을 가지고 초피로 꾸며 대어 우매한 백성들의 재물을 탈취한다는 소문을 들었다. 어디 그것뿐이더냐? 약차하면 양반을 끌어내어 곡절 없이 욕을 보이기 일쑤이고 여항(閭巷)의 청상들은 물론이요, 엄연히 지아비가 있는 아녀자까지도 보쌈질을 하여 오지를 동강 내는 천하에 못할 짓을 자행한다지 않았느냐. 이제 너희놈들이 내 집에까지 와서 월장범방(越牆犯房)*을 하려 들었으니, 너 이놈, 참선하던 중이었다 할지라도 오늘의 행악을 그냥 두지는 못했으리라. 또한 네놈은 양반을 모칭하고 회갑잔치에 뛰어들어 일가의 빈객들을 한껏 기롱(欺弄)*하였으니 이 수모를 그냥 당하고 있을 처지가 아니지 않느냐?」

「내 생업이 장사치임에는 분명하지만, 소싯적부터 오지랖 넓은 체하는 양반놈들을 더러 희롱한 적은 있으되 우매한 백성들을 공으로 괴롭힌 적은 없었다.」

「만약 이 자리에서 나으리의 행방을 토설치 않을 때는 네놈이 생각지도 못할 중벌을 내리리라.」

「나를 더 이상 해코지하였다간 김학준의 집구석은 쑥밭이 될 터이

---

*월장범방 : 담을 넘어 아녀자의 방을 넘봄.
*기롱 : 속이어 농락함.

다.」

길소개는 궐녀를 똑바로 쳐다보며 코웃음을 쳤다.

「내 문밖을 모르는 일개 아녀자에 불과하다만 네놈 둘을 능히 다룰 만한 기량은 있다. 네놈들을 허술히 다루어 우리 일가가 돌이키지 못할 욕을 당해 쑥밭이 된다 한들 자백을 받지 않고는 네놈들을 백방(白放)*할 리 만무하다. 네놈이 모르쇠로 버티긴 한다마는 월장범방하려던 한 가지 죄만으로 네놈을 사사로이 즉살하여도 관재가 없다.」

「우리를 다그쳐 보았자, 이미 소는 물 건너로 갔다. 행수 어른은 벌써 강경 지경을 벗어난 뒤일 거다. 우리를 구초하여 보았자 강경 밖의 일은 모르는 터수이니 여기서 아무리 밀고 당겨 보았자 그게 얼음 위에 엄대 긋기다.」

「이러다간 종내 결말을 보지 못하겠구나. 저놈의 한쪽 손을 잘라라.」

천씨가 느닷없이 소리 지르고 나오자, 놀라기는 오히려 곁에 섰던 노속들이었다. 한동안 서로 바라보고 섰던 중에 한 놈이 되묻기를,

「정녕 그리할까요, 마님?」

「그럼 내가 헛소리를 하고 있느냐?」

「지금 당장 거행할깝쇼?」

「일각이 급하지 않느냐.」

「내 손을 자르다니? 이 무슨 난행이오? 모르는 것을 모른다고 말한 것뿐이지 않소?」

「뭣들 하고 있느냐, 지체 말고 거조를 차려라.」

아니나 다를까, 한 놈이 맥질한 흙이 떨어지고 외얽이가 드러난 한

---

*백방하다 : 죄 없음이 밝혀져 놓아주다.

쪽 벽에 세워 둔 작두를 들고 와선 뒷결박한 길가의 손을 풀어 칼 위에 가로놓았다.

「자, 어찌하겠느냐? 호달마(胡達馬)*가 요절나면 왕십리의 거름이라도 싣고 기생이 그릇되면 길가에서 들병장수라도 하지만, 네놈은 생업이 도부꾼으로 수족을 버이고 나면 푼전이라도 헤아려 챙길 방도가 없다. 수족을 잃겠느냐, 아니면 나으리 행방을 토설하겠느냐?」

필시 범상한 계집이 아니란 생각이 들었다. 사내 한둘쯤은 능히 다룰 만한 기량이 있다고 장담이던 조금 전의 말을 머리에 떠올린 길소개가 백지장 같은 얼굴을 쳐들고 이 강포의 욕을 어찌할까 궁리를 트는데, 칼에 걸려 있던 손등 위로 일순 서릿발을 가르는 듯한 바람이 스치고 나니 네 개의 손가락 마디가 칼 저편에 떨어지고 금방 어깨쯤에 천 근으로 내리누르는 듯한 짜릿한 오한이 용솟음쳐 올랐다.

「아니?」

팔을 당긴 길가가 금방 도포 자락에 손을 싸매고 앞으로 고꾸라지니 작두를 내렸던 한 놈이 엉겁결에 달려들어 행전을 찢어 팔뚝을 싸매어 지혈을 시켰다. 폐부를 찌르는 듯한 고통에 몸을 가눌 수 없을 지경이었던 길소개는 그러나 이를 악물고 눈 한 번 깜빡하지 않는 궐녀를 흡떠 보았다. 잘못하다간 이 포악한 계집에게 팔을 잘리게 될지도 모른다는 낭패감이 그 순간 길소개의 등골을 싸늘하게 긋고 내렸다. 궐녀가 나직하게 말하였다.

「이래도 냉큼 토설치 못하겠느냐?」

도대체 이 계집의 근본이 어떠하기에 간담이 이토록 드세며 말본새가 이토록 옹골찬 것일까.

---

*호달마 : 호마. 예전에, 중국 북방이나 동북방 등지에서 나던 말.

길소개도 이젠 궐녀에게서 시선을 떼지 않았다. 더 이상 버티다간 목숨조차 부지 못할 형국이 됐는지라 손목이 저려 오는 고통보다는 일개 아녀자의 눈자윗짓 하나에 운명이 걸리게 된 자신의 신세가 문득 가소로웠다. 길소개는 다시 해라를 던졌다.

「모른다. 동패의 행방을 알았다면 내 먼저 수족부터 구하고 봤겠지.」

「그놈의 본관이 어디냐?」

「도부꾼의 풍습대로 조송파란 것밖에는 아는 것이 없다.」

「통성명도 못한 주제를 하고 패를 지어 보쌈질을 한단 말이냐? 그놈이 정녕 송파 임방의 도부꾼이라더냐?」

「조송파는 원래 송파에선 이름난 쇠살쭈로 경기 인근 저잣거리에선 모르는 사람이 없을 정도로 쇠전을 주름잡았고 백여 필을 맬 수 있는 마방에다 부리는 노속들과 소몰이꾼만 하더라도 십수 명에 이르렀다. 그러나 경상도 김천 우시장에 내려갔다가 장마에 갇혀 달포간이나 객점 신세를 지다가 돌아와 보니 김학준의 농간으로 속현(續絃)*한 젊은 계집을 빼앗기고 찌러기* 30여 필을 잃었다는 말을 들었다. 이만하면 내가 왜 행세옷을 하고 조송파를 방조하게 되었는지 알 만하지 않느냐?」

궐녀는 문득 대답할 말을 잊었다. 궐자가 내뱉은 말이 정녕 백지 무근으로 지어낸 말이 아니라면 조송파란 분명 송파 쇠전거리의 쇠살쭈이던 조성준임이 분명하였기 때문이다. 그리고 그것이 조성준임이 분명하다면 이 두 사내에게 무엇을 추달하여 들추어낼 건덕지조차 없게 된 것을 깨달았다. 오히려 두 사내를 경황없이 닦달하였다간 더 큰 화근을 불러들일 우려마저 없지 않았다.

---

*속현하다 : 아내를 여읜 뒤 다시 새 아내를 맞이하다.
*찌러기 : 성질이 몹시 사나운 황소.

천행으로 그 행적을 수탐해 낸다 하더라도 원한이 하늘에 사무친 조성준이 협협하게* 김학준을 내놓을 위인이 아니란 것까지 궐녀는 알고 있었다. 궐녀는 떨리는 두 손을 스란치마폭에 깊이 감추며 겉으로는 천연스럽게 물었다.

「그 백지 무근한 말은 조송파란 놈이 지어낸 말이 아니더냐?」

「나야 물론 떠도는 행중에서 만난 처지라 거짓말이라 한들 발기잡을 방도가 없었지만 백지 무근한 말이라곤 믿지 않았다. 그도 엄연히 채장을 가진 도부꾼이었느니……」

「이놈, 채장쯤이야 남의 것을 뺏을 수도 있고 잠시 차용할 수도 있지 않느냐?」

「그런 깜냥없는 짓을 할 위인이 아니다. 세상 풍진을 겪으며 떠돈지 삼십 년이 넘는 내가 눈이 뒤집히지 않은 이상 사람을 잘못 보았을 리 만무하다. 만약 오늘의 이 사단이 김학준이 감당해야 할 마땅한 벌이었다면 내 조막손*일망정 언젠가는 이 손으로 오늘의 봉욕을 기어코 되갚고 말 것이니 그 또한 잊지 말고 기다려라.」

「저놈을 뒤탈 없도록 지혈을 단단히 시킨 다음 고방 문을 채워 도망하지 못하도록 잡도리하여라.」

　노속들을 내치고 궐녀는 사랑채의 길고 넓은 뜰을 가로질러 누마루 끝에 옹기종기 둘러선 겸인들에게로 다가갔다.

「행방을 알 길이 없소.」

　궐녀는 어깨쯤에서 기력이 쭉 빠져 내리꽂히는 듯한 허탈감으로 발이 허공에 뜬 것 같았다.

　그것이 불과 4년 전의 일이었다. 그때만 하여도 천소례(千小禮)는 광주(廣州) 땅 송파 쇠전거리 어름에 있는 보행객주에서 반빗아치

---

* 협협하다 : 대범하고 활달하다.
* 조막손 : 손가락이 오그라져서 펴지 못하는 손.

노릇으로 연명하고 있었다. 이름지어 반빗아치라 하였으나 길손들의 서답 수발에 물어미 노릇까지 겹치어 대궁밥에 푸새김치로 몸가축하며 세월을 줄였다.

궐녀가 처녀의 몸으로 장터거리 객점에서 세월을 보내고 있었던 것은 헤어져 집을 나간 일점 혈육인 천봉삼의 소식을 경기 일원을 돌고 있는 보부상들 입에서 어렴풋하게나마 얻어들었기 때문이었다. 그러나 우연히 객점을 드나드는 노구쟁이 할미가 소례의 침선(針線) 솜씨가 얌전하다고 혓바닥에 굳은살이 박이도록 소문을 낭자히 퍼뜨리고 다니더니, 하루는 진상 아전(進上衙前)에 읍호(邑豪)인 김학준의 안사랑에서 바느질감을 맡겨 왔었다. 그때부터 소례는 김학준의 집에 드난살이*를 하는 형편이 되었다. 그러나 그것이 패(覇)였다. 소례의 침선 솜씨를 사고자 한 것은 핑계일 따름이었다. 나이가 이순에 가깝도록 자궁이 기박했던지 소생을 얻지 못한 김학준이 절손하게 된 터라 이제 늙어 병치레만 하고 있는 김학준의 계집이 작간하여 시앗을 두려는 농간에 불과하였다.

벌써 칠성판(七星板)*을 등에 진대도 서럽잖을 형용뿐인 안방마님은 별로 할 일도 없으면서 몇 번인가 사람을 불러 이리저리 훑어보고 재어 보더니 난데없이 바느질 아닌 김학준의 음식 수발을 하게 하였다. 그러나 안방마님의 인정 씀이 가없고 때로는 은밀히 불러들여 턱없이 과람한 용채도 내리는 터라, 소례는 갓 마흔에 첫 버선 얻은 셈 치고 묵묵히 김학준의 음식 수발이며 베갯머리에 자리끼까지 떠다 놓게 되었다. 그것이 소례에겐 화근이 된 것이었다. 어느 날 자리끼를 대령하러 사랑으로 들었다가 김학준에게 당하고 만 거였다. 나이 60에 가까우니 양기가 쇠하여 사내구실을 못하겠거니 하는 속

---

*드난살이 : (흔히 여자가) 남의 집을 옮겨 다니며 고용살이하는 생활.
*칠성판 : 관 속바닥에 까는 얇은 널조각.

짐작만으로 사랑방을 무상출입한 것이 젊은 계집의 암내로 늙은 사내의 양기가 뒤집히도록 충동이질한 것밖에는 아무것도 아니었다.

때리는 시늉 하면 우는 시늉 하더라고 의뭉한 연놈이 손발은 서로 맞아 사내의 엽색 행각과 자식을 두고 싶다는 늙은 계집의 탐욕이 한데 어울려 자행과 묵인이 어우르고 엇갈리는 동안, 소례는 자신도 모르는 사이에 김학준의 첩실이 되어 있었다. 저희들끼리 숙덕거리기를, 소례는 풍골이 자식 생산에는 타고난 계집이라 하였다. 눈꼬리가 갸름하되 끝이 처지지 아니하였고, 면상이 거위나 거북이처럼 오뚝하였고, 손바닥엔 핏기가 돌아 홍도색을 띠었다. 어깨가 둥글고 몸통이 통통하고 젖꼭지가 익은 오디 모양으로 적갈색을 띠었으며 눈썹이 꺾이고 눈동자가 까맣고 눈가죽이 덮이지 않았으니 장차 후손을 생산함에 흠집 한 군데 없는 계집이라 하였다. 사정이 그렇게 된 바에는 씨받이 신세 안 된 것만을 팔자소관으로 알고 소례는 묵묵히 김학준의 비첩으로 눌러앉고 만 것이었다. 그러나 개살구 옆으로 터지더라고 김학준의 엽색 행각은 젊은 계집 하나를 시앗으로 두는 일로는 그치지 않았다.

김학준은 서울의 내수사(內需司)의 관리들에게 인정을 쓰고 구워 삶아서 몇몇은 손아귀에 넣고 있었으며, 종실(宗室)에서 쓰고 남은 공물들을 되받아 적잖은 이득을 챙기는 한편, 송파 쇠전거리의 쇠살쭈인 조성준에게도 장체계(場遞計)*를 놓을 정도로 저자 바닥 돌아가는 물리에 밝았고 상리를 거둠에 체면치레가 없었다. 그가 거느리는 호지* 집만도 30여 호나 되어, 송파는 물론이요 광주 인근에서 김학준의 비위를 건드릴 사람은 없었다.

---

* 장체계 : 예전에, 장에서 비싼 이자로 돈을 꾸어 주고, 장날마다 본전의 일부와 이자를 받아들이던 일.
* 호지 : 마름.

그해 여름, 조성준은 경상도 김천 우시장에 내려가서 장마에 갇혀 달포간이나 회정이 늦어지고 말았다. 김학준은 조성준으로부터 소식이 돈절하자 그에게 대부한 장체계 3백 냥의 환수가 미심쩍다 하여 수하에 있는 차인·노복 들을 풀어 조성준의 소유인 농우소 스무 필을 임의로 몽땅 팔아넘기고 말았다. 길길이 뛰며 포달을 떠는 조성준의 내권을 겁간까지 하여 놓고는 뒤탈이 생길 것을 염려하여 집에서 부리던 중노미 송만치에게 행하를 두둑이 내리고 어거지로 합환을 시킨 다음 타관 객지로 내쫓았던 것이다.

　문경새재 고사리뜸에서 조성준의 붕당에게 양물을 잘린 송만치가 억울하다고 길길이 뛰던 것도, 말없이 자신의 액운을 삼키며 발뒤축이 잘린 조성준의 계집도 알고 보면 김학준의 농간으로 턱없이 화를 입은 불쌍하고 가련한 상것들의 신세에 불과한 것이었다. 그러하였으므로 연놈을 징치함에 조성준은 저간의 사정을 당초부터 적간하려 들지 않았음이 아닌가. 그러나 또한 이 사단의 동기가 작게는 김학준이란 한 인간의 죄악이되 크게는 한 모리배의 행악질을 눈감아 주고 은밀히 두둔하는 탐관오리들의 죄악이 또한 그곳에 말없이 도사리고 있겠음인즉, 설령 대의를 모르는 일개 아녀자의 심기라 하더라도 이 마당에 와서 무엇을 빌미잡아 두 놈을 다스릴 것인지 소례의 심정은 문득 착잡함을 느꼈다. 그렇다고 여원을 가진 사람에게 보쌈질을 당한 늙은 서방의 운명을 나 몰라라 하는 식으로 체념해 버릴 수도 없는 터, 어쨌든 조성준의 행적을 쫓아 서방의 생명 하나만은 건사해야겠기에 두 놈을 그냥 백방해 버릴 수는 없다고 심기를 다시 다잡아 먹는데, 문득 안채 쪽 어디에선가 계집의 숨넘어가는 듯 다급히 내지르는 고함 소리가 들려왔다.

　「불이야!」

　「불이 났다아.」

이 무슨 난데없는 희롱인가 싶어 날이 희뿌옇게 밝아 오는 사랑채 용마루 위를 바라보니 검은 연기가 한줄금 불쑥 허공으로 솟아오르고 있었다. 집사와 겸인들이 미친 중놈 모양으로 뛰기만 하는 노속들과 비부쟁이들에게 물을 가져오라고 면박을 하고 뒤설레를 치는 판국이되 자발없는 계집들은 몸을 한 줌이나 되도록 오그리고 소리만 내질러 댔다. 돌림병에 까마귀 울음이요 하품에 딸꾹질이라더니 집안에 환난이 닥친 판에 액운이 겹치니 실로 난감 절박하기 그지없었다. 그러나 추쇄하러 갔던 노복들이 마침 회정한 터였고 바람 없는 새벽녘이라 간신히 불길은 잡혔다. 안채 한 귀퉁이가 새까맣게 그슬리고 부서진 가재도구들이 마당에 널리었다. 갈팡질팡하는 사이에 누군가의 입에서 흘러나온 한마디가 노속들 사이에 불길처럼 번져 나갔다.

「누가 불을 질렀어?」

「어느 놈의 짓이여?」

「집 안에 귀신이 있는 거여.」

왜 그런 말이 튀어나온 건지는 반편이라도 알 만하였다. 불이 난 곳은 숙설간과도 대여섯 칸이나 떨어져 있었고 노속들이 든 홰에서 불똥이 옮겨 붙은 것이라면 진작에 불이 났어야 했다. 불의 시초가 불과는 아무 상관이 없는 안채 마루 밑이고 보면 누가 불을 지른 것이 확실하였고 그것이 집 안 사람의 짓이라면 곳간에 잡아 엎친 두 놈에게 도망할 말미를 주자는 심사에서 저질러진 일이랄 수밖에 없었다. 겸인·노속 들과 반빗아치나 비부쟁이들을 불러 닦달해 보았으나 집에 불이 난 사단과는 감히 거리가 먼 작자들뿐이었다. 소례는 지청구를 해대는 여편네들에게 입 닫으라고 주저앉힌 다음, 늙은 집사를 사랑으로 불러 올렸다.

「저놈들을 백방하여 주시오.」

늙은 집사가 콧대에 바늘을 세워도 될 만큼 눈살을 찌푸리고 되물었다.

「마님, 무슨 말씀이십니까?」

나오는 말도 괴이하거니와 수탉이 울어야 날이 새지 암탉이 울어 날 새는 것 봤느냐는 듯이 빗대 놓고 내뱉는 대거리이기도 하였다.

소례는 못 들은 체하고,

「지금 당장 그놈들을 풀어 주고 노수(路需)라도 몇 닢 쥐어 보내는 게 좋을 성싶소.」

「그놈들을 놓아주면 우리는 날 샌 올빼미 처지가 아닙니까? 한 놈을 곰돌아들게 하자면 저놈들을 잡아 두는 수밖에 없습니다.」

「그게 될 일이 아닙니다. 그놈이 돌아올 놈도 아니거니와 나으리를 쉽게 해코지해서 결딴을 낼 놈도 아닙니다. 또 한 가지는 곳간에 갇힌 놈을 이참에 풀어놓지 않으면 미구에 우리 집이 쑥밭이 될 일이 생기고 말 것입니다. 갈치가 갈치 꼬리를 무는 격으로 말입니다. 집에다가 불을 지른 당사자는 우리를 알고 있으되 우리는 그 당사자를 모르고 있지 않습니까. 우리가 그 당사자를 적간해 내지 못하는 이상, 버마재비가 수레를 버티는 격이랄 수밖에 없게 되었습니다.」

「그렇다면 마님은 집에 불을 지른 당사자가 누구인지 대강은 짐작하고 있다는 말씀이 아닙니까?」

소례는 짐짓 두 눈을 크게 뜨면서 놀라는 시늉으로,

「천만 도섭스러운 말이오. 내가 그 당사자를 알고 있다면 잡아 엎치지 무슨 속내로 가만두고 보겠습니까.」

「짐작이라도 계시기에 두 놈을 풀어 주라는 것이 아닙니까?」

「내가 그중 한 놈에게 하지 못할 짓을 했는데도 종시 토설을 않고 있으니 놓아주고 뒤를 밟는 도리밖에 당장 궁리가 없지 않소?」

궐자가 열통적게 한다는 소리가,

「하루돌이로 치도곤을 내려도 시원찮을 놈들을 풀어 주다니요?」

「그렇게 해야 합니다.」

「정히 그러시다면 둘 중에 한 놈만을 백방하지요?」

「내게도 생각이 있습니다.」

「이거 죽 쑤어 개 퍼주는 꼴이 아닌가요?」

궐자는 눈을 모질게 뜨고 고개를 꼬아 박으며 방을 나갔다. 곳간 문을 열고 들여다보니 두 놈은 찐 붕어가 되어 늘어져 엎디어 있었다.

「이놈들, 나가거라.」

굴신을 못하고 엎디었던 이용익이 또 무슨 혼찌검인가 싶었던지 가까스로 고개를 들고 물었다.

「나가라니, 어디로 말이오?」

「이놈들, 귓구멍에 마늘쪽을 박았나, 나가라는데 웬 딴청이냐?」

「사람을 꼭뒤잡이할 땐 언제고 나가라는 건 또 무슨 흰소리요?」

「이놈, 객쩍은 소리 그만 하고 행보할 만하거든 썩 곳간을 비워라.」

초주검이 된 용익은 뒷결박을 풀어 주자 털고 일어서는데 신수가 멀쩡하였다. 못쓰게 된 위인은 길가였지 용익이 아니었다. 나중에야 안 일이지만, 이용익은 길가가 잘못 짚어 포착된 줄 미리 짐작하고 아예 김학준의 수하것들에게 잡힐 요량을 하고 길을 되짚어 올라온 거였다. 매찜질을 예견하였던 터로 몇 번의 발길질에 용익은 숨넘어가는 소리로 폭삭 고꾸라진 체하였던 것이다. 털고 일어서는 용익 앞으로 집사란 놈이 엽전 꿰미를 내던졌다.

「이놈이 멀쩡하질 않나?」

「사매질에 골병이 들었기로 행보할 만한 기력이야 없겠소?」

「그래도 이제까진 삶아 놓은 녹비끈 모양으로 노글노글하지 않았더냐?」

「이 판국에 나가라는 데야 죽은 놈인들 깨어나지 않곤 배겨 나지 못할 거요.」

「그놈, 비위 하나는 핫바지에 똥 싼 비위로구나. 가히 창귀(倀鬼) 노릇으로 연명하기엔 손색이 없는 놈이군.」

용익이 그 말엔 쓰다 달다 대척 않고 고꾸라져 사시나무 떨듯 하는 길소개에게 피말 궁둥이 둘러대듯 하여 득달같이 들쳐 업었다. 신명 떨음으로 나중 보자고 몇 마디 으름장이라도 놓고 싶었으나 차제엔 부질없게 마련이어서 둘러선 노복들의 눈총을 받으면서 대문을 나섰다.

그러나 이용익도 그들이 부리도 헐지 않고 두 사람을 허술히 백방을 한 근저에는 다시 보자는 임시변통에 불과하다는 것쯤은 알고 있었다.

「어떠시오? 견딜 만하오?」

한터를 벗어나 장터거리가 저만치 바라보이는 어름까지 나와서야 용익은 등 뒤의 길가에게 물었다.

「한속이 들어 미칠 지경일세.」

「숫막으로 들어서 우선 손이나 아물기를 기다려야 할 것 같소.」

「조송파의 행적은 모르고 있나?」

「짐작 못하는 바는 아니오만 그놈들이 우리에게 노수까지 던지는 걸 보니 분명 뒤를 밟을 작정인데, 생판 딴청을 부릴 수밖엔 없게 되었소.」

「병신이 육갑을 한다더니, 이제 내 신세가 망측하게 생겼네.」

「그런데 안채에다 불을 지른 건 도대체 누구요?」

「짐작 가는 사람이 있네.」

「그 총망중에 곁꾼을 얻었단 말이오?」

「그건 그렇다 치고, 날 이 꼴로 만든 그 계집이 언뜻 보아 조송파를 익히 알고 있는 눈치였네.」

「일도 못하고 불알에 똥칠만 한다더니…… 어서 숫막이나 찾읍시다.」

두 사람은 곧장 세도나루 도강목으로 나갔다. 도강목 근처에는 숫막이 즐비하였다. 그중 봉노가 여럿인 숫막을 찾아 마당으로 들어섰더니 정지 앞에서 서성거리던 중노미 녀석이 피가 낭자한 두 사람을 보고는 화들짝 놀라 주춤거렸다.

「아랫목 뜨끈뜨끈한 봉노 하나만 내주거라.」

「빈 봉노가 없는뎁쇼.」

「그럼 낙상을 해서 말이 아닌 장돌림을 한마디로 방색*을 하긴가?」

이용익이 두 눈을 부릅뜨고 중노미 녀석을 닦달하자, 중노미란 놈 어깻바람을 날리며 안으로 들어가더니 술아비를 데리고 나왔다. 목 짧은 강아지 겻섬 넘어다보듯 등에 업힌 길소개를 미심쩍게 바라보던 술아비가 물었다.

「어디서 온 뉘들이시오?」

「주제가 말이 아니오만 전라 명태(全羅明太)* 받으러 온 장돌림들이오.」

「그렇다면 여각으로 가시지요.」

「등에 업힌 사람을 못 보았소?」

자못 떨떠름해하는 낯빛인 술아비에게, 봉노에서 술국을 먹고 앉은 장사치들도 들으란 듯 용익이 목청을 돋워 오금을 박았다.

「타관에서 환난당한 장돌림을 문전 박대하였다간 후환이 있다는 걸 모르시오?」

---

*방색 : 들어오지 못하게 막음.
*전라 명태 : 전라도 연안에서 나는 조기의 이칭.

어디서 난장을 당한 타관바치를 들였다가 공연히 관재를 입지 않을까 싶었던 술아비는 땅땅 벼르는 용익의 결기에 풀이 죽어 마침 주상(舟商)들이 든 방을 비워 주었다. 중노미 녀석에게 몇 닢을 던져 잔심부름 신바람나게 부추겨 놓고는 조반 요기 때운 뒤에 의원을 불러 쑥찜으로 상처 구완을 하였다. 방이 뜨거워지고 난 뒤에야 끙끙 앓던 길소개가 겨우 잠 속으로 떨어졌다.

7

마침 강경 장날이라, 숫막거리에는 주상들과 인근에서 모인 도붓쟁이와 장꾼들로 북새판을 이루었다. 길가가 잠든 사이에 용익은 포구로 나갔다. 원래 규모가 큰 나루라면 화물이나 선객들이 오르내리기 편하도록 부교(浮橋)나 잔교(棧橋)가 있게 되고 그걸 에워싼 객주, 여각이 즐비하게 마련이었다. 그래서 자그마한 거래가 오가고 장돌림들의 발걸음이 잦고 보면 진(津)이나 곶[串]이 포구가 되기 십상이었다. 강경나루는 조깃배, 소금배가 드나들면서 장이 시작하여 병자년(丙子年) 이후부터는 팔도에서도 열 손가락 안에 드는 큰 장이 되었다.

나루 양편에는 야거리와 당도리, 만장이 들이 꼬리를 물고 잇대어 있어 덕판을 밟고 올라서면 발에 물을 적시지 않고도 20리 길을 갈 수 있었다. 모주(母酒)에 취한 주상들이 꽹과리에 북을 치며 날라리까지 불어 대니 포구의 하늘조차 들쭉날쭉할 지경이었다.

밥을 짓는 화장들이 피워 올리는 연기가 포구의 저자를 잿빛으로 물들이고 해조(海藻)와 생선을 담은 모판과 함지를 인 여인들과 들병장수와 팥죽장수들이 포구와 잇닿은 한길에 좌판을 벌이고 앉아 있었다. 떠돌이 장돌뱅이는 물론이요 여리꾼*에 장물아비들과 뒷거

래를 트고 있는 왈짜, 각다귀* 들까지 섞여 든 포구 어름은 발 들여
놓을 틈 없이 복작거렸다. 지겟다리에 갈치자반 두어 꼬리를 매달고
공연히 숫막을 기웃거리는 맥장꾼에, 거리에까지 꾀어 나와 행인들
에게 고개를 외로 꼬고 추파를 던지며 헤살거리는 막창 은근짜하며,
초장부터 모주에 취한 주상들이 지나는 행인을 잡고 행패를 놓기도
하였다. 밤새 화초방에 처박혀 주사위나 골패를 쪼다가 해장 걸음으
로 밖에 나온 설레꾼들은 시뻘건 눈자위를 해가지고 어계(漁契) 어
름을 기웃거렸다.

객주·여각에다가 안매(安賣)로 어물을 넘긴 주상들은 떠나가는
축들도 있었지만 거개가 흥정이 떨어지기를 기다리는 판국이었다.
수년 전만 하더라도 객주와 여각이 서로 취급하는 물종이 구분되어
있었다. 이를테면 객주에서는 직물, 피류(皮類), 약종(藥種), 지물(紙
物), 주물(紬物), 면화, 삼(蔘), 금, 은, 동과 일용 잡화에 미치는 데 비
하여, 여각에서는 염어류(鹽魚類), 해조, 미곡, 생수철(生水鐵), 토기
(土器), 목물(木物), 남초(南草 : 담배) 곡자(曲子 : 누룩), 죽물(竹物),
청마(靑麻), 우마태(牛馬馱), 선재물(船載物)을 취급하였었다. 그러
나 지금에 와서는 객주·여각의 구분 없이 어물을 취급하였다. 또한
객주·여각에서는 관아의 힘을 빌리기도 하고 반공갈을 놓기도 하여
자기의 화객(華客)으로 삼기 위해 반강제로 주상들을 여각으로 불러
들였다. 그것에 거역하다간 거간꾼들의 작간에 어물을 썩히기 일쑤
였다.

포구의 어계에는 김학준과 같은 토호들이 거느리고 있는 건방과
전도가가 여럿이었다. 그들은 내거간(內居間)으로 동사거간(同事居

---

*여리꾼 : 상점 앞에 서서 손님을 끌어들여 물건을 사게 하고 주인에게 삯을 받
  는 사람.
* 각다귀 : '깔따구'와 같은 말.

間), 노력거간을 두고 외거간(外居間), 당화거간(唐貨居間), 환전거간
(換錢居間), 가쾌(家儈) 들을 십수 명씩 거느리고 있었다.

　일단 전도가나 건방에 넘어온 어물들은 외방에서 온 도고상(都賈
商)*들에게 넘겨졌다. 거상들로는 서울의 이문(里門) 밖 내어물전
(內魚物廛) 상인, 경강의 삼개[麻浦] 상인, 돈의문 밖과 만리동 칠패
의 외어물전 상인 들이었는데 이들은 당초부터 거래를 트고 있는 원
주(原州) 주인, 삼개 주인, 수원 주인, 개성 주인 들과 은밀히 내통하
고 있어서 주상들에겐 싸게 사서 저희들의 선적이 끝나면 고린전을
가진 떠돌이 부상들에겐 이중의 구문(口文)을 받고 어물을 내주니
가진 자와 갖지 못한 자 사이에는 송사와 다툼이 끊일 사이가 없었
지만 거상들과 여각의 등을 긁어먹고 살아가는 관속들은 엿 문 벙어
리처럼 보고도 못 본 체 듣고도 아닌 체 오불관언(吾不關焉)이었으
니, 보부청(褓負廳)의 형세가 미치는 곳이란 경강과 개성 인근에 불
과하였다.

　이용익이 어깨를 쭈그리고 포구의 도선목 어름을 몇 번인가 오르
락내리락하였지만 괴이한 것은 어느 놈 하나 뒤따르는 눈치가 없어
보인다는 것이었다. 김학준이 붕당들에 의해서 보쌈질을 당하였고
그의 고래등 같은 기와집이 불에 그슬렸다는 소문은 저잣거리에 낭
자했지만 형방에서 나졸들을 풀어 붕당의 행적을 수탐하고 있지는
않았다. 그들이 행패한 것이 관가에 입문되자마자, 관속들이 몰려나
와서 배를 타고 내리는 행인들을 일일이 기찰하려 들 것인데도 전연
그런 징조는 없어 보였다.

　용익이 예상했던 대로 김학준의 비첩인 천소례라는 계집에게 뒷
덜미가 단단히 잡혀 있다는 것을 깨달았다. 사잣밥을 뒷덜미에 찬

---

*도고상: 물건을 따로따로 나누지 않고 한데 합쳐서 맡아 팖, 또는 그렇게 하
　는 개인이나 조직.

형국이 틀림없겠는데 그렇다고 부지하세월로 궐녀의 눈치만 보고 앉아 있을 수도 없었다. 하릴없이 포구를 오르락내리락하다가 마침 그물을 싣고 있는 토선 한 척을 겨냥하고 다가갔다.

「언제 뜨시오?」

등토시 속에 양팔을 집어넣고 느닷없이 다잡는 용익의 말이 귀에 거슬렸던지 목자 사납게 생긴 뱃사람은 곁눈질로 힐끗 용익을 홉떠 볼 뿐 대척을 않았다.

「여보시오, 언제 뜨시오?」

「왜 그러시오?」

용익은 짐짓 염량을 떠보는 행세를 하고 덕판으로 올라서며 나직이 물었다.

「혹시 경강으로 뜨는 뱃길이 아닌가 해서 묻소이다.」

「이건 토선이오. 경강이라면 세곡선도 있지 않소?」

「토선을 타려고 그러지요.」

「토선들이야 칠산이나 위도로 나가는 것들밖엔 없을 거요.」

뱃사람은 이거 혹시 추쇄에 쫓기는 노복이 아닌가 의심쩍어하는 눈치였으나 낯바대기가 해반주그레한 걸 보니 그것도 아닌 양싶었던지 말대꾸가 거칠었다간 고분고분해졌다.

「선가는 톡톡히 드릴 테니 경강 어귀까지만 태워다 줄 수 없겠소?」

「거 조깃배에 와서 되잖은 수작 마시우. 인정 쓸 게 넉넉하다면 도 승이나 포리들에게 가봐도 세곡선쯤은 탈 없이 탈 수 있을 거요.」

용익이 한참 먼 데를 바라보고 섰다가 짐짓 다가서며 귀엣말로 이르기를,

「그러지 못할 연유가 있어서 그럽니다요.」

「무슨 연유관데 그러시오?」

「그것까진 알 것 없소.」

「난 모르오. 난 뱃놈이지 홍살문하고는 백 리 길이나 먼 사람이우. 공연히 물귀신처럼 사람 끌고 들지 마슈.」

이용익이 성사도 되지 않을 일을 가지고 낯선 뱃사람과 흥정을 떠보는 체한 것은 그래도 생각이 있어서였다. 겉으로 보아 눈치 챌 수는 없으되 포구의 어디에선가는 그의 뒤를 밟고 있는 김학준의 수하것들이 있을 것으로 생각한 터였고, 그런 놈이 있다면 용익이 무엇을 도모하려고 토선을 기웃거리고 있는가를 염탐하려 할 것임도 틀림없었다. 이를테면 조성준이 부두에 있는 토선을 타고 경강 쪽으로 도망하였다는 것을 저들로 하여금 눈치 채게 만들자는 계산 때문이었다.

용익은 도강목 어름을 벗어나서 시계전을 지나 뭍을 타고 하구 쪽으로 내려갔다. 옹기전을 지나는 참에 뭍에 올려진 채로 버려진 야거리 한 척이 보였다. 그 야거리에 잇대어 멍석으로 초막을 치고 술막질을 하고 있는 유랑 창녀인 여사당패들이 보였다. 계집들은 고추상투*를 한 모가비* 한 녀석을 앞세우고 대낮인데도 드러내 놓고 호객을 하고 있다.

「한산 세모 잔주름 곱게 곱게 잡아 입고 안성 청룡으로 사당질 가세. 이내 치마는 사공막의 거적문인가, 이놈도 들쳐 보고 저놈도 들쳐 보네. 이내 입은 술잔인가, 이놈도 빨아 보고 저놈도 빨아 보네. 이내 배는 한강의 나룻배인가, 이놈도 올라타고 저놈도 올라타네.」

녹의홍상에 쌀가루분으로 단장하였으되 벌써 턱살에 주름이 잡히게 늙은 계집이 초막의 거적문 앞에 나와 신세타령으로 간릉을 떨었다.

주상들이나 지나는 장돌림들이 곁눈질만 하고 지나치는가 했더니

---

* 고추상투 : 늙은이의 조그마한 상투를 비유적으로 이르는 말.
* 모가비 : 막벌이꾼이나 사당패 같은 낮은 패의 우두머리.

뒤꼭지가 민숭민숭해진 모가비란 놈 초막 안으로 쭈르르 달려가더니, 취바리탈을 꺼내 가지고 나와선 얼굴에 둘러썼다. 취한 듯이 검붉은 바탕에 쇠꼬리가 달린 탈을 뒤집어쓴 모가비는 양팔을 허공에 띄우고 몸짓만으로 한번 휘돌아서 초벌춤사위를 잡더니,

「어이얼쑤우 천하 한량이 취바리가 여기 왔소이다아.」

소리치고는, 고개를 들어 먼 나루터 장판 가녘을 넋 잃고 바라보고 섰더니, 날개를 펴고 날려는 학처럼 소매를 흩뿌리며 너울질로 어깨를 추슬렀다. 일순 한 발을 굽혀 들어 승천하는 용처럼 허공을 긁어 용틀임한 사위를 아름답게 사귀고 삼진삼퇴로 뒤축을 가볍게 들고 활개를 너울거리며 궁둥잇짓을 곁들여 황음(荒淫)을 달래는 계집의 흉내를 하더니 갑자기 어깨를 쭈그려 육신을 주저앉히고 탈을 까딱이며 춤사위를 죽였다. 다시 끓는 물처럼 기를 펴고 일어나서 창해(滄海) 위를 나는 학처럼 널름대며 춤사위를 되찾으니, 생판 서툴지는 않았으매 구경꾼들 틈에서 누군가가 씨부리기를,

「거 종짓굽은 떨어졌구먼.*」

하였는데, 모가비란 놈 그 소리로 뜸이 든 듯싶자, 모여 선 구경꾼들 중에서 설레꾼이나 주상의 행색인 듯싶으면 춤사위로 다가가서 겨드랑이에 손을 넣어 잡아끄니 잡힌 사람은 손사래를 치다간 끌려가고 말았다. 모여 선 축들 중에선 더러는 구미가 당긴다는 듯 모가비를 힐끔거리다가 종내는 초막 안 희학질 소리에 견디지 못해 제 신명으로 기어드는 작자도 없지 않았다.

「도령 간다 도령 간다. 재우재로 도령 간다. 길 밑에다 동동 새암, 처자나 홀로 앉은 새암. 던져 볼까 던져 볼까, 봉산에 부채 던져 볼까. 부채조차 무심하다, 대명천지 밝은 날에 어느 누가 보아 줄까.

---

* 종짓굽은 떨어지다 : 젖먹이가 처음으로 걷게 되다.

들어가세, 들어가세, 삼밭으로 들어가세. 작은 삼대는 쓰러지고 굵은 삼대는 춤을 춘다. 우리 둘이 이러다가 아기 배면 어찌할까. 걱정 마소 염려 마소, 요내나 줌치*에 약 들었네. 뒷동산에 법수나무 훑어다가 노구솥에 달여서 묵어 놓으면, 아기 절로 녹아난다.」

사당패의 타령조도 제법 청아하고 모가비놈이 벌인 춤사위도 흥에 겨워 걷잡을 수가 없게 되자, 초막 근처에는 제법 많은 구경꾼들이 몰려들었지만 아무리 둘러보아도 김학준의 집에서 보이던 떨거지들의 얼굴은 보이지 않았다.

용익은 그곳에서 한참이나 지체하다가 다시 도선목으로 올라와서 종선까지 달린 만장이가 한 척 보이기에 그리로 다가갔다. 만장이에는 아직 어계로 넘기지 못한 어물이 그대로 실려 있었고 덕판 가녘에는 뱃사람 서넛이 쭈그리고 앉아서 남초를 태우고 있었다.

「몇 뭇이나 사려우?」

그중 나이 든 축이 다가오는 용익에게 물었다. 물론 어선이 포구에 닿으면 어계 사람들이 나와서 어획량을 확인하였지만, 간혹 기웃거리는 선길장수들에겐 조기 몇 뭇쯤은 맞전으로 팔아서 부비로 쓴다거나 사당패 계집들 살 돈을 마련하였다.

「아뇨, 전라 명태를 사려는 게 아니라 다음 뱃길이 어딘가 물어보려는 거요.」

용익이 어물쩍 대답하자, 궐자가 얼른 되묻기를,

「다음 뱃길이라니?」

용익을 해변 깔따구로 보았는지, 궐자는 금방 해라로 고쳐 물었다.

「뱃길이 맞으면 묻어갈까 해서지요.」

「고깃배라는 걸 모르나? 더욱이나 이 배는 금잡인일세.」

---

*줌치 : '주머니'의 사투리.

「경강으로 가지 않소?」

「이 경강 귀신이 어디 길을 못 찾고 강경 포구에서 서성거리나그래?」

배알이 뒤틀리는 대로 행세하라면 궐놈을 당장 덕판 위에다 곤두박게 하고 말겠지만, 꾹 참고 재차 물었다.

「경강으로는 가지 않는 거요?」

「허어, 이놈 봐라? 갯바닥 왈짜에게 따귀라도 맞고 싶으냐?」

「여보시오, 하는 말에 대답이면 그만이지, 되다 만 완력 자랑이야 할 것 없지 않소?」

「어, 이놈 봐라? 이놈아, 경강으로 가려면 마땅히 어계로 가서 물어야 순서가 아니냐? 너 이놈, 어디서 중죄를 저지르고 도망하는 놈은 아니냐?」

궐자는 용익을 미심쩍게 생각했던지 여차하면 물고라도 낼 거조로 목자를 부라렸다.

「언사가 개차반이구려. 내게 무슨 허물이 있다고 그러시오? 경강으로 가지 않으면 그만이지, 쪽박은 왜 깨려 드오?」

「이놈, 썩 물러가거라. 마방이 안 되려면 나귀만 꾀어든다더니 공연히 부아를 긁어 놓질 않나?」

이골이 난 대로라면 궐놈을 드잡이하고 힘을 겨루겠으되 사세가 그런 닦달이나 하고 있을 처지가 아닌지라 용익은 돌아서고 말았다. 그러나 몇 번인가 경강으로 가는 뱃길을 찾는 체, 각좆 사러 동상전(東床廛)에 들어간 여염집 계집처럼 이리 기웃 저리 기웃 하다가 해 지기를 기다려 숫막으로 돌아갔다.

해가 지면서 포구에는 바람이 일기 시작하였다. 포구를 스치는 바람이 귀에 익숙지 못해 용익은 거의 잠을 이룰 수가 없었다. 간혹 가다가 뜨물 먹은 당나귀 목청으로 앓아 대는 길소개도 밉살스러웠거

니와 봉창을 스치고 지나는 엿단쇠 소리도 듣기 심란하였다. 주막
술청에서는 이슥토록 주정꾼들이 북새를 떨었다. 그러나 이경을 넘
기고부터 차차 흩어지고 삼경이 가까워 오자 포구 쪽에서부터 간혹
바람결을 타고 주상들이 질러 대는 외마디 소리가 들려오곤 하였다.

땟국이 묻어 끈적끈적한 목침을 괴고 누웠으나 잠은 오지 않고 사
추리 밑을 스멀스멀 기는 이는 설거지하기에도 바빴다. 이제 등잔을
끌까 하고 문득 뉘었던 몸을 일으키려는 참에 발소리도 없이 가만히
봉노의 지게문을 흔드는 소리가 들려왔다. 주정꾼들의 실수로 보기
엔 그 거조가 조심스럽고 은밀하였다.

「뉘시오?」

그렇게 묻자, 문밖에선 첫밧에 한다는 대답이,

「자리 드셨습니까요?」

「누구요?」

「잠깐 봉당으로 나오시지요.」

「아닌 밤중에 갯가 도깨비인지 화적인지 어떻게 알고 나간단 말이
오?」

「그럴 리가 있습니까요? 금방 쉰네가 누군 줄 아실 텐데요.」

의외에도 지게문 밖에 선 놈은 주막의 중노미였다.

「이놈이 실성을 했나? 야심한데 고단한 숙객은 왜 깨우느냐?」

「밖에 손님이 왔습니다요.」

반편이 명산(名山) 폐묘(廢墓)시킨다더니 빙충맞은 중노미 녀석이
삼경에 사람을 깨워 무슨 날장구를 치려는가 싶어 용익은 내려서지
도 않고 문만 열고 멀뚱하게 서 있는 궐놈을 쳐다보았다.

「그분 참, 까다롭기는 옹생원 똥구멍일세요. 누가 잡아먹을까 봐
서 그러십니까요?」

「강경 장바닥에선 날 찾아올 후레자식이 있을 턱이 없어 그런다,

이놈아.」

「색다른 손님입니다요.」

「이놈이 이젠 조방질까지 하려 드는구나. 날 찾아온 것들이 저 윗녘에 초막 친 사당패 계집들이냐?」

「그것이 아닙니다요.」

「그게 아니라면 봉노로 썩 모시거라, 이놈.」

「저와 같이 가셔야 합니다.」

아니라면, 김학준의 첩실인 천소례가 아닌가 싶어 용익은 짚신 감발을 단단히 쥔 다음 봉당으로 내려섰다. 문밖은 네댓 칸 밖에 선 사람을 헤아릴 수 없을 정도로 깜깜하였다.

「누구라더냐?」

재우쳐 묻는데도 중노미 녀석은 몇 발 앞서 사립문을 나서면서 윗녘 고샅길부터 가리켰다.

「전들 어찌 알겠습니까요? 웬 떠꺼머리 한 놈이 와서 제게 용채를 건네고는 손님을 그 집까지만 모시라는 전갈만 띄우고 갔습죠.」

「색다른 손님이라면서?」

「그놈이 그럽디다요.」

주막과는 활 두어 바탕 거리쯤에 사창(社倉)으로 쓰다가 버려진 듯한 덩그런 기와집 한 채가 있었고, 기와집을 왼편으로 꺾어 돌아가니 여염집으로 보이는 단출한 초가 한 채가 고샅길 안쪽에 아담하게 놓여 있었다. 중노미 녀석은 그 집을 가리키기만 하고는 제 먼저 돌아서고 말았다.

중노미 녀석이 왔던 길을 되짚어 내려가자 바로 코앞의 울바자 너머에서 편발 처녀의 머리통이 불쑥 솟아오르면서 나직이 고시랑거리기를,

「이리로 들어오십시오.」

때 아닌 밤중에 목객에 홀린 것이 분명하다고 느낀 용익은 문득 머리끝이 써늘해졌으나,

「넌 누구냐?」

「쉿, 조용히 말씀하십시오.」

「요 발칙한 년, 보아하니 편발일시 분명한데 어디다가 되지못한 농을 걸어오느냐?」

이 무슨 변고이며 생각잖던 액운인가 싶어, 이용익은 처자의 따귀라도 한 대 야무지게 때려 줘야겠다고 심기를 도사리는데,

「쇤네가 초면부지인 남정네를 두고 농을 걸다니요? 마님의 심부름으로 댁을 기다렸을 뿐입죠.」

「마님이라니? 김학준의 소실 말이냐?」

「아닙니다.」

「그럼 은붙이라도 몰래 처분하려는 여염집 여편네냐?」

「이리 따라오십시오.」

처자는 제 먼저 두어 발 앞서서 마당을 가로질러 뒤꼍으로 돌아갔다. 용익도 난장 맞을 일이야 있겠는가 싶어 홀린 채 뒤꼍으로 돌아서자, 문득 뒤꼍에 잇대어 있는 봉노에서 불이 켜지고 있었다.

「들어가십시오.」

처자가 모잽이로 비켜서며 길을 내주었다.

「방 안에 누가 있는지 알기 전에는 못 들어간다.」

「혹시 해코지라도 당하실까 그러십니까?」

「그건 둘째 치고라도 네년 거동이 범절에 어긋나고 해괴해서 그런다.」

「제발 그러시지 말고 얼른 들어가십시오. 혹시 행인들이나 이웃에서 알게 되면 난감하게 됩니다.」

「알았다. 요강 뚜껑으로 물 떠 마신 셈 치지……」

언뜻 뇌리에 와 잡히는 짐작도 없지 않았고 저쪽의 사정이 어딘지 다급해져 있다는 생각도 들어서 용익은 봉당으로 한 발을 올려놓으면서 지게문을 열었다. 좁은 토방에는 불똥이 심한 등잔이 켜져 있고 안쪽 바람벽에는 횃대 하나가 걸려 있었는데, 그 바람벽을 기대고 제법 지체 있는 반가의 아녀자로 보이는 여자가 혼자 앉아 있었다. 흡사 점고(點考)* 받는 기녀처럼 가르마가 선명하도록 고개를 숙이고 앉아 있었으되 분명 김학준의 첩실인 천소례는 아니었다. 이 무슨 변괴인가 싶었으되 용익은 얼른 방 안으로 들어가 섰다. 지게문이 밖에서부터 조용히 닫히었다. 미동도 않고 앉아 있는 궐녀도 그 방 안에 금방 들어온 듯 소매 달린 초록 장옷이 손자국이 난 채로 옆에 놓여 있었다.

「댁은 뉘시관데 자별한 일가붙이도 아닌 이 타관바치를 삼경에 불러내시오?」

궐녀가 힐끗 그를 쳐다보며 짧은 한숨 끝에,

「우선 거기 앉으시오.」

「나야 앉으나 서나 매한가지니 우선 곡절부터 듣고 봅시다.」

「범절이 아닌 줄은 압니다만, 사정이 하도 다급하여 염치 불고로 댁들을 찾게 되었습니다.」

「댁들이라니요?」

「동행이 있지 않습니까.」

「그런 건 어떻게 아시오?」

「그건 덮어 둡시다.」

「밤중에 사람을 불러낸 반가의 아녀자가 하실 말씀이 못 되지 않소? 나로선 용납하기 어려운 일이오.」

---

*점고 : 명부에 일일이 점을 찍어 가며 사람의 수를 조사함.

「동행의 몸수구*는 어떻게 하고 있습니까?」

「몸수구라니요?」

「잔칫집에서 봉욕을 당하지 않았습니까?」

「그러고 보니 김학준의 일가붙이란 말이군요. 그렇다면 그 첩실의
전갈이오?」

「일가붙이이긴 합니다만 제가 여기 온 것은 밖에 있는 아이밖엔
알고 있는 사람이 없습니다.」

그제야 용익은 궐녀와 두 발짝 사이하고 앉았다.

「한밤중에 반가의 여인네가 나 같은 장돌림을 은밀히 불러냈을 땐
꼭히 피치 못할 사정이 있었을 법하구려. 나와 더불어 기롱키 위
하여 노비를 앞세워 포구까지 나오진 않았다는 것만은 짐작합니
다. 그러나 나로 말하면 되다 만 장돌림 신세로 혹시 야밤에 반가
의 여인과 연통하였다는 것이 관가에 입문되거나 도부꾼들 사이
에 소문이 퍼지면 앞으로 장삿길이 여의치 못하다는 것쯤은 헤아
려야 합니다.」

「아이를 밖에 세워 두었으니 다른 염려는 마시고 제 말을 귀담아
들으셔야 합니다.」

「말씀을 하셔야 챙기든지 내버리든지 양단간에 결단을 내리지요.」

궐녀는 겁에 질린 듯 어딘가 주저하는 듯한 느낌이 없지 않았다.
무슨 말이 그 입에서 떨어지려나 하고 용익이 침묵을 삼키며 기다려
보는데,

「마무리부터 짓자면, 어서 여길 뜨셔야 될 것 같습니다.」

「어찌 창졸히 강경을 뜨라는 거요? 김학준의 첩실이 그렇게 사주
를 하던가요?」

---

*몸수구 : 몸을 건강하게 보살핌.

「그게 아닙니다. 만약 오늘 새벽으로 여길 뜨지 않으면 큰 횡액을 당하시게 되었습니다.」

「도대체 댁은 뉘시기에 우릴 보비위하지 못해 그토록 안달이시오?」

용익이 바싹 다잡으며 면박을 주자,

「그건 하처 잡은 집으로 돌아가셔서 일행 되시는 이에게 물어보면 소상히 알게 될 것입니다.」

「내 동패 어른과는 전사에 면분이 있는 터수요?」

「……」

「난 도대체 짐작이 서질 않소이다.」

「그 집 안채에다 불을 놓아 훼방을 놓은 것은 제가 한 일입니다.」

「그러고 보니 동패 어른 하던 말이 생각나는군……. 그래서 우릴 여기서 뜨라는 거요?」

「우연히 사랑채 누마루 밑에 갔다가 일가 권속들이 모여 공론하는 것을 들었는데, 아침나절에 댁네들을 다시 잡아들여 도륙을 내야겠다는 것입니다. 마음이 초조해서 앉아 있을 수가 없더군요. 그래서 염치 불고코 댁들을 찾아 나선 거지요.」

「뱃놈 배 둘러대듯 하지 마슈. 고자질하는 체하는 걸 곧이듣고 우리가 발행할 것 같소? 뒤미처 우리 행적을 밟겠다는 수작 아니오?」

용익이 그렇게 찍어 누르자, 궐녀는 자못 눈을 흡떠 용익을 곁눈질하였다.

「제가 댁들을 모함 잡아서 봉변을 보일 처지인가 아닌가는 돌아가서 그분께 소상히 물으시오. 제가 초면부지인 댁네를 뵙고자 한 것이 근본은 제 살길이 다만 이 길뿐이기 때문입니다. 어쩌다가 기박한 팔자에 꼬여서 댁들의 사단에 뛰어들게 되어 봉변을 당케 되었군요.」

「댁의 사정을 대강 짐작하고 또한 우리 처지도 난감케 되었소만 이 찬바람 속에서 울바자에 개구멍을 내고 뛴다 한들 어려움이 한둘 아니오. 우리 사정으로는 장달음을 놓아 해동갑으로 걷는다 하여도 불과 오십 리를 못 가서 김학준의 떨거지들에게 잡히고 말 것은 분명하지 않소?」

「시방 묵고 있는 사처에서 원항교 쪽으로 두어 바탕 걸어가면 마계(馬契)가 있습니다. 그곳에서 덕출이라는 경마꾼이 기다리고 있다가 나귀 두 필을 내어 줄 것입니다.」

「세마라면 잡이가 딸린 것 아니오?」

「물론이지요. 경마꾼에게 용채를 두둑이 내려 입막음을 한다는 것도 믿을 일이 못 됩니다. 아예 후환을 없애자는 심산으로 나귀 두 필을 사버렸습니다. 제가 거기에까지 미친 것은 다만 댁들이 무사 타첩되어야 제 목숨 또한 건사한다는 팔자 때문입니다. 이제 제가 할 수 있는 일은 다 하였습니다. 어찌하시렵니까?」

「알겠소. 이 밤으로 뜨겠소.」

궐녀가 손가락에 끼었던 옥지환을 빼내 가만히 내밀면서,

「이것을 동패 어른께 보이시면 제가 누구라는 걸 알게 될 것입니다.」

궐녀가 옥지환까지 빼내어 자기를 증빙코자 함을 보고, 어인 연고인지 짐작하기 어려우나 길소개에게 단단히 뒷덜미가 잡혀 있는 여인인 것만은 분명하였다. 사태가 그러하다면 모함 잡힐 염려만은 하지 않아도 좋을 것 같았다. 이를테면 곳간에 갇힌 두 사람에게 도망할 말미를 주려고 불까지 지른 입장의 여자라면, 차제에 다급하게 된 것은 두 사람보다 오히려 궐녀라는 걸 헤아리기는 어렵지 않았다.

객점으로 들어오는 길로 이제 겨우 잠이 든 것 같은 길소개를 깨

웠다. 어깨가 죽장같이 부어오른 사람을 잡고 길을 뜨자고 하기 차마 주저되었으나 사잣밥을 덜미에 지고 지내는 입장이기보다는 목숨 보전하고 있는 이상 강경을 뜨는 게 상책이었다. 길소개를 깨워 앉힌 다음 전후사 이만저만하게 되었다고 더러는 빼 던지고 더러는 보태어서 졸가리 따진 다음 옥지환을 꺼내 보이니 긴가민가하던 길가의 두 눈이 화등잔만 하게 크게 떠졌다.

「분명 그 계집이 틀림없네.」

「길 동무께서도 복장에 털난 분이구려. 그 총망중에도 유부녀 겁간할 마음을 먹었다니, 행사가 개차반인 건 고사하고 간담이 어지간하시오. 차라리 호랑이 앞에서 너비아니를 구워 잡숫지.」

「간담이 있어서가 아니라, 쥐가 고양이를 물듯이 내 살길 도모하자니 그런 망측한 생의가 일었던 거지.」

「어찌하려우? 나는 길을 떴으면 하오만?」

「그 계집에겐 뭐라고 했나?」

「길을 뜨겠다고 약조를 했소.」

「그렇다면 한만(閑漫)히 앉아 있을 게 아니라 길을 뜨세. 마방에서 덕석이라도 한 닢 얻을 수 있다면 웬만한 한속이야 끌 수 있을 테고 맞춤한 주막을 만나면 더운 술국을 얻어먹을 수 있겠지…….」

「그 부기에 찬바람 속 행보는 좋지가 않소.」

「그 계집으로 말하더라도 흘러가는 물 퍼주기라고 닦달은 하였지만 흘러가는 물인들 퍼주었다면 고맙지 않았겠나. 오죽했으면 나귀까지 대령하고 간구를 하였겠나. 노상 끌탕*이었겠지. 해우채로 친다면 너무나 엄청난 대가를 치렀으되 그 계집의 마지막 소원을 들어주지 않는다면 여원이 하늘에 미치어 내 앞일에 액운이 겹칠

---

*끌탕 : 속을 태우는 걱정.

걸세.」

식대는 아예 치른 터라, 주막쟁이와 다시 수작할 일이야 없었다. 용익이 짚신 감발을 단단히 죄고 길소개를 들쳐 업으려 하였으나 길가는 고개를 외로 저었다. 숫막을 나와 원항교 쪽으로 한참 올라가다가 그대로 뒤꼭지가 메슥메슥하였던 두 사람은 마침 왼편으로 트인 고샅길 초입의 긴 각담 아래로 몸을 숨겼다. 한길을 거슬러 오는 바람 소리만 차가울 뿐, 궐녀가 말한 대로 개새끼 하나 뒤따르는 놈은 없었다.

「조송파 덕분에 길 동무께서 상음(上淫)을 하셨으니 나중에 한판 톡톡히 사셔야 합니다.」

「상음도 나름이지. 그 대밭 속에서 성사가 온전히 되었겠나? 공연히 얼굴도 모르는 멀쩡한 양반놈 하나만 오쟁이 지어 병신 만들었지.」

「그렇지만 장돌림 주제에 평생을 뒹굴어야 그런 북새통이 아니고는 반가의 계집과 운우(雲雨)를 맺을 일이 있겠소.」

「그건 그렇고, 이런 사실이 사발통문이라도 돌아 임방에서 알게 된다면 나는 여축없는 장문(杖問)*감일세.」

「나만 입을 다문다면 어느 개아들놈이 그 일을 알겠소.」

「이제 자네에게 탈 잡힌 바 되었으니 난 목맨 송아지로 뻥긋하는 자네 입만 쳐다볼 처지가 되었네.」

「객담 그만 하고 들어가 봅시다. 일러 준 대로라면 이 마방이 틀림이 없소.」

추녀 끝에 장명등을 내건 마방이 바로 한길 옆에 있었다. 두 사람이 인기척을 하자, 전병코*에 몸집이 깍짓동만 한 장한 하나가 엉성

---

* 장문: 곤장을 치며 신문함.
* 전병코: 몹시 넓적하게 생긴 코를 놀림조로 이르는 말.

한 바자 틈 사이로 두 사람을 내다보았다. 두 사람은 거동부터 지켜볼 요량으로 마른기침으로만 궐자를 지켜보았다. 긴가민가하는 두 사람의 거동에 제 먼저 답답했던지 바자 위로 고개를 쑥 빼 올리며,

「아래 도강목 숫막에서 묵고 있던 두 분이시우?」

옳다구나 싶어 용익이 그제야 앞으로 한 발 나서며 그렇다고 대답하였다. 궐놈이 행세한 품이 마방의 시도인 듯하였는데, 두말없이 돌아서더니 곧장 마방으로 들어가서 나귀 두 필을 끌고 나왔다.

「여물을 많이 먹여 두었습죠.」

고삐를 넘기면서 궐놈이 이죽거렸다.

「혹시 상사가 들거나 절음 난 나귀는 아니오?」

용익이 빗대어 물었다.

「그런 말씀 마시우. 준총이랄 수야 없소만 경마 잡기에 따라서는 하룻길 백 리는 턱으로 비벼서라도 감당할 만한 나귀들이오.」

「두 필을 몇 냥에 팔았소?」

「전들 알겠습니까. 반가 사람으로 보이는 여인네가 와서 물대를 치르고 갔습지요.」

「누구였소?」

「나귀에 여물이나 먹이고 마방 설거지나 하는 주제에 반가의 여인네가 누구인지 어찌 알 수 있겠습니까요.」

목자 사나운 품하고는 시도란 놈 말대답 하나는 고분고분하였다. 그들은 덕석 두 장까지 얻어 가지고 얼른 마방을 나섰다.

「어디로 갈 텐가?」

마방에서 활 한 바탕 거리쯤에까지 나왔다고 생각되자 길가가 물었다.

「따라만 오시오.」

「내게 말 못할 사정이 있나?」

「얼마 가지 않아서 조송파를 만날 수 있을 텐데 마음 조급히 먹지 마시오. 지금 삼경이 조금 넘은 자시 말이니까 경마만 잘 잡히면 중화참에는 조송파를 만날 수 있을 겁니다. 장맞이하고 기다리기로 했으니까요.」

두 사람은 나귀에 올라탔다. 초저녁보다는 바람이 잠잠하였으나 그 오력을 하느라고 그런지 찬 기운만은 눈두덩이 얼얼하니 부어오를 정도였다. 멀리서 개 짖는 소리가 공허하고 포구의 어선들에서 화상들이 피워 올리는 불빛이 삼경을 넘기는 밤하늘을 희미하게 비추니 귓밥에 와 닿는 밤바람이 차갑기보다는 문득 서러웠다. 어깨로 저며 드는 아픔을 달래려는지 길소개는 격에도 맞지 않는 새타령을 입 안에 넣고 흥얼거리고 있었다. 돌사닥길이어서 눈 어두운 나귀는 자주 돌을 차고 주춤거렸다. 원항교에서 담배 한 대 피울 참까지만 내려오다 보면 길은 세 갈래가 진다. 하나는 내려온 원항교를 건너서 논산으로 빠지는 길이요, 하나는 강경봉(江景峰) 아래 강창(江倉) 앞을 지나서 포구로 나가는 길이었고, 한 길은 조암다리〔潮岩橋〕를 건너 도곡(道谷)을 거쳐 전라도 땅 여산 고을로 이어지는 길이었다. 조암다리에서 바라보면 포구를 등에 진 채운산(彩雲山)이 서 있고 그 옆으로는 눈대중으로도 1천여 척이 되어 보이는 제방이 가로누워 있었다. 물론 길을 되짚어 원항교로 올라가서 돌고개다리〔石峴橋〕를 건너 예순여덟 간이나 되는 읍창(邑倉) 앞을 지나서 새다리〔新橋〕를 건너 여산 쪽으로 나귀를 몬다면 당장 시오 리 길은 줄일 수 있었으되, 읍창 앞을 지나치자면 천생 고을의 객사(客舍)와 연해 있는 관아 앞을 지나쳐야 했기 때문에 우회의 길로 접어들 수밖에 없었다.

「어허, 백성이 만들어 놓은 길을 백성이 마음대로 다니지 못하다니 이게 어디 될 법한 일인가. 양반을 만나면 그놈의 뒤꼭지가 보

이지 않을 때까진 나귀에서 내려 서 있어야 하고 그놈들 기침 소
리 한 번에 쉰네를 수십 번이나 주워섬겨야 하니, 조선 팔도 어디
에서 뿌리박고 살 엄두가 나야지.」

길가의 신세타령 중에도 나귀는 걸어 벌써 포구의 불빛이 보이지
않게 되었다. 그러나 한 가지 애석한 일은 그것이 바로 천소례의 간
계에 놀아나고 있는 것임을 두 사람이 다 같이 모르고 있다는 사실
이었다.

반상(班常)

1

전날 새벽 두 사람을 풀어 준 천소례는 숙설간에서 칼질하던 숙수 천동이를 사랑으로 불러 올렸다. 북새통 끝에 차인들이며 짐방들과 비부쟁이, 노비, 드난살이며 심지어 업저지 계집애까지 불러서 구초를 받을 적에 숙수 천동이란 놈의 거동이 종시 수상했던 것이다.

물론 부리고 있는 아랫것들이야 닭 잡아먹고 오리발 내미는 데는 미립이 난 것들이지만 그중에서도 천동이란 놈만은 사뭇 상투 뒤꼭지를 긁으면서 곁에 있는 노복들을 흘끔거리는가 하면, 고달을 빼고 앉은 집사들을 보고 풀썩 웃기도 하였던 것이다. 천소례는 천동이란 놈의 애써 태연한 체하던 그 거동을 머릿속에 새겨 놓았던 것이다.

두 사람을 풀어 준 뒤에 천동이를 불러들이긴 하였으되 궐녀는 율기(律己)*를 하고 노려만 보았을 뿐 꽤 긴 시간 동안 뭐라고 한마디

---

* 율기 : 안색을 바르게 함. 자기 자신을 잘 다스림.

도 묻지 않았다. 말없이 앉아 있는 사이에 어딘가 낌새를 알아차릴 만한 어색한 거동이 나타나게 마련이겠기 때문이었다. 궐녀의 예상은 생각했던 대로 빗나가지 않았다. 율기를 하고 쳐다본 지 얼마 되지 않아서 궐자의 얼굴이 푸르락누르락하였고 고개를 꼬아 박았다가 왼고갯짓을 하였다가 하였다. 궐녀는 그참에 불문곡직하고 천동이를 찍어 눌렀던 것이다.

「너는 불 지른 당사자를 알고 있으면서도 왜 발고를 하지 않았느냐?」

그 말이 채 흙도 묻지 않아서 천동이는 구들장에 쿵 소리가 나도록 엉덩방아를 찧으면서 손사래를 조급히 하였다.

「마님, 그게 무슨 말씀입니까?」

「네가 누구라고 똑바로 발고치 못하고 있는 연유를 나는 알고 있다.」

「아닙니다. 쉰네는 모르는 일입니다요. 알았다면 진작 말씀 올렸겠습지요.」

「방패막이한들 소용이 없다. 귀신은 속여도 나는 못 속여. 네가 그 일을 발설치 못하고 있는 것은 당사자가 너와는 지체가 틀린 인사라 나중에 너에게 돌아갈 행악이 무서워서가 아니냐?」

「마님도 아시다시피 쉰네는 숙설간에서 대궁술 몇 순배에 그만 사지가 녹작지근해서 나자빠져 졸고 있었을 뿐입죠. 그런 쉰네가 누가 무엇을 하는지 눈여겨볼 수가 있었겠습니까요. 더욱이나 쉰네는 천성이 발쇠꾼이 못 되어 무시때도 사람의 거동을 눈여겨보는 놈이 되질 못합니다요.」

「만약 여기서 곧이곧대로 토설치 않는다면 새벽에 곳간에 가두었던 놈들 모양으로 감히 생각지도 못할 중벌을 내릴 거니라. 그러나 똑바로 토설만 한다면 그 사실은 나만 알고 그냥 덮어 둘 작정이다. 그것만은 내가 지체를 걸고 약조하지.」

천동이란 놈 무릎걸음으로 다가앉으며,

「아닙니다. 쇤네가 월형(刖刑)*을 당하는 한이 있더라도 말씀드릴
수가 없습니다요. 무턱대고 사람을 조련질하였다가 이 상것은 평
생토록 상전 눈 밖에서만 살아야 하지 않습니까요. 제발 쇤네를
살려 주십시오.」

숙수 천동이란 놈은 상투 끝이 방바닥에 끌리도록 이마를 꼬아 박
고는 두 눈에 흐르는 닭의똥 같은 눈물을 더러운 소매로 닦고 또 닦
았다.

「기어코 거조를 차려야 하겠느냐? 밖에 있는 노속들을 불러 대기
만 하면 네가 둔갑장신(遁甲藏身)*할 재간이 없는 바에야 평생을
폐인으로 살 텐데?」

「마님, 평생을 상것으로 사는 거야 이젠 이력이 나서 할 만합니다
만, 폐인으로 살라시니 차라리 죽는 게 좋겠습니다요. 상것이 거릿
귀신이 되면 연명인들 온전하겠습니까요.」

「그렇다면 똑바로 대거라. 더 보태지도 말고 빼지도 않고 눈으로
본 것만 말하면 되지 않느냐? 만약 그 발설로 해서 네가 횡액을 당
한다면 내가 두고만 볼 것 같으냐?」

천동이란 놈이 비대발괄*로 간구하였으나 천소례는 들은 체도 하
지 않았다.

결국 천동이는, 운천댁 새마님이 후원을 두 번이나 왕래하였고 그
한 번은 치마폭에 갓을 숨겨 가지고 나갔다는 것을 강잉히 발고하고
말았다.

---

*월형 : 범죄인의 발꿈치를 베던 형벌.
*둔갑장신 : 둔갑술로 남에게 뵈지 않게 몸을 숨김.
*비대발괄 : 억울한 사정을 하소연하면서 간절히 청하여 빎.

「후원에서 사내가 나오는 것은 보지 못하였느냐?」

「그건 볼 수가 없었습니다요.」

「알았다. 모른 체하고 나가 있거라. 차후에 다시 이 일을 발설하였다간 그땐 내 손에 처참(處斬)을 당할 것인즉, 깊이 새겨 두어라.」

「알겠습니다요. 목숨을 걸어 맹세치 못할 것이 어디 있겠습니까.」

운천댁 새마님이라면 김학준이 강경으로 이주해 오기 전부터 이곳에 살던 문중의 사촌 동서가 아닌가. 궐녀가 왜 그런 짓을 했는지 소례는 대강은 짐작이 갔었다. 소례는 그러나 한 치 앞으로 다가선 해결의 실마리를 놓고 잠시 주저하였다. 명색이 반가의 여인네가 끽소리 한번 못하고 상것들의 사주대로 움직이고 도망할 말미까지 만들기 조급하였다면 그 정조에 흠 자국이 나지 않고서는 생각할 수 없는 일이었기 때문이다. 그렇다면 세 놈 중에 한 놈은 서방을 옭아 간 놈이요, 한 놈은 문중의 아녀자를 겁간한 놈이 아닌가. 그놈들을 살려 두었다간 이 문중에 다시 어떤 곡경이 떨어질지 모를 일이었다. 생각을 고쳐먹어 볼 여지가 없는 일이었다.

거북한 건 차치 불문하고 천소례는 운천댁을 찾아갔다. 만에 하나 이 사단의 전후사가 관아에 입문이 되어서는 안 되었다. 김학준이 전사에 저지른 죗값이 대명천지에 밝혀지는 날엔 강경 저잣거리의 민심이 흉흉해질 건 물론이려니와 도임한 지 얼마 되지 않아 면분을 트지 못한 채인 군수는 감영에다 보장을 닦아 올리려 할 것이었다. 물을 뒤집어쓰지 않고 가재를 잡자면 관아의 힘이 미쳐선 안 되었다. 소례가 집에 불난 일조차 입막음하도록 잡도리를 한 연유도, 운천댁 동서를 은밀히 찾아간 근저에도 그러한 말 못할 사정이 있었기 때문이다.

천소례. 지모(智謀)가 뛰어난 계집이란 교사(巧詐) 또한 비상한 법, 운천댁과는 과갈(瓜葛)* 간이라 할망정 먼저 횡액을 당한 늙은 서방부터 찾고 봐야겠다는 속내가 들지 않을 수 없었고. 운천댁은 마침 안방 구석에 소슬히 앉아 있었는데, 잡다 만 복(伏)개 모양으로 탈진하여 얼혼이 빠져 달아난 형용이었다.

「동서께서 꼭 들어주어야 할 소청 한 가지를 가지고 찾아왔습니다.」

「소청이라니요?」

인두 꽂힌 화로를 가운데 두고 서로 마주 앉았으나 궐녀는 면종이 난 사람처럼 은연중 고개를 들지 못하고 있었다. 곤욕과 피로가 함께 스치는 궐녀의 얼굴을 똑바로 바라보면서 소례는 마음을 다잡아 먹었다.

「곳간에 가두었다가 풀어 준 그 화적들을 한번 만나 달라는 소청이오.」

「에그머니나, 그놈들을 만나다니요?」

「동서, 내 말을 못 알아듣겠소?」

「그게 아니라, 반가의 아녀자가 상것들을 만나서 할 짓이 무엇입니까?」

「물론 집에 있는 서사나 차인들을 놓아서 일을 수습하는 길보다 낫기 때문에 동서께 소청을 넣는 것이지요.」

「제게 좋은 계략이 있을 턱이 있겠습니까? 그것이라면 성님을 따를 사람이 없지 않습니까?」

누굴 빗대는지 부추기고 있는 건지 몰라서 소례는 문득 애매한 웃음을 흘리었다.

「계략은 내게 있으니 동서는 다만 그놈들 둘 중에 한 놈과 만나서

---

*과갈 : 덩굴이 벋어 서로 얽힌 오이와 칡이라는 뜻으로, 혼인으로 이루어진 인척을 이르는 말.

말 몇 마디만 옮기고 오면 될 일이지요.」

「딱하십니다. 그런 일이라면 서사나 차인들도 손색 없이 할 것 아 닙니까?」

「그것이 여의치 않아서지요.」

「못할 일입니다.」

「동기간에 그만한 이바지도 마다하시면 내게도 생각이 있습지요.」

「생각이 있다니요? 그러다가 성님 입에서 욕 나오시겠우.」

「내 그놈들을 내보내고 아랫것들을 하나하나 불러서 구초를 다시 받아 냈지요.」

「돌다리도 두드리라 했으니까요.」

「아랫것들이라고 허술히 볼 일이 아닙디다.」

「눈이 셋 박힌 놈이라도 보았습니까?」

「그렇지는 않았으나 두 눈이 똑바로 박힌 것 하나를 발견하였지 요.」

그때, 소례는 짐짓 딴청을 부리고 있는 궐녀의 부젓가락 쥔 손이 떨리고 있는 것을 보았다.

「글쎄, 그 한 놈 입에서 우리 문중의 동기간 하나가 후원에 숨어 있 던 그놈을 방조하는 거동을 보았다는 겁니다.」

「저런 일이 있나……. 설마하니 그런 일이 있었을까요. 전사부터 면분 있던 사이라면 몰라두요?」

「그 사람이 누구인지 알고 있습죠.」

「저런, 정녕 문중 사람입디까?」

「그렇다마다요.」

「전부터 그놈들과 내통하고 있었단 말입니까?」

「그런지도 모르지요. 그러나 지금은 그것을 발설할 생각은 추호도 없습니다. 그놈들을 방조하지 않으면 안 될 피치 못할 사정이 그 사람에게도 있었을 터이니까요. 그러나 그게 누구라는 것을 발기 잡는 일보다는 당장 발등의 불부터 끄고 봐야지요.」

「그렇다면 덮어 둔다고 소문이 아니 날 성부릅니까? 아랫것들 그 싼 입정에?」

「물론이지요. 그걸 예측하고 내가 단단히 죄어 놨지요. 다시 그런 입정을 놀렸다간 처참을 면치 못할 거라고 쐐기를 박았지요.」

「저런!」

「나으리만 무사히 구명시킬 수 있다면 굳이 남의 흠을 적발하여 사람의 팔자를 영판 글러 놓게는 않을 작정까지 하고 있습지요.」

「도대체 그게 누구라 합디까? 저도 대강은 알아야 성님 분부 받들 수 있지 않겠습니까?」

「지금 당장 말할 수는 없소. 다만 동서가 내 소청을 기꺼이 들어 주어서 나으리가 구명된다면 나으리도 살고 문중의 동기간 한 사람도 또한 살아남게 되겠지요. 내가 꼭히 동서를 지목하여 그놈들을 만나 달라는 것은 동서의 말이어야 그놈들이 믿어 줄 것이기 때문이지요.」

하필이면 왜 내 말이어야만 그놈들이 믿어 줄까요라고 반문해야 순서이겠거늘, 운천댁 아씨는 그 말만은 못 들은 체하고 다른 말로 물었다.

「그럼 제가 그놈들과 만나서 해야 할 말이 무엇입니까?」

「그저 그놈들을 강경에서 한시 빨리 쫓아내는 것뿐입니다. 그래야 그 세 놈이 약조한 장소에서 만나게 될 것이 아닙니까? 그래서 다만 나으리만 살짝 빼내 올 작정이지요.」

「좋은 방도가 있습니까?」

「그렇지요.」

「어려운 일입니다.」

「제게도 계략이 있습니다.」

고개는 끄덕였지만 운천댁 아씨는 반신반의하였다. 김학준만을 끌어내어 온다고 말은 하고 있지만 붕당들을 그냥 흘려보낼 천소례가 아니었기 때문이다.

「그놈들을 왜 그냥 흘려보낸단 말입니까?」

「나으리를 옭아 간 놈은 전에 우리가 송파에 있을 때 생긴 일로 나으리께 여원을 가지고 있는 놈이지요. 만약 그놈을 잡아서 관아에 넘긴다면 전사에 있었던 나으리의 흠을 들추어 제 살길을 도모하려 할 거예요. 일이 그렇게 된다면 나으린들 온전하겠습니까? 이 사단에는 그런 말 못할 사정이 있지요.」

「정녕 그러십니까?」

「내가 거짓을 말하였다면 이 자리에서 칼을 물고 엎어지겠소.」

이야기가 거기까지 갔는데도 두 여인은 처음과 같이 태연하였다. 서로가 만나지 않으면 안 될 까닭을 알았고 서로가 서로에게 바라는 것이 무엇이란 것을 알았으되, 마지막 한마디만은 서로의 마음속에 숨기고 발설하지 않았다. 그러나 이제 서로가 보여 줘야 할 것이 무엇이란 것을 알게 되었으니 운천댁 아씨가 용익을 은밀히 만날 수 있었던 것은 천소례와 눈짓으로 주고받은 약조가 있었기 때문이다. 설령 천소례가 그런 약속을 해주지 않았다 해도 궐녀는 용익을 만났을 것이다. 어디서부터 일이 뒤틀려 나갔는지는 가늠할 수 없으되, 천소례는 어쩌면 그놈들에게 겁간당한 일까지도 소상히 알고 있는 눈치가 분명하였고 집에다 불 지른 일까지도 짐작하고 있는 것 같았다. 궐녀가 만약 이 일을 거절하고 나섰더라면 천소례는 여축없이 후원에서의 일을 바깥사랑에다 발고하고 말았을 거였다. 이제 궐녀는 천소례로 하여 늪에다 발을 들여놓은 꼴이 되고 말았으되 자문을 할 결기가 없는 바에야 목맨 송아지 시늉을 마다할 수가 없게 되었다.

2

두 사람은 강경의 도강목 숫막을 떠난 지 반 식경이나 되어서 강경천의 지류인 어양내[漁梁川]와 만났다. 내는 그렇게 깊지 않았으되 물이 차갑고 달도 없는지라, 나귀들이 물길로 들어설 엄두를 못 내고 버티었다. 용익이 다리를 둥둥 걷어 길가를 먼저 업어 건네고 나귀들을 족쳐서 물길로 잡아 엎치는데, 맞은편 자드락 어름에서 여우란 놈이 기를 쓰고 울었다. 삭정이를 주워다가 불을 피워 겁 많은 나귀들을 달래고 언 발을 대강 녹인 다음 다시 길을 떴다.

「이렇게 어두워서야 나귄들 어디 길을 찾겠나?」

「어떡하우. 해 뜨기 전에 여산 주막거리에 닿아야 술국이라도 얻어먹지요.」

「부기가 도지면 어떡하나, 그게 걱정일세.」

「주리 참듯 참고 있다가 조송파를 만나면 벌충을 해달라십시다.」

「무슨 벌충을 한다는 말인가?」

「조송파가 김학준이란 놈에게 전사에 진 빚으로 어음표 한 장이라도 받아 줘었다면 길 동무에게 돈 백 냥 뚝 떼어 줄지 누가 아오?」

「예끼, 이 사람, 내가 천상 젓동이 깬 젓장수 꼴이 되었네만 공것은 바라고 싶지가 않으이.」

「젓동이를 잃은 대신 초피 열 장을 얻었으니 이참에 아주 장삿길 물리를 그쪽으로 트고 말지요.」

「하기야 발가벗은 상사람이 그깟 젓장수면 어떻고 초피장수면 어떤가…… 팔도의 먼지를 뒤집어쓴다 해도 이 한 몸 연명해 왔으면 족하이. 그러나 이제 한 손을 잃었으니 젓장수만은 하직일세. 조막손에 젓국자가 모양 있게 잡힐 리가 없고 젓국맛을 보여 줄 손가락도 없게 되었지 않나. 그년이 자르려면 손목째 자르든지 하지 손가락만 잘라 놓았으니 병신도 이런 흉한 병신이 없고 병신값도 또한 제대로 못하게 생겼지 않나. 손가락만 잘린 놈을 두고 어느 놈이 병신이라 하겠으며 또한 어느 놈이 성한 사람의 취급 해 주겠나?」

「그년이 그런 것을 염두에 두고 한 짓일까요?」

「능히 그럴 계집이었네.」

「어떻게 하실 작정이시오?」

「뭘 말인가?」

「궐년을 다시 만나 앙갚음을 하실 작정입니까?」

「자네라면 어떻게 하겠나? 그냥 웃어넘기고 말 것인가? 하물며 그년은 근본은 우리와 같은 상년으로 반가의 계집 행세를 톡톡히 하고 있는 처지가 아닌가? 집에 돌아가서 내권이 이 일을 알게 된다면 명색이 지아비란 것을 어떻게 생각하겠는가? 기왕 내친김에 그 놈의 집구석을 아주 도륙을 내놓고 말아야지.」

용익은 치를 떨었다. 그가 당초부터 초주검이 된 형용을 했기에 망정이지 궐녀의 거조로 보아 아직 미성취한 사내의 불을 발리는 일인들 두려워했을 계집이 아니었기 때문이다.

「조송파를 만나고 난 뒤에 어디로 작로하실 작정이오?」

용익이 앞에서 물었다.

「조송파가 김학준을 다루는 솜씨 봐가며 작정할 일이지.」

강경에서 50여 리 상거인 석천리(石泉里) 세거리에 당도하였을 때 하늘이 뿌옇게 밝아 왔다. 말갈기에 서리가 하얗게 내려앉았고 두 사람의 입은 굳어 있었다. 나귀도 지쳤고 사람들도 허기가 져서 얼 요기로라도 속을 채우지 않고는 더 이상의 작로가 어렵게 되었다.

「겨우 오십여 리를 온 셈이군.」

길가가 굳어 있는 입을 열어 중얼거렸다. 세거리 못미처 대여섯

채의 숫막이 보였지만 인근에 촌락이 있는 것 같지는 않았다. 세 갈래 길 중에서 한 가닥은 삼담리(三潭里) 네거리로 빠지는 길이요, 곧장 나아가는 한 가닥 길은 여산으로 가는 대로였다. 힘이 지쳐 걸음이 늦어지는 나귀를 그대로 몰아 강경에선 60리 길인 여산 고을을 비켜 새말[新里] 주막거리에 닿았을 땐 날도 거의 새었거니와 이젠 정말 사람도 나귀도 단 한 발짝을 떼어 놓을 수 없게 되었다. 나귀가 생각보다 빨리 지쳤던 것은 밤길 때문이었다.

숫막을 얻어 드는 길로 쑥찜한 자리를 풀어 보았으나 덕석을 덮어써서 어한을 한 탓인지 생각보다는 부기가 덜하였다. 쑥찜질을 다시 하고 더운 술국을 재촉하여 겨우 요기를 때웠다. 마침 주막거리 앞거리에는 마른 생선을 내다 파는 어물 난전들이 띄엄띄엄 보였다. 강경보다는 산에 가까운 지형이라 제법 큰 시탄전(柴炭廛)*이 형성되고 있었다. 거리 앞으로 마소가 여러 필 드나들고 새벽같이 나뭇짐을 내온 나무장수들은 등토시에 양팔을 집어넣고 숫막의 추녀 아래에 웅기중기 서 있었다. 한겨울인데도 누비등거리라도 껴입은 사람은 가뭄에 콩 나듯 드물었고 대개가 홑저고리에 아랫도리가 덩그렇게 드러나는 홑바지에다 뒤축이 떨어진 짚신들을 질질 끌고 있었다.

첫닭이 홰를 치는 것을 기다려 나무 한 짐을 뼈대 하나로 괴며 40, 50리의 산중 길을 내쳐 왔건만 주막거리에 당도하였어도 장떡 요기한 번인들 변변스레 못할 시골고라리들이었다. 겉으로 보기엔 나뭇짐 임자가 나타나도록 마냥 기다리고 서 있는 것 같았지만 실상은 그렇지 않았다. 그들은 여산 쪽에서 내려오는 길과 전주 쪽에서 올라오는 길목으로 연방 눈길을 두리번거리고들 있었다. 숫막의 추녀 아래나 울바자 앞에 붙어 서 있다가 간혹 전주를 오가는 경마잡이

*시탄전 : 땔나무나 숯, 석탄 따위를 사고파는 시장.

140

없는 양반 행차나 행탁이 두둑한 부상(富商)들을 만나면 오금아 나 살려라 하고 달려가는 것이었다. 바리나 부담롱을 내려 주고 나귀들의 여물 심부름을 해주면 몇 푼의 동전을 행핫돈으로 얻어 허기를 끌 수가 있었기 때문이다. 설령 그런 행차를 용하게 만난다 하더라도 십수 명이 한꺼번에 달려들어 악다구니를 벌이다가 종내는 행차의 구종(驅從) 든 놈들에게 입에 담지 못할 욕설을 듣거나 심하면 나귀 부리던 회초리로 등줄기를 얻어맞기까지 하였다. 그러나 등줄기 한두 번 회초리로 얻어맞는다 하여도 뱃속에 든 새벽 걸신이 가만있을 수는 없었다. 그들의 소원은 수저를 똑바로 꽂아도 넘어지지 않을 만큼의 빽빽한 황육(黃肉)국 한 그릇과 하얀 쌀밥을 미주알이 뻐근하도록 먹어 보는 일이었으되 그 소원을 단 한 번이라도 속 시원히 풀어 본 적은 없었다.

전주 고을로 내려가는 길목답게 해가 아귀 트기 시작하자, 장사치들과 행인들의 내왕이 부쩍 늘어나기 시작하였다. 그러나 거개가 밑천 짧은 장돌림이거나 꾀죄죄한 괴나리봇짐을 달랑 매단 거릿귀신들 뿐으로 나무장수들이 기다리는 양반 행차는 좀처럼 보이지 않았다.

어젯밤에 당도하여 숯막의 헛간 하나를 빌려 밤을 새운 숯대쟁이 패거리들이 한속을 못 풀어 달달 떠는 몸짓들로 울바자 아래에다 노구솥을 걸고 수제빗국을 끓이고 있었다. 제법 해사하게 생긴 계집도 두셋 끼여 있는 숯대쟁이들에게 담배장수로 보이는 키가 껑충한 한 놈이 농지거리를 하며 다가서고 있었다. 담배장수들은 길소개 일행보다는 나중에 당도한 축들이었는데, 대여섯이나 되게 상단(商團)을 지어 몰려다니는 듯하였다. 그중 한 녀석이 꼭뒤잡이인 숯대쟁이 하나를 잡고 물었다.

「노형들은 어디로 가시오?」

노구솥에 국자를 집어넣고 젓던 해사하게 생긴 계집이 담배장수를 헬끔 뒤돌아보았으나 대답은 꼭뒤잡이인 노닥다리가 했다.

「어디로 가다니요? 살판뜀인 광대들이 작정하고 갈 곳이 어디 있습니까?」

「그럼 식후엔 어디로 갈 것이오?」

「전주로 작로할 작정입죠만 중도에 살판이라도 만나면 또 그곳에서 하룻밤인들 못 묵겠소?」

「고향들은 어디시우?」

「여보시오, 새벽녘에 남의 고향은 왜 물고 늘어지시오? 화귀(花鬼)에 물들어 바람 따라 자고 바람 따라 흘러가는 광대들에게 찌그러진 고향인들 있을 턱이 없지요.」

꼭뒤잡이가 담배장수 한 놈과 수작을 주고받는 사이에 수제비솥에 국자를 넣은 계집은 솥 가녘으로 국자를 돌릴 때마다 일부러 육기 좋은 엉덩이를 홰홰 내저었다. 계집의 엉덩이에 힐끔거리며 눈길을 주던 담배장수란 놈 무슨 복안이 생겼던지 툇마루에 놓았던 담뱃짐에서 잎담배 한 꼭지를 쑥 빼내 들더니 꼭뒤잡이 노인네에게 내밀었다.

「상관초(上關草)요.」

「허, 이거 고맙수. 밤새도록 학을 타는 꿈을 꾸었더니 담배를 얻으려고 그랬나 보구려.」

「예끼, 과찬 마시우.」

꼭뒤잡이가 지체 없이 담배 꼭지를 받아 쥐었는데, 간혹 육허기가 든 떠돌이 장사치들이 솟대쟁이패들에 끼인 찌그러진 계집을 겨냥하여 수작이라도 한번 해볼까 하고 인정을 쓰는 경우가 없지 않았기 때문이다. 꼭뒤잡이가 받아 쥔 담배 꼭지를 들고 동패들에게 한 잎씩 뜯어 돌리는데 그 틈을 타서 담배장수란 놈은 국자 쥔 계집에게로 슬쩍 다가갔다.

「거, 솥 밑구녁 뚫어질라. 대강 젓고 날 좀 보시오.」

계집이 눈시울을 곱게 뜨고 핼끔 뒤돌아보는 품이 벌써 수작은 됐다 싶었다.

「뜸이 들었으니 고만 젓지요.」

계집이 일어서며 눈짓으로 주막 뒤꼍 어름을 가리켰다. 솟대쟁이 계집들 중에는 간혹 길가에서 만난 장사치들에게 밑엣품을 놓아서 용채를 얻는 신세라, 해 뜰 때건 해 질 때건 그게 큰 상관할 바가 아니었다.

계집이 담배장수 한 놈을 옭아서 숫막 뒤꼍으로 발길을 옮겨 놓는 참에 추녀 끝에 웅기중기 붙어 섰던 나무장수들이 삽짝 밖으로 우르르 몰려 나갔다. 행차 하나가 마침 세거리목으로 올라서고 있었다. 말 탄 양반이 셋이요, 바리 실은 나귀도 두 필이었는 데다 가마 탄 내행(內行)도 보였다. 그들 또한 마침 숫막이 있는 쉴 참을 만난지라 말을 풀려고 숫막 어름을 겨냥하고 있었다.

「이놈들 비켜서거라.」

행렬의 앞쪽에서 경마를 잡고 있는 배행꾼이 우르르 달려 나오는 나무장수들을 바라보며 눈을 부릅뜨는데도 아랑곳하지 않고 말고삐를 서로 받아 쥐려고 북새판을 벌였다. 마상에 앉은 도포짜리가 눈살을 찌푸리고 구종들을 좋지 않은 눈썰미로 나무랐으나 나무장수들은 어느새 말 아래에까지 가서 하정배를 드리며,

「나으리, 아랫목 뜨거운 숫막이 있습니다요.」

고삐 쥔 구종이 그 말 되받아서,

「이놈들, 아랫목 찾는 나으리들을 보았느냐?」

「왜들 이러슈? 초행이시라면 신리 세거리 풍습을 모르실 거 아뇨?」

「이놈들 봐라? 세거리 풍습이 어떠하냐? 맛 좀 보자.」

「우리가 두어 푼 행하를 받는대서 이녁이 배 아플 거야 없지 않은가?」

「이놈들아, 양반 행차 가로막고 서서 무슨 행핫돈을 바라느냐?」

「그러니까 말에 여물이라도 먹여 드리자는 것 아니오?」

「어허, 이놈 봐라, 우리 집 말이 여물 먹는 것을 언제 보았느냐?」

「말이 여물을 먹지 그럼 약과라도 먹는단 말이오?」

「이놈들 봐라, 약과 좋은 줄만 알았지 쌀겨 좋은 줄은 모르는 놈들이구나. 썩 비키지 않으면 네놈들 등줄기에다 기어코 회초리맛을 보일 테다.」

「회초리 무서워 비켜날 우리가 아니오. 나으리들께선 보고만 계시는데 배행꾼들이 훼방을 놓을 것이야 없지 않소.」

「이놈들, 이제 보니까 순 왈짜들이로구나.」

옥신각신하는 터에 목자 사납게 생긴 배행꾼 한 놈이 다가와서 나무장수 한 사람을 모양 좋게 드잡이하고 비켜나 딴죽걸이로 패대기를 치니 허기진 몸뚱이가 그대로 길가 풀숲으로 나자빠졌다. 양반 행차에 구종이라면 근본으로 따져 나무장수들보다야 상것들임이 틀림없겠건만 녹록하지 않기로는 마상에 앉은 나리들보다 한술 더 뜨는 꼴이었다. 배행꾼들의 서두르는 꼬락서니가 보통은 아니었지만, 그런다고 쉽게 물러날 나무장수들도 또한 아니었다. 딴죽걸이로 한 놈을 혼꾸멍낸 배행꾼이 다시 다가서더니 또 한 놈을 잡아내어 드잡이를 하고 밖으로 끌고 갔다.

「이놈, 맛 좀 봐라.」

결김에 등지기로 냅다 곤두박는데, 마침 등지기로 넘어가는 작자 손에 말고삐가 잡혀 있었던 터라, 아니래도 나무장수들이 북새판을 벌이는 통에 얼혼이 빠진 말이 껑충 하고 엉덩이를 쳐들고 뛰었다. 그러자 마상에 앉았던 도포짜리가 말 엉덩이를 타고 쭈르르 미끄러

져 땅으로 굴러 떨어졌다. 낭패는 보았으되 다행히 말이 더 이상 뛰
지 않았다. 도포짜리는 갓이 찌그러지고 도포가 찢겼으니 아무리 양
반 행세로 그때까지 두고만 보았으나 종시 참을 건덕지가 없었다.

저놈 잡으라는 손짓을 할 요량으로 관자놀이부터 부르르 떠는데
낙상을 한 도포짜리 앞으로 키가 껑충한 담배장수 한 놈이 느닷없이
가로막고 서면서 봇짐에서 담배 한 두름과 백간죽(白簡竹)* 하나를
쑥 빼들더니,

「팔도를 주름잡는 경강 삼개에 사는 담배장수 한 놈 나으리께 초
인사 여쭙니다. 강수복(康壽福)·헌수복(獻壽福)의 부산죽(釜山
竹), 서천죽(舒川竹), 소상반죽(瀟湘斑竹), 자문죽(自紋竹), 양칠간
죽(洋漆竿竹), 각죽(刻竹), 칠죽(漆竹), 서산용죽(瑞山龍竹), 조죽
(鳥竹), 화문죽(火紋竹), 상중(喪中)에는 백간죽이 수수하옵지요.
이름 좋은 금산초(錦山草)며, 장광(長廣) 좋은 직산초(稷山草)며,
수수한 영월초, 빛깔 좋은 상관초며, 전라도 진안초, 충청도의 괴
산초·수성초(水成草)며, 경상도의 안동초요, 연기 맑은 경기도 금
광초(金光草)며, 강원도의 횡성초라. 함경도 갑산초(甲山草)며, 평
안도의 향기로운 성천초(成川草)·덕양초(德陽草)·삼등초(三登草)
며, 황해도의 익산초(益山草)에 불 잘 타는 남의초, 상관초, 서초
(西草), 양초(洋草), 향초(香草), 망우초(忘憂草), 입맛대로 들여가
십시오.」

담배장수란 놈 너울지게 어깻짓까지 하며 다리를 빗대고 한 바퀴
휘그르르 돌더니 이젠 타령으로 넘어갔다.

「진안초 넓은 잎새 그중에서 골라내어 마디마디 빼어서 접첨접첨
발밑에 넣었다가 잠이 꼭 잔 연후에 산유자(山柚子) 목침 내어 놓

---

*백간죽 : 담뱃대로 쓰는 흰 설대.

고 벽에 걸린 오동철병(梧桐鐵柄) 반 은장도 옥수로 덤썩 빼어 한 허리를 선뜻 잘라 탈락〔毛〕같이 썰어서 은수복(銀壽福) 백통대에 장가락으로 눌러 담아 청동화로 백탄(白炭)불 이글이글 불붙는데 옥수로 덥석 잡고 빠끔빠끔 빠는 대로 입술 새로 파란 연기 몽기몽기 항라치마에 아드득 씻어 올리면 나으리 그걸 받아 잡수옵시면, 한 모금 뱉어 내어 정신이 아득하여 부모상에 이러함은 효자 충신 뉘 못하리. 또 한 모금 뱉어 내니 일가상에 이러함은 다툼 말고 애옥살이, 또 한 모금 뱉어 내니 살림하는 여인네가 살림맛이 이러하면 장차 추심(將差推尋) 뉘 못하리. 또 한 모금 뱉어 내니 일하는 농군들이 일맛이 이러하면 장원 급제 왜 못하리. 또 한 모금 뱉어 내니 활 쏘는 활량들이 활의 맛이 이러하면 호반(虎班)* 급제 왜 못하리…….」

담배장수가 비단으로 기운 쥘쌈지까지 내밀며 타령을 읊조려 화가 상투 끝까지 치민 도포짜리가 정신 차릴 틈을 주지 않고 눈알을 가로막았던 것은 담배 몇 구붓이나 팔아 보려는 작심에서가 아니라 배행꾼들 행패에 봉패를 당하고 있는 시골고라리들이 안쓰러워서 양반놈의 손짓에 다시 한 번 도륙이 날까 해서 제 딴에 훼방을 놓고 있는 게 분명하였다. 도포짜리들로 말하자면 한결같이 풍년 두부같이 허옇게 살이 오르고 신수가 헌칠하여 품성들이 너그러워 보였으나 체통에 똥칠을 한 연후라 담배장수란 놈 타령 한 수로 웃고 말 처지는 아니었다. 도포짜리는 궐자가 놀고 있는 꼴을 한동안 우두망찰로 바라보고 섰다가 그중 수노(首奴)*로 보이는 놈에게 분부하기를,

「저 고삐 잡고 자빠지던 놈하며 담배장수란 놈 잡아 엎치어라.」

하였는데, 아니래도 두 놈의 방자한 꼴에 눈시울이 시어 터져 분부

---

* 호반 : 무반.
* 수노 : 관노의 우두머리.

떨어지기만 기다리던 구종들이 언미필에* 어깻바람을 일으키며 두 놈을 길바닥에다 잡아 엎치었다.

「그놈들을 저 숫막으로 끌고 오너라.」

도포짜리가 맞은편에 주기가 내걸린 숫막 하나를 가리키고는 우선 일행들을 봉노로 들게 하였다.

구종들에게 연유 없이 드잡이를 당한 담배장수는 조금 전에 솟대쟁이 패거리 계집에게 수작을 붙이던 작자였는데, 아랫도리가 껑충하고 어깨 벌어진 품이 제대로 두면 힘꼴깨나 써보일 장한이었는데 도포짜리의 영이 추상같았고 구종들도 여럿인지라 중과부적으로 잡히긴 하였으나 매양 당할 수는 없었던 모양이었다.

「여보시오, 하님들, 이런 되지못한 행사가 어디 있소? 나야 담배 팔아 달라고 권한 죄밖에 없지 않소?」

두 눈을 시퍼렇게 부릅뜨고 멱살 틀어쥔 놈을 노려보았으나,

「이놈아, 나으리께서 공연히 네놈을 지목하였겠느냐? 저놈과 패를 지어 길목을 막지 않았느냐?」

「어허, 담배장수 십 년 만에 여기 와서 횡액을 당하는군. 여보시오, 하님들, 이 손 놓으시오.」

「이놈아, 놓아줄 멱살을 애당초 드잡이는 왜 했겠느냐. 능청 떨지 말고 끌려오기나 하여라.」

「허물없는 장사치에게 지체를 빙자하여 봉욕을 보이다니, 국법에도 이런 억지는 없소.」

「끼 고얀 놈, 네놈에게 정녕 허물이 없다면 나으리 앞에서 핵변을 하든지 삿대질을 하든지 그건 네놈이 할 일이지 당장 발기 잡을 처지가 아니다, 이놈.」

---

*언미필에 : 하던 말이 채 끝나기 전에.

「시색이 시퍼런 내가 안목이 졸렬한 도포짜리를 만나 새벽같이 봉
패를 당한다마는 내 앙갚음을 하고 말리니.」

담배장수와 드잡이한 노속이 피차 주거니 받거니 난만(爛漫)히*
수작하면서 숫막 앞 삽짝 귀틀에까지 왔을 제, 담배장수란 놈이 드
잡이한 노속이 눈치 채지 않게 괴춤에 찼던 엽전 한 꿰미를 울바자
사이에다 슬쩍 흘리었다. 가외로 두어 놈이 뒤따르긴 하였으나 궐
자의 몸부림에만 정신이 팔려 흘리는 엽전 꿰미를 눈치 채지는 못
하였다.

도부꾼 풍습이야 한 닢의 엽전인들 소홀히 간수함이 없이 전대에
차게 마련인데, 담배장수란 놈이 더욱이나 꿰밋돈을 허술하게 괴춤
에 차고 있었던 것인지 아무래도 수상스러운 일이었다.

「두 놈의 상투를 맞잡아 묶어라.」

숫막의 좁은 뜨락에는 방금 당도한 양반 행차와 담배장수들, 그리
고 솟대쟁이들이 빙 둘러서서 돌아가는 판세를 구경하였으되 어느
누구 하나 그들을 보비위하려거나 발명하려는 사람이 없었다.

신바람이 난 노속들이 두 사람의 상투를 맞잡아 매고 뒷결박까지
단단히 하였다. 도포짜리가 땅을 끓리며 큰 소리로 꾸짖었다.

「고얀 놈들, 항간에 떠도는 풍문을 내 진작에 듣고 있었더니 네놈
들이 바로 그놈들이었구나. 그러나 내가 아무리 향곡에 묻힌 양반
의 처지라 한들 네놈들에게 허술히 손재를 당하고 있을 성싶었더
냐?」

「나으리, 손재를 당하시다니요? 무슨 억탁(臆度)*의 말씀입니까
요?」

그렇게 발명한 것은 나무장수였다.

---

*난만히 : 오래 두고.
*억탁 : 억측.

「이 천하에 상없는* 놈들. 거조를 차리기 전에 아예 딴청 부리지 마라. 네놈들 한둘쯤 즉살하는 것은 여반장이다. 너희 두 놈은 서로 딴청을 부린다마는 암암리에 한통속이 되어 장사치를 가장하고 조선 팔도 삼백예순네 고을을 족제비처럼 드나들며 양반 행차 벽제(辟除)를 가로막고 소매치기를 하는 패자(悖子)*들이 아니냐. 네놈들을 그냥 두었다간 장차 부민(府民)들의 우환이 될 것인즉, 내 오늘 작로를 파의하고서라도 네놈들을 징치하여 물고를 내리라.」

나무장수는 금방 숯빛이 된 얼굴로 둘러선 사람들에게 변백을 하였다.

「쇤네는 나으리의 말고삐 잡은 죄밖에 없습니다요. 쇤네가 궁색하여 지붕에 별이 들쑥날쑥하는 집에 살며 나뭇짐이나 거리에 내다 팔고 바지게를 지고 마을을 돌며 뒷간이나 쳐서 여섯 식구가 구차히 연명하옵지만, 아직까지 남의 재물을 무고하게 탐하다가 주장을 맞은 일은 없습니다요. 제발 쇤네의 무고함을 밝기 잡아 주십시오.」

궐자의 언사가 아주 순박하고 공대가 끌어지는데도 도포짜리는 소매를 떨치고 결기만 드세울 뿐으로 궐자의 변백을 믿으려 하지 않았다.

「너 이놈, 무슨 구실을 붙여도 소용이 없다. 순박하기 이를 데 없는 여항간의 풍습이 너희놈들로 인하여 나날이 간사하게 되어 가지 않느냐?」

그때까지 대꾸 한마디 없이 꿇어앉았던 담배장수란 놈이 곁눈짓으로 도포짜리를 흡떠 보았다.

---

*상없다: 상리(常理)에 벗어나다. 막되고 상스럽다.
*패자: 인륜을 어긴 자식.

「양반 행티 너무 마시우. 나으리가 우리를 화적으로 소매치기로 몰아붙이는가 본데, 그렇다면 나으리가 실물을 한 게 무엇입니까?」

「이놈, 그렇다마다. 한 놈은 말고삐를 잡고 자빠져서 사람을 낙상시킨 뒤에 네놈은 그사이에 앞을 가로막고 담배 꼭지를 내저으면서 내 도포 화장에다 손을 집어넣어 꿰미를 내가지 않았느냐?」

「쇤네가 설령 밑천 짧은 장돌림에 불과하나 남의 소매에 손을 집어넣은 적은 없습니다. 만약 쇤네가 그리하였다면 백사지(白沙地)에 혀를 끌어 박겠습니다.」

「지금 당장 몸뒤짐을 하여 네놈에게서 꿰밋돈이 나온다면 어떡하겠느냐?」

「나으리 처분을 따르겠습니다. 여설옥으로 떨어뜨린들 마다하지 않겠습니다. 그러나 쇤네가 무고한 것이 밝혀지면 나으리의 체모에도 손상이 있을 것입니다.」

「얘들아, 저 두 놈을 발가벗기어라.」

「아니, 나으리, 이 엄동설한에 그나마 홑바지를 벗기시면 쇤네는 금방 동태가 될 것입니다요.」

나무장수가 포달을 떨며 발버둥을 쳤다.

「소매치기란 것들은 장물을 감추는 데는 미립이 난 것들이 아니냐? 네놈들 사추리 밑까지 몽땅 뒤져 봐야 꿰미가 나올 법하다. 발가벗기기가 난당이거든 네놈의 손으로 꿰미를 내놓아라.」

「내놓을 꿰미가 없소이다.」

「뭣들 하느냐. 어서 저놈들을 지체 없이 벗기어라.」

뒷결박은 둔 채로 마주 매었던 상투를 풀고 궐한들을 실오라기 하나 걸친 것 없이 발가벗기었으나 꿰미는 보이지 않았다. 그러나 그걸 예상하였다는 듯이 도포짜리의 표정은 예사로웠다. 그적에 담배장수란 놈은 어금니를 아드득 갈며 둘러선 양반들을 보고 벼르기를,

「쉰네가 아무리 상없는 놈이되 의심이 든다 하여 명색이 사내자식을 이 길바닥에서 무고히 벗기다니, 참으로 양반의 행티가 보통이 아니구려.」

「이놈, 그런다고 내가 눈이라도 깜짝할 듯싶으냐? 네놈이 여기까지 끌려올 동안 웅덩이나 울바자 틈에 꿰미를 흘려뜨린 게 분명하다. 그 장물을 찾아 네놈의 코앞에다 디밀 적에도 양반을 매도(罵倒)하겠느냐?」

바로 그때였다. 봉노 셋 중에서 맨 끝에 있는 봉노의 지게문이 열리면서 손을 싸맨 길소개가 선뜻 봉당 아래로 내려섰다. 그러더니 곧장 징치하고 있는 도포짜리 앞으로 걸어가서 깊숙이 하정배를 드리었다.

「네놈은 누구냐?」

결김에 쏘아붙이는 도포짜리의 언사가 아름답지 못하나 길소개는 개의치 않고 다만 사람을 뚫어지게 쳐다보기만 하였다.

「네놈은 누구냐고 묻지 않았느냐?」

「하생은 가근방 장터를 도는 도부꾼으로 황해도 신천(信川)이 지본이올시다.」

「그럼 너도 이놈들과 한통속이라는 거냐?」

「예, 그렇습니다.」

「그렇다면 네놈도 그냥 둘 수가 없구나. 네놈도 손을 싸맨 꼴이 소매치기를 하다가 진작에 낭패를 본 형국이니 이놈들과 몰밀어 형방으로 떨어뜨리리라.」

「그것이야 나으리 처분대로입니다. 시생 같은 상것이야 집장사령(執杖使令)* 모진 닦달 견뎌 낼 만한 육신만을 가졌습니다만, 그러

---

* 집장사령 : 장형(杖刑)을 집행하는 일을 맡아 하던 사람.

나 체모가 따로 있다는 나으리께서 하시는 일이 심히 민망스러워 달려 나왔습니다.」

「그놈, 알기로는 모진 바람벽 뚫고 나온 중방(中枋) 밑 귀뚜라미로구나. 그래 양반의 체모는 네놈 같은 패자들에게 실물을 당하고도 마냥 보고만 있으란 뜻이더냐?」

「지체를 중히 여기시는 분께서 거친 언사와 준수치 못한 행동으로 저자 바닥에서 뒹구는 왈짜들을 친히 상대하여 되다 만 호반의 흉내를 내신다면 가히 우도할계(牛刀割鷄)*에 견줄 일이 아니겠습니까.」

「이놈, 이제 보니까 간사하게 양반을 엎어치려는 수작이 아니냐?」

「도부꾼들에게도 도방의 풍속이 있습니다. 궐자들을 우리에게 넘겨주시면 우리끼리 닦달하여 결판을 짓겠습니다.」

「도방 풍속이 남의 소맷자락이나 훑는 일이냐?」

「말씀이면 답니까? 우리들이 성명없는 상것들이고 신분이 장돌뱅이라 한들 생각조차 지체 있는 분들에 미치지 못함은 아니오. 옳고 그름을 분간 못할 썩은 눈을 가지지도 않았소이다. 그러하오니 궐자를 우리가 징치하도록 허락하십시오. 나리의 은혜는 털을 뽑아 신을 삼으래도 그리하겠습니다.」

「이놈, 등 시린 절 받기 싫다. 네놈이 제법 번지르르하게 분주를 떤다마는 그 농간에 패(覇)로 떨어질 위인이 아니다, 이놈.」

모여 섰던 자들이 길소개의 소청에 힘입어 웅성웅성하였지만 본처와 시앗 사이는 하품도 옮지 않더라고 도포짜리가 진작 물러날 기미는 보이지 않았다. 그러나 길소개 역시 기왕에 벌인 춤이라,

「귀동냥한 풍월입니다만, 양반의 도리란 여러 가지로 일컬어지기

---

* 우도할계 : 소 잡는 칼로 닭을 잡는다는 뜻으로, 작은 일에 어울리지 아니하게 큰 도구를 씀을 이르는 말.

는 하나 글을 읽으면 가리켜 사(士)라 칭하고, 정치에 나아가면 대부(大夫)가 되시고, 덕이 있으면 군자(君子)에 이른다고 들었습니다. 양반이란 당초부터 비루한 짓을 하지 말며, 옛사람을 본받아 그 뜻을 숭상할 것이며, 오경(五更)이 되면 기침(起枕)하여서 황에다 불을 댕겨 등잔을 켜고 눈을 가만히 코끝으로 내려다보고 무릎을 끓어 발꿈치를 궁둥이에다 모으고 앉아 여조겸(呂祖謙)의 《동래박의(東萊博議)》*를 얼음판 위에서 박덩이 굴리듯이 술술 외워야 합니다. 주림을 당하더라도 가난을 탓하여 소리 지르지 아니하며, 고치탄뇌(叩齒彈腦)를 하며, 소맷자락으로 관을 털어서 쓰고 세수할 때 주먹을 비비지 말며, 양치질을 하여 입에서 냄새 나는 일이 없도록 하여라 하였습니다. 소리를 길게 뽑아서 여비(女婢)를 부르며, 걸음을 느릿느릿 옮겨 신발을 땅에 끌라 하였습니다. 《고문진보(古文眞寶)》*와 《당시품휘(唐詩品彙)》*를 깨알같이 베껴 쓰되 한 줄에 백 자를 쓰며, 손으로 돈을 만질 수가 없으며, 시중의 물건값을 물을 일이 아니며, 아랫것들에게 액수를 말하여 행하를 내리지 않습니다. 시중의 잡사로 아랫것들과 친히 거친 말로 상대하지 않으며, 아무리 더워도 버선을 벗지 못한다 하였습니다. 맨상투 바람으로 밥상 앞에 앉지 못하며, 국을 먼저 훌쩍 떠먹지 말고, 넘어가는 소리를 내어서도 아니 됩니다. 젓가락으로 밥상을 짚어서도 아니 되며, 생파를 잡수셔도 아니 됩니다. 막걸리를 들이켠 다음 수염을 쭈욱 빨지 말며, 담배를 피울 때도

---

*《동래박의》: 1168년에 중국 남송의 동래 여조겸이 《춘추좌씨전》에 대해 논평하고 주석한 책. 과거문(科擧文)에 사용되어 문과 시험의 규범이 되었다.
*《고문진보》: 중국 송나라 말기에 황견이 주나라 때부터 송나라 때까지의 시문을 모아 엮은 책.
*《당시품휘》: 중국 명나라의 고병이 편찬한 당시(唐詩) 선집.

볼우물이 파이게까지 빨아들이지 아니하며, 화가 난다고 하여 처를 두들기지 말며, 노여운 일이 있더라도 그릇조차 내던지지 못하며, 중을 청해다가 재(齋)를 올리지 말며, 아이들에게 주먹질은 고사하고 노복들에게 죽일 놈 살릴 놈 하며 꾸짖지 말라 하였습니다. 아파도 무당을 불러서는 안 되며, 아무리 추워도 화로에 손을 얹지 못하며, 마소를 꾸짖되 그 판 주인까지는 미치지 않게 하며, 말할 때 입에서 침이 튀어서도 아니 됩니다. 소를 잡아먹지 않고 돈을 놓고 노름을 해서도 아니 됩니다. 그런데도 나으리께선 중인소시(衆人所視)한 가운데 한갓 소매치기를 상대하여 체모를 그르치고 계시니 정히 그러시다가 작로하는 동접이라도 만나시면 그도 한 낭패가 아닙니까?」

상것들을 상대하여 미주알고주알 이치를 따지고 도리를 따진다는 일부터가 탐탁지 못하다는 뜻이겠는데, 가만히 듣고 있던 도포짜리들이 낭패한 표정을 짓기는 하였으되 짐짓 궐자를 방면할 것 같지는 않았다. 그때 솟대쟁이 패거리에 끼여 있던 계집이 쭈르르 달려 나와 도포짜리의 이배치*를 잡고 간드러지게 엎드리며,

「나으리, 살려 주십시오.」

하고 울음을 터뜨리었다.

그들은 달려 나와 엎드리는 계집에게 손찌검까지는 하지 않는 걸 보니 어지간히 누그러진 것만은 틀림이 없었다.

「네년도 이놈들과 동패냐?」

그렇게 찍어 누르고 나온 것은 노속 중의 한 놈이었다. 죽은 듯이 엎디었던 계집이,

「여보시오, 하님들, 같은 상것들인 주제에 누굴 보고 호년이우? 하

---

*이배치 : 울이 깊고 코가 짧으며 투박하게 생긴 남자 가죽신의 하나.

늘을 쓰고 도리질을 해도 분수 나름이지.」

「저리 비켜라, 이년.」

계집의 머리채를 낚아채려는 노속의 팔을 가로치며 길소개가 이르기를,

「하늘이 백성을 만들 때 넷으로 구분한 줄 압니다. 사민(四民) 가운데 가장 높은 것이 선비이니 그것이 곧 양반이 아닙니까? 양반의 이익은 막대하니 농사도 안 짓고 그렇다고 장사도 않습니다. 문사(文史)를 섭렵해서 크게는 문과(文科) 급제요 작게는 진사(進士)가 되는 것이 아닙니까? 문과의 홍패(紅牌)라는 것이 불과 서너 뼘 되는 것에 불과하나 그 하나에 백물이 구비되어 가히 돈자루에 비견되는 바가 아닙니까. 진사가 서른에 초사(初仕)를 하여도 오히려 이름 있는 음관(蔭官)*이 되고 잘되면 남행(南行)으로 고을을 맡게 되어 귀밑머리는 일산(日傘) 바람에 곱게 희고, 배는 종놈의 예예 소리로 자연 불러지며, 방에는 기생을 앉혀 두고 뜰에 서 있는 나무에는 학이 새끼를 치는 법이 아닙니까. 양반이 궁하여 설혹 향곡에 묻혀 살아도 능히 무단(武斷)*을 하여 상놈의 소를 끌어다 먼저 자기의 땅부터 갈고 마을의 일손들을 잡아다가 자기 논을 맨들 누가 감히 대적할 수가 있겠습니까. 무고한 사람을 잡아다가 무릿매를 치고 코에 잿물을 들이붓고 상투를 잡아 홰홰 내돌리고 수염을 잡아챈들 누가 감히 원망을 늘어놓겠습니까. 그러함이 양반의 체모요 위엄이란 것을 여기 모여 선 백성들이 모를 리가 있겠습니까. 가히 신선에 비유할 만한 분의 체모로 이 상것들과 마주하여 너무 오래 지체하고 계신 듯합니다.」

---

* 음관 : 과거를 거치지 아니하고 조상의 공덕에 의하여 맡은 벼슬, 또는 그런 벼슬아치.
* 무단 : 힘을 믿고 강제로 단행함.

「그만두게. 자네 보아하니 가히 맹랑한 위인이로고. 그러다간 되레 내가 도둑으로 몰리겠구먼.」

그적에 길소개는 턱살을 치켜들고 도포짜리의 속내를 훔쳐보았다.

「그럼 궐자를 우리들에게 넘기시는 것이지요?」

「내가 작로할 일이 아직 멀고 내행까지 있는 터라 문득 더 이상은 지체할 수 없다는 생각이 드는구나. 그러나 타작마당에 모인 새벽 개는 모두 동서 간이더라고 악업만 저지르고 다니는 너희놈들에게 이 패자들을 섣불리 넘긴다는 일이 썩 내키지 않는다. 내 불찰도 있었으나 우리가 초벌 요기할 말미 동안 실물한 것만 찾아 준다면 없던 일로 하리라.」

「득달같이 거행하옵지요.」

그때였다. 도포짜리의 이배치를 붙잡고 포달을 떨던 솟대쟁이 계집이 몽당치마 아래로 손을 집어넣더니 꿰밋돈을 집어내어 발아래 놓았다. 진작부터 담배장수 하는 꼴을 눈여겨보았던 계집이 울바자 사이에 흘린 꿰미를 챙긴 것이었고, 실물한 것만 찾는다면 방면하겠다는 양반의 말에 앞뒤 생각 없이 챙긴 꿰미를 내놓은 것이었다. 그러나 계집이 그것을 내놓음으로써 주막 안에 들어 있는 상단들 전부가 언걸입어 영락없는 들치기, 소매치기 들의 패거리로 허물을 뒤집어쓰게 되었다.

꿰밋돈이 난데없이 계집의 사추리 속에서 나오자 숯빛이 된 건 양반 일행들이었다. 둘러선 상단 일행들 전부가 패악질에 악업을 저지르고 다니는 패자들로 보였으니 아침 요기고 나발이고 할 것 없이 노속들을 윽박지르고 무명 실은 복마들을 족쳐서 득달같이 발행 준비 서두르라고 소리 질렀다. 염량 빠른 노속들이 그것을 모르겠는가. 화적의 무리 속에 뛰어든 것으로 눈치 챈 노속들이 사추리에 바람이 일도록 서둘러 댔다. 이참에 어느 누가 핵변을 한들 귀담아들

156

을 성싶지가 않았다. 모여 선 장사치들은 우두망찰인데 양반 일행 서두르는 꼴이 처음에 고달을 빼던 것과는 너무나 예사롭지가 않았다. 힘깨나 쓴다는 노속들도 두엇 거느리었지만 한다면 중과부적일 테고 한 꿰미의 엽전을 건지려다 무명짐하며 가마 속의 아녀자가 겁간을 당할지도 모르니 대중없이 주막거리에서 대척하고 섰던 게 가관이었다 싶었다. 계집이 내미는 꿰미를 챙길 엄두가 나지 않았던 건 물론이요, 숫막에 미리 시켜 놓았던 아침동자도 핑계하여 자시지 않았다. 더 이상 옥신각신할 필요도 없이 두 사람은 자연 방면이 되었고 양반 일행도 숫막 앞을 뜬 것까지는 좋았으나 뒤에 남은 상단들의 일이 낭패였다.

양반 일행은 이제 전주로 내려가면서 하다못해 역참의 역졸들이라도 만난다면 새말 주막거리에 화적 떼가 나타났다고 나발을 있는 대로 불 터이니 담배장수 상단이나 숫대쟁이들은 물론이요, 길소개 일행조차 나루 한번 온전히 건너기도 어렵게 되었다. 더욱이 길소개는 작자들과 오랫동안 수작을 주고받았던 터수이니 각 고을에 신칙된 용모파기라도 나돌 판세까지 생각지 않을 수가 없었다. 일은 난감하게 되었으나 부상(負商)들의 체통을 그르치고 법도 어긋난 패악질을 한 담배장수란 놈을 그냥 둘 수는 없었다.

항간의 부상들 중에는 불효부제(不孝不悌)*한 자가 많았고, 선배에게 오만한 자, 같은 부상끼리나 시골고라리들에게 억매흥정*으로 몽리를 취하는 자, 성벽이 완악하고 패악한 행동을 일삼는 자, 주색잡기에 탐닉하여 부상의 체통에 똥칠을 일삼는 자, 불의를 서슴없이 범하는 자, 동료들을 대함에 언사가 불공한 자, 연소자나 노닥다리라 하여 업신여기거나 능멸하는 자, 질병 중인 동료를 못 본 체하고 방기

---

*불효부제 : 부모에게 효도하지 못하고 어른에게 공손하지 못함.
*억매흥정 : 억지로 사고파는 흥정.

하는 자, 동료가 죽었는데도 문상하지 않는 자가 같은 부상들의 눈에 뜨일 경우 어느 시기 처소를 막론하고 발론하여 중벌을 내리었다.

물론 동료를 사사로이 결딴내거나 징벌할 수는 없고 인근의 임소(任所)나 도방(道房)에 통기를 올리거나 결박을 지어 이송하는 것으로 체면을 다한다 할 수도 있었다. 중죄다 혹은 작폐를 하였다 하여 아무나 징치를 하려 든다면 힘꼴이나 쓴다는 무뢰배나 소악패들이 이를 핑계 삼아 힘없고 굶주린 보부상들을 손찌검하려 들 터이니 일이 났다고 하여 사그리 조질 일은 아니었다.

보부상들이란 그 정상(情狀)을 돌아보건대 항상 헐벗고 굶주려 있는지라 곱사등이처럼 허리를 구부리고 밑천 짧은 행상으로 호구(糊口)만을 위하여 풍우와 한서(寒暑)에 부대끼고 들에서 노숙하며 팔도를 가재처럼 기어다닐 수밖에 없는 처지였다. 아전에 발리고 양반에게 등을 치이고 거상(巨商)들의 농간에 쫓기니, 무슨 기운으로 어느 여가(餘暇)에 방자한 작폐를 저지를 수 있을까. 그런데도 불구하고 근자에 이르러 보부상들이 부민을 괴롭히고 민폐를 자행하고 있는 듯이 지목하고 있으니 실로 딱한 일이 아닐 수 없었다. 항간에는 보부상들이 향곡의 농토를 억매흥정으로 빼앗거나 양민을 모함 잡아서 전답에 관한 쟁송(爭訟)이 도처에서 일어나고 그들이 남의 선산을 억지로 파헤쳐 버리기 때문에 산송(山訟)이 잦다는 풍문 또한 낭자하였다. 재산에 관한 소송이 생기는 것도 보부상들이 여가(閭家)의 재물을 기묘한 수단으로 강탈해 간 때문이라 하여 공연한 원성이 자자하였다. 그러므로 사람들은 보부상들을 못마땅하게 여겨 눈을 흘기고 기다리다가 꼬투리만 잡히면 작패하여 봉변을 놓기 일쑤이니 거기에 또한 법이 없었다. 그것에 반하여 보부상들 역시 비위에 거슬리는 향곡의 토호들이나 아전들을 묶어 내어 강포의 욕을 보이는 행사조차 저지르게 되니, 양쪽이 전부 그처럼 명분이 없는 짓

158

을 저지르고서야 양민들이 하루인들 마음놓고 살 수가 있었겠는가. 그러나 대개 이러한 행패란 놀고 먹는 설레꾼이나 왈짜들 같은 무뢰배들의 소행이 대부분이었고, 알고 보면 원상(原商)들과는 아무런 관계가 없다는 것이 판명되곤 하였다.

그것이 풍속에 없는 일이긴 하되 임소의 권리 행사를 차용하여 소매치기한 담배장수를 여럿이 바라보는 가운데서 징치하려는 길소개의 속내는 돌려 생각하면 실추한 보부상의 체통을 되찾는 길이 지금 여기에선 그 방도밖에 없다는 생각에서였다.

「행수가 뉘시오?」

숯대쟁이패들과 나무장수들을 멀찌감치 내친 다음, 길소개는 숯막 툇마루에 웅기중기 걸터앉은 상단들 쪽으로 시선을 주며 정중히 물었다.

나이가 50줄에 든 것은 틀림없어 보였으나 체구만은 건장해 보이는 사내가 등토시에 찔러 넣었던 손을 빼며 앞으로 나왔다. 때묻은 솜뭉치가 궐자의 패랭이에서 달랑거렸고 짧은 바지가 썰렁하니 매달린 아랫도리가 오줄없는 오리다리처럼 지저분하였다.

「동무이시오니까?」

궐한이 길소개의 코앞에 마주 서면서 패랭이가 떨어지나 싶게 고개를 깊게 숙이며 초인사를 올렸다.

길소개가 궐한의 말을 받았다.

「초인사는 올린 처지옵니다만 거주는 상달치 못하였습니다.」

「피차 일반입니다. 사촌지도리(四寸之道理)에 그렇지 못할 터인데 금일에야 거북한 노상 상봉을 하게 되었으니 정의(情誼)가 매우 불민하게 되었습니다.」

「어디로 놀아 계십니까? 하생 살기는 황해도 신천이 지본이올시다.」

「좋은 곳에 놀아 계십니다. 하생의 지본은 경기도 경강 인근의 둥그재[圓峴]이옵니다. 박가 성 가진 고로 박경기(朴京畿)라 존행하옵지요. 하생도 작년에 신천에 들른 일이 있사옵는데 산천이 빼어났더이다.」

「어찌 좋기를 바라겠습니까? 신천이야 일개 산협지군(山峽之郡)에 아무것도 보잘것이 없고 그저 여러 동무님들이 애호하여 주신 덕분으로 의지하여 살아갈 뿐입니다.」

「귀소(貴所) 웃영감(令監)이시나 여러 공원(公員), 여러 집사(執事)나 한산노공원(閑散老公員)이시나 상봉하솔(上奉下率)하옵시고 무사태평히 지내시고 임방 동무도 별다른 방해 지장이 없이 마음대로 생각대로 잘 보살피십니까?」

「하념지덕택으로 모두들 안녕하시고 무사태평이십니다.」

「별호(別號)를 뉘 댁이라 하십니까?」

「슬하에 찾자 하시면 어찌 일단 방자히 별호 있게 다니리까마는 부상지명(負商之名)이 소중하옵고 길가(吉哥) 성 가진 고로 길신천(吉信川)이라 존행하옵니다.」

「황망히 말씀드리오나 저희 동료 중에 불미한 자가 있어 부상의 이름을 더럽혀 놓았으니 한낱 보잘것없는 행수로 여기 모이신 동무들에게 면목이 있을 턱이 없고 또한 임방의 영감이나 공원, 집사들에게 욕을 돌리게 되었으니 이 낭패를 거행할 길이 없게 되었습니다. 원컨대 동무의 도움을 받자와 장차의 일을 거행코자 합니다.」

「다행히 향곡에 묻힌 보잘것없는 남행 부스러기들이라 부추기고 공갈을 놓는 바람에 궐자가 방면되는 다행은 보았으나, 더욱이 항간에 보부상을 모칭하여 작폐를 예사로이 저지르고 다니는 무뢰배들이 있어 민심을 더럽히니 이는 마땅히 임소에 보장을 내어 징치함이 원칙입니다. 우리가 이런대로 덮어 두고 작로를 하였다가는 여기 모인 양민들이나 또한 숫막의 술어미들까지 우리를 소매치기나 화적으로 지목하기 십상이게 되었으니 중인소시한 가운데 궐자를 징치하여 부상의 도리와 체통이 어떠한가를 보여 주어야 하겠습니다. 그러하니 동무께서도 대의명분을 따라 궐자를 구초하여 징벌을 내림에 오해가 없을 것은 물론이요, 이 일에 협조를 하심이 부상으로서의 도리인 줄 알겠습니다.」

「옳은 말씀입니다. 궐자도 소매치기가 아니라 엄연히 채장을 가진 보부상임에는 틀림이 없으나 새벽나절 빈속에 잠시 숫대쟁이 계집과 정분을 트고 나더니 눈이 뒤집혀 전사에 없던 악업을 저질러 버렸으니 해포이웃으로 오륙 년을 작반하였으나 행중의 패륜을 사사로운 정의에 밀려 두고 볼 수만은 없는 노릇입니다.」

박가 성 가졌다는 행수가 뒤돌아서 툇마루에 늘어앉은 동료들에게 개연한 어조로 일렀다.

「장문을 놓아라.」

그와 함께 행중이 일제히 일어나면서 그 말에 화답하듯 받아넘기었다.

「장문을 놓아라.」

두 사람이 소매를 걷어붙이고 앞으로 나서더니 탈기하고 주저앉아서 사시나무 떨듯 하고 있는 궐한과 마주 보는 자리에다 장문을 놓았다.

「저리들 비키시오.」

행수가 목청을 길게 뽑아 올리며 둘러선 나무장수들과 떡장수며 주막의 중노미 녀석을 두어 칸 밖으로 내치었다.

장문을 놓는 법은 용두(龍頭)가 새겨진 촉작대 두 개의 끝을 숙마바로 마주 잡아맨 다음 문(門)과 같이 서로 마주 보게 괴어 놓는 것을 이름이다. 이 장문을 설치한 도방 앞에는 으레껏 잡인의 접근이 금지되었다. 장문을 세운 이상은 설혹 양반의 지체라 하더라도 이를 방자히 자빠뜨리거나 넘어 다니지도 못하였다. 만약 그런 무례를 저지르는 자가 있다면 상단들이 지체 없이 달려들어 물고를 내었으니 관아에서도 이는 묵인하였다. 장문을 놓고 죄를 범한 부상을 징치함에도 그 죄가 경하면 부상들은 누구나 가지고 다니던 태(笞) 세 개를 가져다가 볼기로 징치하고 만약 그 죄가 중하면 멍석말이 난장질로 다스리거나 기왓장꿇림으로 하초를 결딴내어 버리기도 하였다. 보상(褓商) 풍습에서는 죄가 경하면 그들이 지니고 다니던 유척(鍮尺)*으로 다스리되 중하면 역시 멍석말이로 다스리었다. 보부상으로 아주 돌이킬 수 없는 죄과가 있으면 장살(杖殺)에까지 이르기도 하였으니 언제 어디서나 이 보부상의 장문이 놓인 걸 보면 당사자를 추쇄하던 형방 나졸인들 장문의 징벌이 끝나기를 기다려야 했다. 그처럼 장문이란 보부상들에겐 지엄한 국법에 견줄 바 되었으니 아무도 이를 피할 도리만은 없었다. 하물며 시중의 무뢰배들이나 왈짜들이 장문을 섣불리 흉내 내었다는 사실이 임소에 통기되었다 하면 십중팔구 후미진 고샅이나 산협 길 속에서 싸늘한 시체로 발견되거나 양물을 잘라 끝내 일신을 망쳐 놓고 말았다. 그러므로 경향 각지를 횡행하는 무뢰배들이 보부상을 모칭하여 양민을 괴롭힌다 하더라도 그 방법에 있어 장문만은 놓지 못하였으니 그것은 채장을 지닌 보부상들만이 유일하게 누릴 수 있는 특권인 동시에 그들이 규율을 유지하는 마지막 수단이기도 하였다. 장문을 당하는 죄인도 장문 앞에서는 백 가지 변백이 통하지 않았고, 설혹 반평생을 작반 튼 동료라 할지라도 징벌에 참여케 함으로써 교훈으로 삼았다.

---

*유척 : 놋쇠로 만든 표준 자.

숫막 뜨락에 엎쳐진 담배장수 역시 장문이 어떠하다는 것을 알고 있는 인사였던지 결박이 풀어지고 상투가 풀리었으나 단 한 발짝인들 달아날 엄두를 못 내고 외꽃처럼 샛노란 얼굴로 앞에 버티고 선 길가와 행수를 쳐다볼 뿐이었다. 욱기 있던 사내의 형용이 초췌하기 이를 데 없어 뱃심 없는 아녀자들이야 진작부터 얼굴을 돌려 버리었다.

「헌 기직자리라도 한 닢 구처해서 깔아 주고 모양을 내지요.」

염소수염에 체수 작은 동패 한 사람이 그렇게 말하고 숫막 뒤곁 측간 쪽으로 돌아가서 너덜너덜한 기직자리를 구해다가 장문 놓은 아래에다 깔고 궐한을 그 위에다 꿇어 엎치었다. 저들의 행수가 궐한의 앞으로 나아가며 큰 소리로 꾸짖었다.

「네놈이 오늘 요기참에 저지른 중죄는 사사로이는 남의 만금 재산을 힘들이지 않고 억탈하려는 의뭉스러운 악심의 발동으로 저지른 소행이되 크게는 선길장수들의 규율과 체통을 더럽힌 중죄이었으니, 그로 인하여 조선 팔도 외방(外方)을 내 집같이 발섭(跋涉)하는 선길장수들이 언걸입게 되었다. 너도 더욱이나 인두겁을 쓴 놈이라면 오늘의 징벌에 사사로이 앙심을 품어서는 안 된다.」

「……」

「입초에 올리기는 뭣하지만 그전에 한 가지 발기 잡을 일이 있다. 아까 보니까 떠돌이 행중에 솟대타기 계집과 정분을 트는 것 같았는데 그랬다면 몸 정분낸 해우채는 진작 건네주었더냐?」

모여 선 나무장수들의 표정이 자못 씁쓰레한데 궐한은 더욱 고개를 조아렸다.

「일찍이 화초방 들락거릴 신세가 못 되는 부평초로, 길가에서 색기 등천하는 계집을 만나면 자연 불알 찬 놈으로 양기가 승해지는 법이니 몸 정분낸 걸 탓하려는 건 아니다. 그러나 그것 또한 거래

상의 도리를 중히 여기는 선길장수들대로 양상화매(兩相和賣)*의
순리에 따라야 하는 법, 정분낸 꽃값에도 감히 억매흥정은 없었더
냐는 것이다.」

「그런 일만은 없었습니다.」

「밑엣품을 놓은 계집은 나중에 따로 닦달을 받을 터인즉 언감생심
한 올의 거짓이 없어야 한다?」

「제가 꽃값으로 치른 고린전은 얼추잡아서 상목 한 자투리값은 되
었으니까요.」

「그럼 그 말은 우선 믿기로 하고 네놈이 오늘 저지른 행악으로 보
아 진작부터 장삿길은 그저 흉내뿐이요, 시골 무지렁이들이 잠시
한눈을 파는 사이에 전대나 털고 소매치기나 하는 무뢰배일시 분
명한데, 네놈이 가진 채장은 뉘게서 가로챈 것이냐?」

「아니옵니다. 저도 엄연한 원상으로 몇 푼의 이문으로 연명하는
것을 천행으로 삼았으나 오늘 우연히 만난 여자가 행중에서 빠져
나올 심사라기에 은근히 마음이 기울던 중 양반의 소맷자락에 든
꿰미를 보자 눈이 뒤집혀 앞뒤 견주어 볼 겨를 없이 그런 악업을
저지르고 말았습니다요.」

「그럼 계집이 자청하여 네놈이 흘린 꿰미를 챙긴 것인데 그것도
우연이란 말이냐?」

「그렇습니다. 여자로 말하면 세거리에서 처음 만난 생면부지로 잠
시 정분을 낸 것뿐입니다. 저 여자와는 진작부터 작당한 일이 없
으니 제발 여자만은 타박하지 말아 주십시오.」

「이놈, 매화타령 그만 거두어라. 거두절미하고 멍석말이를 달게
받겠느냐?」

---

*양상화매 : 서로가 흡족한 흥정의 거래.

「그것으로 제 부정한 허물이 고쳐지고 선길장수 체통을 되찾는 것에 이바지한다면 칼산지옥으로 떨어진들 어찌 피할 수가 있겠습니까?」

「네 작정이 그러하다니 고맙구나.」

「진심이 아니면 벌써 줄행랑을 놓았겠지요.」

「채장과 자문은 내놓아라.」

궐한은 괴춤 안 사추리 속으로 손을 넣어 땟국이 묻은 전대를 풀어내고 꼬깃꼬깃하게 접힌 채장과 자문 두 장을 저들의 행수 발 앞에다 내놓았다. 궐한의 손은 떨리었고 얼굴은 이미 백지장 같았다. 채장이나 자문을 내놓으란 뜻은 이참에 그것을 압수하겠다는 것이요, 그것이 압수되면 이제 부상으로서의 행세는 끝장임을 궐한 또한 모를 리 없었다. 중죄를 저지른 보부상이 채장을 압수당하면 그 명찰이 도방 임록에 올라 이제 팔도의 어느 구석에서든 보부상의 행세로는 연명도 지탱도 할 수 없었다.

「모양을 내어라.」

궐자를 구초하던 행수 격인 박가가 소리치니 주위에 둘러섰던 담배장수들이 일호백낙(一呼百諾)*으로 달려들어 궐한의 윗옷과 바지를 삭숭이가 훤히 드러나게 사(私) 두지 않고 벗긴 다음 삼노로 꼰 박다위*로 뒷결박을 단단히 짓고 밀삐끈을 구해다가 뒷결박에 연이은 다음 한끝을 숫막 천장의 보꾹에다가 잡아매었다. 난장질에 못 이겨도 감히 도망만은 할 수 없게 닦달하자는 뜻이었다.

행수가 한 사람을 불러 멍석 한 닢을 구해 오도록 하였고 멍석이 흠씬 젖도록 물을 퍼부었다.

---

*일호백낙 : 한 사람이 소리 내어 외치면 여러 사람이 예 하고 그에 따름.

*박다위 : 종이나 삼노를 꼬아서 길게 엮어 만든 멜빵. 짐짝을 걸어서 메는 데에 쓴다.

「거행하여라.」

궐한의 벗긴 알몸뚱이 위에 젖은 멍석을 뒤집어씌우고 뜰 한가운데다 말아 눕히자 둘러섰던 치들이 참 두지 않고 달려들어 겨끔내기로 난장을 퍼부으니 젖은 멍석은 매마다 골이 깊게 패었으나 어느 한 사람인들 사를 두어 게으름을 피우지 않았다. 풍진 세상 이녕(泥濘)* 속을 해포이웃으로 설움을 나누며 초개 같은 목숨들을 일련탁생(一蓮托生)*으로 걸었으되 불의를 저지른 동료를 다스림에는 사사로운 정의에 매달리지 않았던 게 또한 그들의 뼈아픈 풍습이었다.

울바자 바깥으로 내쫓긴 술어미와 아녀자들은 멍석 위로 옹골찬 매질이 떨어질 적마다 떡 치는 소리가 나고 점점 잦아지는 멍석 안의 비명 소리에 가슴의 피가 마르는 듯하였다.

「그만 거행커라.」

삭신이 걸레쪽처럼 너덜너덜해진 궐한을 멍석에서 끌어냈으나 혼절해서 깨어날 줄 몰랐고 엉덩이의 살점이 멍석 자락에 묻어 나왔다. 쑥대머리에 얼굴은 피가 낭자하였고 팔과 다리가 제각기로 놀았다. 그때까지 울바자 밖에 쭈그리고 앉아 낙루하기 마지않았던 솟대쟁이 계집이 뜨락 안으로 쭈르르 달려와서 엎어진 궐한의 등 위에 쓰러졌다.

「아무리 손버릇이 나쁜 병통이 있었기로서니 대명천지 밝은 대낮에 이런 행악들이 어디 있소?」

뒤꼭지 떨어진 미투리를 벗어 꽁꽁 언 땅을 치며 계집이 포달을 떨었으되 어느 누구도 감히 궐한을 보비위하려거나 처연한 얼굴로

---

*이녕 : 진창.

*일련탁생 : 죽은 뒤에도 함께 극락정토에서 같은 연꽃 위에 왕생한다는 뜻. 어떤 일의 선악이나 결과에 대한 예견에 관계없이 끝까지 행동과 운명을 함께함을 비유적으로 이르는 말.

바라보지도 않았다. 원두한이 쓴 외 보듯,* 터진 꽈리 보듯 하였다.

「궐자를 두고 가시려우?」

뒷전에 물러섰던 길소개가 행수 격인 박경기를 보고 넌지시 물었으나 그는 고개도 돌리지 않고 대답하였다.

「할 수 없지요. 시생들이 아무리 성명없는 선길장수이기로서니 남의 소매를 턴 패자와 또다시 작반할 수야 없지 않습니까?」

「궐자의 일이 낭패요. 거기다가 채장에다 자문까지 압수당하였으니 이제 궐자가 살아남을 길이란 걸립패가 되거나 솟대쟁이 행중을 따라가는 수밖에 없게 되었소. 조금의 객비나 나누어 드리지요?」

「고린전인들 그럴 순 없습니다.」

그때까지 엎디어 꺼이꺼이 울음을 삼키던 계집이 복장을 치며 푸념하기를,

「걱정도 팔자들이시우. 나 낳은 후에야 어미 뭐가 바르거나 기울거나 무슨 상관들이시우? 내 팔자가 당초부터 기박하여 솟대쟁이들을 따라 부지거처하는 입장이나 이 지경이 된 사내를 그냥 두고 길을 뜰 염치만은 없소이다. 물에 빠져도 줌치 하나밖에 뜰 것 없는 신세요만 내 이녁과 작반하리다.」

「장독* 구완을 해본 적이 있느냐?」

담배장수 한 사람이 물었다.

「상것으로 태어난 죄로 장독 구완은 이력이 났소이다.」

「한 열흘 애써 조섭한다면 측간 길 행보는 할 만하리라.」

「행보고 뭣이고 어서들 뜨시오. 보기도 싫소.」

---

*원두한이 쓴 외 보듯 : 원두한이 팔 수 없는 쓴 오이를 본다는 뜻으로, 남을 멸시하거나 무시함을 이르는 말.
*장독 : 곤장 따위로 매를 몹시 맞아서 생긴 독.

「요 박살할 년, 악담하지 마라. 긴 밤 정분을 튼 주제도 아니고 헛간에서 잠시 요분질한 사이를 가지고 흡사 초례 치른 가시버시처럼 구는 게 맹랑하구나.」

담배장수가 결판지게 꾸짖었으나 계집은 무안을 타기는커녕 되레 눈을 모질게 뜨고 욱기 돋워 응대함이 지체 없었다.

「긴 정분이었든 짧은 정분이었든 네놈이 조방질 않았거든 입 닥쳐라. 소매가 스쳐도 인연이라 하였다. 곡절이야 어찌 되었든 해포 이웃으로 상종하던 처지는 헤이지 않고 잠시 행신이 비루했던 동패를 난장질로 육신을 찢느냐? 사해가 형제지간이랄 때는 언제고 형제를 넘치로 만들 때는 언제냐?」

「그것이 도방 풍속인 걸 어떡하나. 자네 복안이 정히 그러하니 그 흐벅진 육덕을 팔아서라도 장독 구완을 하면 그리 어렵지는 않겠네.」

「비루 오른 강아지가 호랑이 복장거리 시키더라고 돈만 있으면 개도 멍첨지다, 이놈들. 내 솟대타기가 아니라 소맷동냥을 해서라도 이녁을 살려 내리라, 이놈들.」

「헛 고년, 생긴 것도 반반하고 입정 하나는 종시 더럽되 국량은 여염집 계집보다 텄네그려.」

「범을 그리되 뼈를 그리기가 어렵고 사람을 사귀어 그 마음을 알아내기 어렵다고 하였다. 본데없이 떠도는 너희놈들이 상계집의 깊은 연충을 어찌 짐작인들 하겠느냐? 양반에 털리고 동패에게 난장질당한 이 불쌍한 떠돌이를 내가 아니면 누가 구완할꼬…….」

「언감생심 이 사단을 두고 모함 잡을 작정을 하였다간 네년 살아 남지 못하리라.」

처연한 낯짝으로 계집을 내려다보던 솟대쟁이 패거리들이 초주검이 된 담배장수를 들쳐 업어 숫막의 정지방으로 옮겨다 눕히었다.

정지방이래야 사명당이 월참(越站)*을 해야 할 정도로 차가웠으나 한뎃바람에 사람을 마냥 눕혀 놓을 수는 없었다.

난장질을 한 부상들이나 난장질에 육신을 내맡기었던 위인이나 그 신분이 지체 없는 상것들이긴 마찬가지였다. 그랬으니 서로가 뒷맛이 개운할 리 없었다. 누가 누구를 다스리며 또한 누굴 탓할 수가 있을까. 계집이 내뱉은 말마따나 사해 속의 형제지간이라 호칭하던 처지에 동료를 징치한다는 일이 따지고 보면 봉사 제자리 뜯기요, 누워서 침 뱉기가 아니던가. 그 괴로움을 숫대쟁이 계집이 또한 헤이지 못하리라. 그러나 동료를 버리고 발행하려던 마당에 그 계집이라도 인연하지 않았더라면 아마 궐자는 죽기만 기다릴 처지가 되었을 것이었다.

행수 격인 박경기가 그래도 뒤끝이 켕기었던지 정지로 올라서서 외짝바라지를 열고 혼잣소리처럼 중얼거렸다.

「여보시오들, 장창(杖瘡)에는 오황산(五黃散)을 발라 주는 것이 그 중 으뜸이오.」

꼭뒤잡이인 노닥다리가 시선에다 뒤틀린 심사를 새파랗게 꿰고 박경기를 흡떠 보았다.

「거 뉘신지는 모르겠소만 아는 걸 보니 소강절(邵康節)* 똥구멍에 움막 짓고 살겠소. 원기 부족증에는 육미(六味)·팔미(八味)·십전대보탕(十全大補湯), 비위 허약한 데 삼출탕(三出湯), 주체(酒滯)에는 대금음자(對金飮子), 주독(酒毒)에는 석갈탕(石葛湯), 담증(痰症)에는 도씨도담탕(陶氏導痰湯), 회충에는 건리탕(建理湯), 소변 불통에는 우공산(禹功散), 대변 불통에는 육신환(六神丸), 임질에는 오림산(五淋散), 설사에는 위령탕(胃笭湯), 관격(關格)에는 소체

---

*월참 : 쉬지 않고 참을 그냥 지남.

*소강절 : 중국 북송의 학자 '소옹'의 성과 시호를 함께 이르는 이름.

환(消滯丸), 방사(房事) 후에 쌍화탕, 솟대쟁이들도 가난이 제격이라 없어 그렇지 알 건 다 알고 있소. 더 이상 간섭 말고 댁네들 가는 길에 돌에 차이지나 마슈.」

3

담배장수들이 발행하는 것을 기다려 길소개와 이용익도 숫막을 뜨고 말았다. 여산에서 전주까지는 줄잡아 70리나 상거한 거리였다. 거북한 소간사를 만나 세거리에서 오래 지체하긴 하였으나 나귀를 바삐 몬다면 해동갑쯤에는 전주 인근에 닿을 수 있을 거였다. 그러나 앞서 내뺀 양반 일행의 작간으로 중도에서 원(院)이라도 만나면 기찰이나 당하지 않을까 하여 쪽 곧은 길을 잠시 버리고 용화산(龍華山) 아랫녘으로 작로를 꺾어 탄곡〔炭峙〕의 쑥고개를 만나서야 우서면(紆西面) 쪽으로 말머리를 돌렸다.

우서면은 전주 부중과는 20리를 상거한 곳이요, 여산 고을에서 내려오는 행인들이나 장사치들이 우서면 장터거리에서 일단 목을 축이고 숨을 돌려 임실(任實)이나 태인(泰仁)으로 빠질 일행은 나루를 건너 사직단 앞을 지나 화산서원(華山書院) 앞으로 곧장 내려가고, 부중으로 들어갈 사람들은 서원 앞에서 왼편으로 길을 꺾어 서천교(西川橋)를 건너면 되었다.

우서면 장터거리는 또한 북부북면(北府北面)으로 들어가는 나룻목 초입이기도 하였다. 부중에서 20리를 상거하였지만 나루만 건너면 북문이 바로 옆어지면 코 닿을 자리였다. 애써 객사 코밑까지 들어갈 까닭이 없는 장사치들이나 행탁이 넉넉지 못한 원행객들이 우서면 장터거리에서 아예 묵었다가 새벽녘에 부중으로 들어가는 방법을 취하였다. 장터거리에는 큰 장시가 이루어지는 것은 아니었지만 나룻목이었는 데다가 양반 행차가 머무는 보행객주도 서너 집 있어서 아침나절과 숙박질할 길손들이 들이닥치는 해 질 저녁만은 꽤 분주를 떨었다.

조성준은 우서면 장터거리에서 길소개 일행과 재장구치기로 약조한 터였다. 김학준의 수하것들이 둔갑장신할 재간을 가졌기로 노정을 달리하여 여기까지 도착한 조성준 일행을 수탐치는 못하리란 것이 그들의 짐작이었다.

숫막이 즐비한 장터거리 한복판으로 지향 없이 나귀를 몰다가 마침 맞춤한 마방을 발견하고 우선 나귀부터 맡겼다. 마방 딸린 숫막이 따로 없어 보이는 데다 이 지경에 와서는 나귀도 사람도 굴신 못하도록 지쳤기 때문이다. 마방을 나와 거리 윗녘으로 한참이나 걸어가는데 뒤에서 부르는 소리가 들렸다.

「여보게들, 어딜 자꾸 가는가?」

돌아다보니 조성준이었다. 길가에서 문득 마주친 입장이라 세 사람은 한참 동안 말없이 서로를 번갈아 보기만 하였다. 조성준은 어제부터 두 사람을 장맞이할 요량으로 목을 지키고 섰다가 두 사람이 장터거리 초입에 들어서는 것을 진작 발견한 터였으나, 혹시나 김학준의 집사들이 세작(細作)*을 놓아 두 사람의 뒤를 미행하고 있지나 않을까 해서 사뭇 뒤따르다가 비로소 안심을 하고 불러 세운 거였다.

세 사람은 우선 길가에 있는 숫막의 술청으로 가서 앉았다. 권커니 잣거니 회포를 푼 것까지는 좋았으나 천소례라는 계집에게 봉패를 당한 길소개의 액운에는 복장을 쳤다.

「그 안갑을 할 년을 어찌할까?」

「그만두시오. 이것도 운수소관인데 누굴 타박하겠소. 용천뱅이 된

---

*세작 : 첩자. 간첩.

것보다야 낫겠지요. 다만 이 판에 탁주동이를 같이 부시지 못하고 있는 게 속 쓰릴 뿐입니다, 허허.」

용익이 곰방대에 시초를 다져 넣어 건네주자 길소개는 부기가 덜 빠진 조막손으로 설대를 받아 무는데 그 행동거지가 조성준의 가슴을 적잖이 후비었다.

그러나 김학준의 집 후원에서 그 일가붙이 계집을 겁간했다는 말을 듣고는 조성준도 웃음을 참지 못하였다.

「나로 인하여 동무 한 분의 신세를 그르쳤군. 그러나 기왕에 깨어진 쪽박으로 치부하고 차후로는 나와 동패로 작반토록 하오.」

「제 생각도 그렇습니다만, 폐가 될 성부르면 저도 성님 곁을 떠나야지요.」

「폐가 되다니? 풍속에 없는 말씀 하는 게 아니오. 나 역시 낙엽을 집어 밑을 닦는 신세이긴 매일반이나 횡액당한 이녁을 허우대 멀쩡한 내가 모른 체한다면 아마 날벼락을 맞을 거요.」

키 얕은 솔소반*에 놓은 푼주의 장떡을 손으로 뜯던 용익이 그적에 물었다.

「동여 온 김학준은 어떻게 하셨소?」

「살려 놓았네.」

「장차 어찌할 작정이시오? 궐자의 첩실이 길래* 가만있지는 않을 모양이던데요?」

「덤베북청으로 궐놈을 동여 오긴 하였으나 당장 물고를 낸다는 것도 후환이 남을 일이요, 평생토록 끌고 다닌다는 것도 우환이 남을 일이 아닌가. 또한 그로 인하여 내 동패가 봉패를 당하였으니 궐놈을 매양 놀고 먹일 수만은 없지. 내 복안대로라면 궐놈을 죽

*솔소반 : 작은 소반.
*길래 : 오래도록 길게.

172

을 때까지 소몰이꾼으로 부려 선길장수의 고통이 어떤가를 제 신수로 감당케 하고 싶구먼.」

이용익이 이르기를,

「궐놈으로 말하면 행수 어른의 천금 재산을 도륙 내고 또한 권솔을 욕보인 천하의 잡배가 아니오?」

「장살을 내자니 평생을 추쇄에 쫓길 것 같고 손재한 만큼의 어음표를 받아 내자니 또한 장부의 도리로선 떳떳지 못하다는 생각이 드네.」

두 사람의 수작을 듣고 있던 길소개가 조성준의 말을 손사래로 중동무이시키고,

「이 사단은 길게 끌 일이 아니오. 그렇다면 제가 궐놈과 담판을 짓고 졸가리를 따져 드리지요.」

「어찌할 작정이오?」

조성준이 뜨악해서 물었다.

「변죽만 떨어서 될 일이 아니지 않소? 성님이 궐놈에게 손재한 건 얼추잡아도 천 냥은 되지 않소? 천 냥에 연 이할변으로 따져도 삼 년이면 육백 냥이 아니오? 그걸 받아 냅시다. 그래 봐야 나락 백 섬 값이 채 못 되지 않소?」

「안 되오. 차라리 맹물에 조약돌 삶아 먹고 살아도 그 짓만은 할 수 없소. 흡사 오쟁이 진 사내가 왝댓값을 받아 내는 형국이 아니오?」

「이도 저도 아니라면, 그럼 무고한 사람을 예까지 동여 왔단 뜻이오? 까딱했다간 성님이 뒤말리기 십상이니 작정 단단히 하시오.」

세 사람은 숫막에서 일어났다. 조성준이 하처 잡은 곳은 분주한 주막거리와는 활 두어 바탕 거리쯤이나 뚝 떨어진 변두리였다. 겉으로는 예사로운 술막질집이었으되 비역살이 피둥피둥해 보이는 은근짜 막창이 서넛이나 있는 것으로 보아 술막질보다는 나루를 드나드

는 도부꾼, 깔따구, 설레꾼이나 군뢰배(軍牢輩)들을 조방질하여 화초방을 차려 주고 구문을 뜯어 수월찮이 재미를 보는 창가(娼家)인 것 같았다. 창가에 은밀히 드나드는 표객들이란 제 쪽에서 먼저 계면쩍게 마련이어서 창가에서 본 사람이면 구면이라도 낯선 체하기 일쑤이니 숨어 지내려는 사람에겐 그중 좋은 은신처가 되었다.

조성준은 창가의 뒤꼍 방을 얻어들어 있었는데, 요기 때가 되면 부담롱 속의 김학준에겐 구메밥*을 디밀어 연명케 하였다. 두 사람이 도착하기 전 김학준을 도륙 내지 않았던 것은 붕당의 힘으로 궐자를 동여 내게 되었다는 의리를 저버릴 수가 없었기 때문이다. 사사로이는 조성준의 원수일지언정 따져 보면 보부상 전체가 사정은 다르되 그런 액운에 걸려 있지 않은 이가 어디 있겠는가. 두 사람이 거사에 동조한 연유도 근본은 상호 부조에 있고 보면, 조성준은 임의로 궐자를 물고 낼 수만은 없었다.

저녁 요기를 하고 병문 밖에 인적이 끊어지기를 기다려 김학준을 강변 갈밭으로 끌고 나가서 2천 냥짜리 어음표를 받아 내든지 만약 불응이면 즉살을 시켜 갈밭 뻘 속에다 묻어 버릴 공론을 편 뒤 삼경이 넘어가길 기다리기로 하였다.

창가에는 밤이 깊어지자 제법 많은 표객들이 찾아들기 시작하였는데, 거개가 도붓쟁이들과 인근의 무뢰배들이었다. 어떤 놈은 억병으로 취해 대중없이 떠드는가 하면 어떤 놈은 꽃값 시비로 간나희* 들과 입에 담지 못할 욕지거리를 주고받았다. 해우채로는 무명 자투리나 곡식을 받기도 하였지만 어떤 놈이 닭을 훔쳐 와서 해우채로 따지니, 처음엔 배 쓿는 소리로* 사근사근하던 간나희들도 납독이

---

*구메밥 : 예전에, 옥에 갇힌 죄수에게 벽 구멍으로 몰래 들여보내던 밥.
*간나희 : 갈보.
*배 쓿는 소리 : 호의적으로 사근사근 달갑게 대꾸하는 말.

시퍼런 눈시울을 모질게 뜨고 욕지거리를 퍼부어 댔다.

삼경이 가까웠을까, 그 또한 조용하고 먼 데 개 짖는 소리가 제법 청승스럽고 긴 밤을 튼 표객들의 희학질 소리도 잠든 듯싶은데, 느닷없이 삽짝 밖이 분주시끌해지더니 난데없이 홰를 쳐든 교졸(校卒) 네댓이 뜨락 안으로 들어섰다. 들어서는 길로 곧장 주막쟁이를 불러내더니 귀엣말로 이르기를,

「우리가 뒤쫓던 화적 일당들이 자네 집에 들었다네. 그놈들이 무슨 소간으로 자네 집엘 들었는지 모르겠으나 우리가 적발할 때까지 집 안에 사람들이 드나들지 못하게 단단히 조치하게.」

주막쟁이란 것들은 무시때도 관속들의 눈치를 보아 가며 데데하게 살아가는 것들이라 장교의 말이 떨어지기 바쁘게 삽짝을 닫아걸고 봉노 다섯에 들어 있는 표객들이며 조성준 일행을 앞뜨락으로 불러 모았다. 들이닥친 교졸들을 찬찬히 살피건대 둘은 장교였으며 셋은 나졸들이었다. 그들은 이미 추쇄하던 화적 중 한 놈을 포착하여 뒷결박을 지어 놓았는데, 굴뚝에서 빼놓은 족제비 모양으로 외양이 지저분한 거며 목자 내굴리는 꼴이 천생 도둑질 아니면 해먹을 게 없어 뵈는 인사였다.

나졸 하나가 봉당에 쭈그리고 앉아 아홉을 휘둘러 보더니 포박된 양경장수에게로 가서 땅을 구르기를,

「이놈, 너와 작패했던 놈들을 이중에서 찾아내거라.」

「예, 저도 한번 쭉 둘러보아야 얼굴을 알아냅죠.」

궐놈이 주춤거리고 일어서더니 우선 표객들이 쭈그리고 앉은 상방(上房) 앞 봉당 쪽으로 가서 쭉 훑어보았다.

「여긴 없는뎁쇼.」

「그럼 저쪽을 보아라.」

나장(羅將)이가 조성준 일행을 가리켰다. 궐놈은 아까같이 다가와

선 한번 쭉 둘러보더니 역시 대답하였다.

「여기도 없는뎁쇼.」

그 말 떨어지기가 바쁘게 뒷짐 지고 섰던 장교가 버썩 욱기를 긁어 올리며 주막쟁이란 것을 보고 댓바람에 다그치기를,

「네 이놈, 거짓 발고하였구나. 네 집에 좆 단 놈이라고는 네놈 빼고는 아홉밖에 없다고 하지 않았더냐?」

「아니, 맹세코 아홉뿐입니다요. 쇤네가 어느 안전이라고 겁 없이 거짓을 발고하겠습니까요.」

「그럼 여기 들어온 도둑놈들이 하늘로 날았다는 거냐? 네놈이 씹어 먹었다는 거냐?」

「억탁의 말씀입니다. 쇤네의 가세가 적빈한 건 사실이오나 아직 인육을 삶아 연명한 적은 없습니다요.」

「얘들아, 안 되겠다. 봉놋방 횃대 뒤나 헛간 구석이며 고미다락에 한두 놈이 처박혀 있는지 이 잡듯 뒤져 보아라.」

물론 부담롱에 든 김학준이 나장이들에게 들킬 리는 만무하였다. 아무리 설마가 사람 잡는다고는 하지만 부담롱 속에 사람이 들었으리라고는 나졸 나부랭이가 눈치 채지 못할 거였다. 장교의 말이 떨어지자 나졸들이 봉노 바라지를 있는 대로 열어 젖히고, 세 사람이 들었던 뒤꼍 봉노까지 뒤지는 눈치였으나 예상했던 대로 빈손으로 돌아 나왔다.

「술아비의 말이 옳은 것 같습니다. 아마 낌새를 알아채고 월장을 한 것 같습니다.」

그러나 장교 두 놈은 그 말이 믿기 어려운 모양이었다. 방망이를 쳐들어 끓어 엎딘 양경장수란 놈의 어깨를 부러져라 내리치더니,

「이놈, 그놈들이 억적박적 노루뜀을 하며 이 집으로 뛰어든 것을 불과 몇 칸 뒤에서 쫓아오던 네놈도 보지 않았느냐? 그놈들이 죄

다 장달음을 놓을 말미가 없었느니라. 구린내는 나는데 방귀 뀐 놈이 없다는 수작 아니냐? 이는 네놈이 이중에 동패가 있는데도 불구하고 거짓으로 꾸며 대는 것에 불과한 것인즉, 이참에 토설치 않으면 홍살문 가기 전에 네놈을 즉살시킬 터이다. 전주 감영에 숨 쉬는 나찰이 있다는 말도 못 들었느냐?」

궐놈은 내려친 방망이질에 허리를 뒤꼬다가 간신히 일어서더니 느닷없이 조성준을 가리켰다. 물론 매질에 지레 겁을 먹은 궐놈이 임시변통으로 아무나 가리키고 나온 데 불과한 것이겠으나 운수치고는 액운이랄 수밖에 없었다. 장교가 지체 없이 소리 질렀다.

「저놈을 옭아라.」

조성준은 달려드는 나장이들을 밀막으며 턱짓을 했던 양경장수란 놈을 잡아먹을 듯 쏘아보았다.

「이놈, 아무리 분부가 어렵고 다급했기로서니 무고한 사람을 형방으로 떨어뜨려? 이놈아, 네놈이 매에 못 이기는 건 죽을 지경이고 무고한 도부꾼이 잡혀가서 고초당할 것은 생각지 않느냐? 당장 발기 잡힐 일을 충수*만 채운다고 무사부지할 듯싶으냐? 한 치 앞도 못 보는 반거충이 같은 놈.」

조성준의 발악에 대답을 한 건 양경장수가 아니고 장교였다.

「네놈이 정녕 무고하다면 내가 나서서도 핵변을 해줄 터이다. 그러니 여기서 기광을 부리지 말거라. 우리로선 이놈이 널 지목하였으니 당장 증거할 것이 없는 이상 우선은 옭아 가는 게 도둑 잡는 사람으로선 당연한 일이 아니냐?」

장교가 조성준의 기를 꺾은 뒤에 다시 양경장수를 뒤돌아보며 이르기를,

---

*충수: 정해 놓은 수효를 채움.

「그럼 다른 놈은 없느냐?」

아니나 다를까, 궐놈은 기왕에 벌인 춤이라 조성준과 동패인 듯싶은 가외의 두 사람을 물밀어 턱짓으로 가리켰다. 두 사람 역시 변백을 자자하니 늘어놓았으나 장교란 놈은 애당초 곧이들으려 하지 않았다. 나장이들이 득달같이 달려들어 두 사람을 거의 옴나위없이 포박하매 그 솜씨가 이력 나서 뼈마디가 으스러지는 것 같았다.

조성준 일행이 죄다 묶이어 이젠 조조 할미를 구워 먹었더라도 장달음을 놓을 여지가 없어지자 장교가 나졸에게 명하였다.

「너희들은 뒤꼍으로 돌아서 담을 넘어 고샅을 지켜라. 장달음을 놓은 한 놈이 분명 뒤끝이 미심쩍어 미구에 길을 되짚어 오거나 얼씬거릴 것이다. 담 아래서 지키고 섰다가 지체 없이 덮치어라.」

나졸들을 닦달하여 뒤꼍으로 보내 놓고 장교들은 꽤 오랫동안 세 사람을 지키고 서 있었다. 그러나 그적에까지 나졸들에게서 소식이 없자 난데없이 정지문 앞에 쭈그리고 선 주막쟁이를 불러 다시 귀엣말로,

「이놈들 숫자가 많아서 당장 끌고 갈 수가 없게 되었네. 그러나 나머지 한 놈을 날 새기 전에 잡아야 할 것인즉, 우리가 다시 사람들을 휘동(麾動)하여 보낼 때까지 자네가 궐놈들을 지켜 주어야 하겠네. 만약 그동안 좋지 못한 사단이 일어나서 궐놈들이 도망한다면 자네 역시 이놈들과 한통속으로 지목할 수밖에 없으니 자네 처신 자네가 알아서 하게. 자네의 귀양살이가 홑벽 하나에 가려 있네.」

주막쟁이에게 단단히 쐐기를 박은 다음 장교들은 걸어 둔 삽짝을 따고 나갔다. 쑥구렁이 꿩 잡아먹더라고 주막쟁이란 놈은 장교들이 나가자 아예 측간 서까래 하나를 잡아 빼들고 설치기 시작하였다. 세 사람 중에 한 사람이 모가지만 비틀어도 어깨쯤을 내려치는데, 귀먹은 놈 울고 있는 당나귀 하품하는 줄 알더라고 팔만 뼈끗하여도

178

지레 겁을 먹고 내리조지는 판국이었다. 이젠 차라리 관아로 끌려가서 순서 있게 구초를 당하는 게 오히려 심기나마 편하겠다 싶어 나졸들이 기다려지는데 닭이 첫홰를 치고 날이 희부옇게 밝아 오는 오경 초에 이르기까지 나졸들은 코빼기도 보이지 않았다.

한뎃바람 차가운 토방 위에 굴비처럼 엮이어 엎치었으니 이젠 누가 오라를 풀어 준대도 사람값을 못할 처지가 되었다. 관아로 끌려간다면야 그들의 결백이 지체 없이 발기 잡힐 일이거늘, 다만 그것을 기다려 나졸들이 어서 몰려오기만을 학수고대할 뿐이었다.

「일도 못 저지르고 불알에 똥칠만 한다더니 흡사 우리가 그 꼴이구려. 우리가 보쌈에 들었소.」

길소개가 더듬거리며 한숨 섞어 그렇게 말하였으나 조성준이나 이용익은 한마디 대척이 없었다.

길소개는 뭔가 짚여 오는 게 있어서 한 말이었으나 두 사람이 알아듣지 못하는 눈치이자, 그대로 입을 닫아 버리고 말았다. 물론 그것은 그럴 만한 까닭이 있었다. 달아난 한 놈을 찾는답시고 뒤꼍으로 돌아갔던 나장이 세 놈은 뒷방 구석에서 눈에 익지 않은 부담롱 하나를 발견하였고 돌아오는 길로 장교에게 눈짓으로 그것을 알렸다. 장교는 나졸 셋을 다시 뒤꼍으로 보내며 시늉만은 도망한 한 놈을 추쇄하란 지시를 내린 거였다. 나장이들은 부담롱을 꺼내 담을 넘긴 다음 그것을 메고 장터거리를 비켜 곧장 나루로 나가 주낙배 한 척을 띄웠다.

갈밭 사이로 배를 바삐 몰아 나루를 건넌 나장이들은 곧장 부담롱을 메고 정해 준 객줏집으로 갔다. 부담롱을 열었더니 악취가 풍기면서, 탈진되어 목숨이 오락가락하는 김학준이 두 눈을 허옇게 뜨고 누워 있었다.

「나으리이!」

나졸 행세이던 세 놈이 김학준을 보자 객줏집 구들장에 상투가 끌리게 코를 처박고 엎드리었다. 한 놈이 맥을 짚어 보는 시늉이었으나, 김학준은 종놈들에게 한마디 대답을 늘어놓을 기력도 없어 보였다. 세 놈은 행세옷인 쾌자(快子)를 벗어 던지고 눈자위가 허공에 달린 김학준을 끌어내어 보료 위에 눕히었다. 끌어낼 때 김학준은 겨우 희미하게 앓는 소리를 냈을 뿐 눈동자는 매양 허옇게 뜬 채였다.

　그때 보행객줏집 삽짝 밖이 어수선해지더니 의원을 부르러 나갔던 집사들이 방 안으로 들이닥치었고 뒤미처 초록 장옷으로 깊숙이 모양을 가린 여인이 방으로 들어왔다. 어찌 손을 써야 할지 기부터 질려 우두망찰인 노속들에게 여인이 일렀다.

　「밖에들 나가 있거라.」

　그렇게 말하고 있는 여인은 김학준의 첩실인 천소례였다. 오랫동안 진맥을 하고 앉아 있는 의원에게 천소례는 다급히 물었다.

　「용태가 어떠하십니까?」

　진맥에 귀를 맡기고 있던 의원이 대답하길,

　「기력이 워낙 쇠진하셨습니다. 그러나 곧장 손을 쓰면 그렇게 걱정할 일은 아닌 듯싶습니다요. 이대로 사흘만 더 지체하였더라면 구명이 어려울 것 같았습니다요……. 천명입니다요.」

　「만금 재산을 들인들 마다하겠습니까. 기력만 되찾을 수 있도록 조처해 주십시오.」

　「우선 몸부터 닦으셔야겠습니다요.」

　부담롱 안에서만 먹고 쌌기 때문에 온 방 안이 오물 냄새로 등천을 하여 도무지 코를 들이댈 처지가 아니었다. 우선 청심환 두어 알을 개어 입 안에 흘린 다음 객줏집 중노미를 시켜 더운물을 구처한 다음 천소례가 손수 김학준을 목간시키었다. 그동안 의원을 따라갔던 집사가 약첩을 들고 돌아왔다.

벌써 첫닭이 홰를 쳤는데 의원에겐 약값 외에 군돈까지 주어 이 사단을 만에 하나 입 밖으로 흘리지 않도록 닦달하는 일변 세작을 놓아 창가 봉당 앞에 묶어 둔 세 놈의 거동도 살피게 하였다. 날 샌 부엉이 꼴이 되었다 할지라도 조성준이 당한 것을 알면 더욱 기승을 부려 김학준의 행적을 수탐하려 들 것은 빤한 이치였다. 그러고 보면 일각을 다투어 전주 부중에서 자릴 뜨는 것이 상책이었다. 중도에서 달여 먹일 약첩을 챙기고 행리를 거두어 천소례 일행은 신행길 초례 가마를 가장하여 그 새벽으로 회정에 올랐다. 세 놈이 당했다는 것을 깨닫기 전에 어서 반 리라도 길을 벌어 두자는 심사에서였다.

장교 복색에 위조 장패(將牌)까지 찼던 집사는 신랑으로 가장하였고 천소례는 수모(手母)로 가장하여 김학준이 타고 있는 사인교(四人轎) 옆을 따랐다.

서천교를 건너고 사직단 앞을 단숨에 걸어 주낙배를 띄웠던 갈밭 나루에 다시 닿았다. 그러나 신행길을 가장한 터라면 주낙배를 타고 도강할 수는 없었다. 사공막을 찾아가서 사공을 깨웠으나 새벽잠에 취한 궐한이 도무지 고분고분하지 않았다. 더욱이나 배를 내려는 당사자들이 신행길임을 알고는 공연히 게트림을 토해 내며 고달을 빼고 늑장을 부리매, 이는 선가(船價) 이외의 두둑한 행하를 바라는 눈치임이 분명하였다. 그러나 엉덩이에 불을 달아맨 지경과 진배없는 천소례 일행이야 본데없는 사공놈과 거친 언사로 다투고만 있을 계제가 아니었다. 상목 반 필을 건네받고서야 사공놈은 겨우 배를 풀었다. 건너 도선목 어름에는 전주 부중으로 건너오려는 담배장수들이 노숙을 하고 있었으나 조성준 일행으로 보이는 패거리들은 한 놈도 비치지 않았다.

그들 신행길이 여산 고을이 지척인 새말 주막거리에 당도하였을 땐 동패들 장문형에 초주검이 된 담배장수 오득개(吳得介)가 하룻낮 하룻밤을 새말 숫막에 늘어져 누워, 솟대쟁이 행중의 어름사니* 계집인 난녀(蘭女)에게 구완을 받는 중에 있었다. 입정 사나운 주막쟁이를 문지르고 긁어서 군불 지핀 봉노에 오득개를 눕히긴 하였으나 행중의 어느 놈 하나, 행탁에 든 것이라곤 없었다. 인근 동네로 들어가서 한마당 놀고 놀이채라도 받아 쥐면 주막쟁이 신세를 갚겠으나, 이 한겨울에 미친놈 아니고는 무슨 신명으로 솟대쟁이들을 부르겠는가. 물론 오득개란 소매치기에 오금이 붙어 난데없는 재랄*을 떨고 있는 난녀를 두고 뜰 수도 있었다. 그러나 행중에 둘뿐인 어름사니 줄꾼 중에 난녀를 버리고 간다는 것은 용납할 수 없는 일이었다. 난녀를 잃으면 그나마 노숙에 수제빗국으로라도 순대를 채울 수 없는 판세라 우선은 계집이 하는 양을 지켜보는 수밖에 없었다.

그때, 숫막 울바자 밖이 어수선해지더니 신행길 사인교와 교군들이 우르르 뜨락 안으로 들어섰다. 교군들 수염에는 서리가 하얗게 내려앉았으나 등거리에는 땀들이 흠뻑 배어 나와 있었다. 그들은 가마 안에 탄 신부를 내려 안돈시키기 전에 주막쟁이를 불러내어 은근히 귀엣말로 이르기를,

「아랫목 뜨끈뜨끈한 봉노 둘만 내어 주시오.」

받아 쥔 행하는 과만하나 봉노 넷에 꽉 들어찬 객리(客裏)의 사람들을 구실 없이 내쫓을 수가 없어 낭패한 표정이 역력한데,

「거 보아하니 입장이 난처한 모양이구려. 그렇다면 하나라도 비워
   주구려.」

하며, 당장 입낙(立諾)을 못하고 있는 고충을 헤아리는 체하는지라 주막쟁이는 그 결에 힘을 얻어,

「그렇다면 잠깐만 기다리십시오.」

---

*어름사니 : 남사당패에서, 어름(줄타기) 재주를 부리는 광대.
*재랄 : 법석을 떨며 분별없이 하는 행동을 낮잡아 이르는 말.

주막쟁이가 아예 율기를 하고 들어간 봉노가 오득개와 난녀가 들어 있는 상방이었다. 아니래도 푼전도 없는 숫대쟁이들이 다 죽은 놈 하나를 눕혀 놓고 팥죽 단지에 새앙쥐 드나들듯 무시로 들쭉날쭉하는 품에 심사만 괴롭던 판이라 그 결에 내쫓을 작심을 한 거였다.

「이보게들, 밖에 신행길 든 행차가 방금 도착하였네. 아랫목이 그 중 뜨거운 봉노를 내달라니 앓는 사람을 두고 도리는 아니나 명색이 반명을 한다는 사람들의 분부이니 거역할 재간이 없네.」

주막쟁이가 제멋에 겨워 혀를 끌끌 차는데, 아니나 다를까, 난녀란 계집이 획 머리를 돌리며 대꾸를 하는데,

「천한 것들이나 귀한 것들이나 반명을 하건 못하건 지체가 다를지언정 너나없이 살아가는 풍속과 도리는 하나요. 아무리 양반 행차라 한들 목숨이 오락가락하는 사람을 한데로 내쫓으란 말이 웬 말이오?」

난녀의 갈라진 목소리는 뜨락에 늘어선 일행들의 귀에도 빤히 들릴 정도였다.

「어허, 이게 무슨 억지인가? 이 봉노 임자가 자네인가, 나인가?」

「임자가 누구인가를 따질 때가 아니라 인두겁을 쓰고 산다는 사람의 도리를 따져야 할 때가 아니오? 상놈의 목숨이라고 길바닥에 패대기를 쳐도 좋다고 양반 행차 어느 놈이 그럽디까?」

「어허 이년, 이제 보니까 어름사니가 아니고 깜냥 없는 왈패일세그려. 네년이 이 소매치기를 진작부터 두둔하고 나서는 품이 십분 수상하구나. 이놈이 네년의 거사(居士)나 되느냐?」

「굿 구경 하려거든 계면떡*이 나올 때까지더라고 서숙을 찬 주제에 기왕 행중의 사정을 보아 주기로 작정했으면 변심은 하지 말아

---

*계면떡 : 굿이 끝난 뒤에 무당이 구경꾼에게 나누어 주는 떡.

야지…….」

「이제 보니까 살판도 시원치 못하겠다, 이자의 칭병에 기대어 연
놈들이 며칠간이나마 한속을 덜자는 수작이 아니냐?」

「댁네 말에 허발이 많소. 아무리 풍각쟁이로 굴러먹는 신세이되
대중없이 몰아붙이는 게 아니오. 정히 그렇다면 제가 나가서 적선
을 구해 보리다.」

난녀는 득달같이 일어나더니 장지 앞을 막아선 주막쟁이를 밀치
고 숫막 뜨락으로 내달았다.

신랑 복색의 사내가 봉당 위에 서 있는 걸 보고 궐녀는 당장 그 녹
비혜를 잡고 늘어졌다.

「나으리, 살려 주십시오. 도부꾼 하나가 멍석말이 몰매질로 거의
죽게 되었습니다요. 행탁에 푼전도 없는 처지라 겨우 숫막 봉노
하나를 외상으로 들었더니 나으리 행차에 쫓겨나게 되었습니다
요. 여기도 숫막이 여럿이니 다른 곳으로 거행하옵시면 우리가 쫓
겨나지 않게 될 것 같습니다요.」

「도부꾼이 몰매를 맞다니, 그게 무슨 연유인가?」

「어제 이 숫막 뜰에서 부상들이 장문을 놓았습죠.」

「장문을 놓았더라고?」

「예.」

「어느 임방 상단이었더냐?」

「담배장수들이었으나 부리를 헌 놈은 손목이 잘린 구리수염 난 위
인이었습니다요.」

「건너 숫막으로 가자.」

난녀와 행세옷을 한 집사의 말을 그때까지 듣기만 하던 천소례가
말하였다. 난녀가 하던 지청구를 진작부터 귀담아듣고 있었던 터라
더 깊이 사정을 듣지 않더라도 저간의 형편이 어떠했던가를 짐작하

고 있었다.

　길 건너 숫막으로 비켜나서 잠시 한속들을 들이고 늦은 아침을 시켜 놓은 천소례는 노속들을 시켜 숯대쟁이 계집을 불러오게 하였다. 방자를 놓은 뒤 채 한숨 돌리지 않아서 그 계집이 노속을 따라 봉노로 들어왔다. 나이는 스무 살 안팎으로 보였으나 들어서는 길로 두 발짝 앞으로 와서 풀썩 문지방을 넘는 품이 제법 도도하였다. 행동거지가 두려움이 없으되 당돌하기 이를 데 없었고 시선을 내리깔지 않고 똑바로 사람을 쳐다봄에 비굴함은 없었으되 천기가 얼굴에 흠씬 배어 있었다. 발과 손이 사내의 것과 같았고 광대뼈까지 불쑥 솟아오른 품이 드센 팔자는 천생 타고난 꼴이었다.

「앉게.」

　율기를 하고 서 있는 계집에게 천소례는 해라였으나 은근한 목소리로 일렀다. 궐녀는 앉는 둥 마는 둥 하며 물었다.

「신행길 따라가는 수모인 줄 알았더니 마님이시구려. 마님께서 쇤네에게 물볼기를 내리시려는 겁니까?」

「아니다. 신행길에 어찌 함부로 사람을 욕보이겠느냐.」

　천소례는 가만히 웃었다.

「그럼 저 같은 천례(賤隷)*인 어름사니를 왜 부르셨습니까? 저는 고누도 둘 줄 모르고 언변도 변변치 못합니다.」

「내 너에게 긴히 물어볼 말이 있어 그런다.」

「너무 꽉 물지는 마십시오.」

「인연을 맺었느냐?」

「숯대판을 따라다니다가 사 년 전에 행중의 잡배 한 놈과 눈이 맞아 댕기는 푼 셈이지요.」

───────────

＊천례 : 천민과 노예를 아울러 이르는 말.

「지금은?」

「그 거사란 놈이 노름빚으로 쇤네를 이 행중에다 팔고 야반도주를 해버렸지요. 허기야 되 땅에서 건너온 창병으로 기물도 쓰지 못하는 인사였습니다만……」

「지금 네가 구완을 하고 있는 사람은 행중 사람이 아니냐?」

「웬 놈인지 쇤네도 잘 모릅지요.」

「보아하니 넌 그자와 연비(聯臂)라도 있는 사이 같던데?」

「쇤네가 말씀입니까?」

「그럼, 이 방에 너 말고 누가 있나?」

「말씀드리기 뭣합니다만, 그자와 쇤네는 본시 초월(楚越)처럼 무관한 사이였습지요. 어제 아침에 행중의 모가비가 은근히 눈짓이기에 두어 푼 벌 작심으로 그자와 빗장거리*로 잠시 정분을 텄습지요.」

「빗장거리라니? 도대체 전사에 듣던 말이 아니로구나?」

「아직 빗장거리를 모르십니까?」

「그래, 그걸 내가 모르는구나.」

「그 뭐, 상계집이 상것을 만나 잠시 말미 타서 축담 아래서 뉘 볼세라…… 그냥 정분 트는 걸……」

「고얀 것, 뉘게다가 음사를 함부로 던지느냐?」

「물어 오신 분이 뉘시관데요. 마님께선 비단 금침 속이 제격입지요마는…… 쇤네 같은 상것이야 헛간 속이라야 용색(用色)이 납니다요.」

천소례는 차마 내처 듣기가 거북하여 손사래로 계집의 말문을 막았다.

---

* 빗장거리 : 남녀가 열십(十) 자 모양으로 눕거나 기대어 서서 하는 성교.

「그러니까 그 정상이 보기 딱하여 못 본 체하기가 거북했던 거지?」

「그렇습지요.」

「보아하니 자네도 가통이 있는 집 사람 같아 보이지는 않네. 그러나 자네 또한 사정이 절박한 터에 그런 마음을 먹는 걸 보면 못난 여염의 계집들에 비할 바가 아닐세.」

「국량이 터서 그런 게 아닙지요. 이마 위로 염라국 야차가 오락가락하는 인사를 두고 길을 뜰 수 있는 염치가 없어서 그럽니다요.」

「그 사람이 난장 맞은 일의 발단이 무엇 때문이냐?」

「손목 잘린 인사 때문이었습지요.」

「그자를 아느냐?」

「얼굴이야 잊을 턱이 없지요.」

「그 동패가 있더냐?」

「십오륙 세 되어 보이는 외자상투 올린 놈이 옆에 있었습죠.」

「무얼 가졌더냐?」

「행담(行擔)이나 고리짝 하나도 없었습죠만 나귀 두 필을 몰고 있었습죠.」

「순전히 그 패거리들 때문이라······.」

「그렇습지요. 그자들만 훼방을 놓지 않았더라도 저 사람이 육장이 되진 않았습지요.」

「미상불 채장이나 자문도 빼앗겼겠구나?」

「예, 그 아수라 같은 놈들이 그냥 둘 리 없지요. 그러나 그런 일을 마님께서 어찌 보름달 쳐다보듯 환하게 알고 계십니까요?」

「짐작일세.」

「눈으로 본 상놈보다 못 본 양반 짐작이 사람 잡는다더니, 참 그렇습니다요.」

「그 사람이 많이 상했느냐?」

「한쪽 다리가 부러지고 왼쪽 어깨가 죽장같이 부어올랐습지요.」

「나를 따라가지 않겠느냐? 내가 의원을 불러 주마. 그리고 자네 구완이 아무리 지극한들 그냥 두면 구명하기 힘들게 생겼네.」

「지푸라기라도 붙잡아야 할 판국에 더운밥 쉰밥 가릴 처지가 아닙니다만…….」

「달아난 서방 거사란 인사는 무얼 얻고 자넬 이 행중에다 넘기었나?」

「결발부부(結髮夫婦)는 아닌 터라 후회는 없사오나 그놈이 하잘것 없는 상목 열 필에 절 넘겼습지요.」

「날 따라가기로 작정이 섰거든 행중의 꼭두쇠를 불러라. 일이 잘만 되면 널 속량시킬 수도 있지 않겠느냐?」

「마님, 도대체 어인 연유로 이러시는지 쇤네는 짐작하기 어렵습니다요.」

「까닭을 꼭히 알아야겠다면 숨길 것도 없다만 우리 사정이 여기서 오래 지체할 수가 없다. 그러나 그 행중에서 자네를 빼돌려 설마 여설옥에다가 빠뜨리겠느냐? 지금보다야 편하게 지낼 것은 불문가지요, 솟대타기에 미련이 있어 다시 나서겠다면 그 또한 자네 의중에 달렸다네. 우리가 가야 할 곳은 강경일세.」

물론 난녀로선 이 판국에 앞뒤 견주고 가만히 흉중을 더듬어 보고 할 겨를이 있을 턱이 없었다. 나중에야 말씀이 뒤집혀 설사 여설옥에 떨어뜨린다 한들 지금 당장 궐녀를 따라나서고 싶었다. 7월 장마에도 빨랫말미는 있듯이 이력 난 야반도주야 어디 한두 번 해본 장단이던가.

난녀는 그길로 달려 나가 꼭뒤잡이를 불러왔다. 꼭뒤잡이는 어떻게 연희판이라도 생겼나 싶었던지 허겁지겁 달려와 봉당에서 허리가 부러지도록 하정배를 올리고 영색을 하며 천소례를 쳐다보았다.

「자네가 행수 격인가?」

「예…… 그러하옵니다.」

「자네가 저 여인을 넘겨받을 적에 왁댓값으로 얼마를 치렀느냐?」

「무슨 말씀이시온지?」

「내 저 여인네를 속량하려고 그런다.」

「날벼락도 분수 나름이오. 그야 몇 꿰미를 건네었든 쇤네 행중의 조석 끼니가 몽땅 이 어름사니 두 발에 매달려 있는 판에 그걸 어찌 꿰밋돈으로 가늠할 수가 있겠습니까.」

「그러면 저 여인을 넘겨줄 수 없다는 뜻이냐?」

「그렇습지요. 어름사니 줄꾼 한 년 길러 내는 게 부자 밥 먹듯 되는 게 아닙니다요.」

「듣자 하니 괴이하구나. 내가 알기로는 저 여인이 줄꾼 되기까지는 자넨 부조된 바도 훈수한 바도 없다고 들었거늘, 생색은 자네가 하고 있으니 가히 가소롭다. 내가 억매흥정을 하자는 것도 아닌데 자네 입정 놀림이 사뭇 사납구나.」

「마님, 그것만은 아니 되옵니다. 부지거처하는 처지이긴 하나 솟대쟁이들은 솟대쟁이들대로 사당의 풍속이 있습지요. 또한 이 계집을 데리고 가보셨자 역마살을 끼고 난 년이라 종내는 마님을 배반하고 장달음을 놓을 것이 뻔합니다요. 향곡에 붙박여 담살이*를 하는 여느 노복들과는 아예 그 간장부터 틀리오니 작정을 바꾸시는 게 상책입니다요. 저희 또한 솟대쟁이로 늙어 역마살이 든 계집을 수없이 겪었으니 여기에 조금의 거짓도 없습니다요.」

「나중 일은 내가 당할 일이 아니냐. 자네들 행중이 서너 달간은 능히 견딜 만한 행하를 내릴 터이니 그리 알게.」

---

* 담살이 : '머슴', '더부살이'의 사투리.

꼭뒤잡이 모가비는 알고 있었다. 갑자기 주막거리에 들이닥친 이 행차가 난데없이 어름사니를 잡으려 하는지 그 흉중을 더듬어 낼 재간은 없었으나 언뜻 보아도 신행길을 가장한 화적 떼는 아닌 게 분명하고, 또한 행중의 사람들이 겨울을 날 만한 행하를 내리겠다니 우선은 눈에 보이는 것이 없을 정도로 놀랐다. 또한 계집을 데리고 가보았자, 이미 역마살이 비역살 깊숙이까지 배어든 계집으로선 제 팔자를 제 주작대로 건사하지 못하는 운명에 있지 않은가. 계집이 마음만 내키면 툭툭 털고 행중을 찾아 나설 것임이 틀림없었다. 자기는 어쨌던가. 때로는 비부쟁이 노릇으로라도 여생을 한곳에 붙박여 지내며 죽음을 맞이하고 싶던 유혹이 한두 번이었던가. 행중에서 몰래 빠져나와 물장수에 월천꾼, 담살이도 되어 보았건만 밤마다 허공에 보이는 건 꽃부채 날렵하게 펴든 어름사니가 줄 위에서 건공을 주름잡는 환상이요, 귀에는 자진가락으로 몸살나게 넘어가는 방짜로 두들긴 꽹과리 소리로 잠을 설쳐, 세월을 더해 갈수록 신수는 비루 오른 강아지로 여위어만 가지 않았던가. 이제 그것을 운명으로 알기에 나이 어언 60에 계집도 씨앗도 없이 흙바람 속에 사추리를 드러내고 헤매지 않는가.

팔자가 이미 하늘에 매달려 아침저녁을 수제빗국과 거친 나물 한 뎃잠으로 동네 개들에게 바짓가랑이를 찢기며 부지거처로 살아가도 오직 그것이 제격이 아니던가. 줄타기 난녀란 계집만 해도 그렇다. 나이 겨우 여섯에 사당패 거사에게 업혀 와서 어언 애사당으로부터 어름사니 줄꾼에 이르지 않았던가. 운명이란 반상을 가릴 것 없이 오뉴월 땡볕 아래 엿가락처럼 제 맘대로는 어찌할 수 없는 것, 난녀가 잠시 행중에서 떠나 있는 것으로 여긴다면 간단했다. 꼭뒤잡이 모가비는 천소례의 집사가 던지는 꿰밋돈을 떨리는 손으로 거두어 쥐고 말았다.

이만한 행하라면 적어도 석 달 동안은 연희판을 만나지 못하더라
도 행중이 연명할 만은 하였다. 어름사니를 팔았다고 패거리들의 지
청구를 받지 않아도 좋을 만큼의 큰돈이었다. 사타구니에 피가 맺히
도록 줄을 탄대도 이만한 거금을 한 손으로 받아 챙기기란 털 난 이
래 처음 있는 일이 아닌가.

「어떤가, 부족한가?」

꿰밋돈을 받아 쥐고 오금을 펴지 못하고 서 있는 모가비를 보고
천소례가 말하였는데, 모가비는 그 소리에 화들짝 놀라 꿰미를 너덜
거리는 등토시 속에 허겁스레 집어넣으면서 대답하였다.

「부족하다니요, 난생처음 받아 보는 후한 행하이시라 잠시 정신을
잃고 서 있었습니다요. 그러하오나…….」

「그러하오나, 또 무엇이냐?」

「이 과만한 속전을 내리면서까지 계집을 데려가셔야 하는 연유가
무엇인지 쇤네도 궁금하지 않겠습니까?」

「자네가 알 일이 아닐세. 이제 자네가 꿰미를 받아 챙긴 이상 나야
구워 먹든지 삶아 먹든지 간섭할 일이 아니지 않은가? 어서 행중
으로 돌아가 길 뜰 채비나 하게. 만에 하나 우리 뒤를 밟으려 했다
간 전에 없던 횡액을 당할 것인즉, 마음을 단단히 먹게.」

「예, 마지막으로 행중을 떠나는 계집에게 문경지교(刎頸之交)*이
던 패거리들과 하직인사라도 나눌 말미를 주신다면 더 바랄 게 있
겠습니까.」

「양반의 체통으로 그걸 마다할 성싶으냐? 그러나 우리들도 바쁜
행중이니 대강 인사치례로 끝내고 사람을 보내거라.」

꼭뒤잡이 모가비는 난녀를 삽짝 귀틀까지 멀찌감치 데리고 나가

---

*문경지교 : 생사를 같이할 수 있는 아주 가까운 사이, 또는 그런 친구.

서 귀엣말로 속삭였다.

「어찌해서 네년이 저 신행길에 따라가려는 세의를 냈더냐?」

헤실헤실 웃음을 흘리며 모가비를 쳐다보던 난녀는,

「그만하면 우리 행중이 두어 달 연명은 하겠지요?」

「그건 그렇다마다.」

「그렇다면 뭐가 더 나눌 말이 있다고 그러십니까요?」

「짬 보아서 우리 행중으로 빠져나올 심산인 줄은 안다마는, 그 여편네가 뭣 때문에 속전을 내리면서까지 너를 꿰차려는지 그 속내를 가늠해 낼 재간이 없어 그런다.」

「칠월 더부살이 마누라 속옷 걱정이구려. 저 여편네 속내가 어떤지 난들 어찌 알겠소?」

「우린 여기서 하루쯤 더 묵새기다가 뒤미처 강경으로 가든지 아니면 전주로 내려갈 작정이다. 진작 빠져나와 전주로 내려오거든 금천교 아래 갓바치 황 영감에게 우리들 행방을 물어보아라.」

「알았다니까요. 저 여편네 마음 변하기 전에 여길 뜨는 체해 버리세요.」

「활인(活人)을 하고 나니 곧장 복이 돌아오는구나. 네년 때문에 코가 석 자나 빠진 우리 행중이 그나마 연명하게 되었다. 수하에서 빠져나올 때는 실수가 없어야 한다.」

「얼추잡아서 보름 안으로 전주로 내려갈 것이오.」

솟대쟁이들로는 객리에서 변을 당한 사람을 활인시키고 난 뒤에 복이 떨어진 것으로 생각했을지 모르되, 천소례로서는 적선을 한다는 가벼운 심사로 난녀와 오득개를 꿰찬 것은 아니었다. 담배장수들의 장문이 애당초 길소개의 입초에서 발단이 된 것이라면 계집과 사내가 똑같이 길소개에게 원혐(怨嫌)을 품고 있을 것은 불문가지. 데리고 가서 구완을 시키고 난 뒤 어르고 달래기만 한다면 조성준을 따라다니면서까지 처치해 버릴 수 있는 자객으로 둔갑시킬 수가 있다는 복안이 천소례를 움직이게 한 거였다. 조성준을 그대로 방치한다면 앞으로 강경 일원의 객주업에 훼방을 놓을 것은 물론이요, 한 걸음 나아가서 김학준의 목숨을 노릴 것도 예상해야 할 일이었기에 그만한 거금을 내고 계집과 사내를 산 것이었다. 전주에서 그를 처치하지 못한 것은 가외의 두 인사가 곁에 붙어 있었기 때문이다.

발등에 떨어진 불은 우선 끈 셈이 되었으되 조성준의 원혐은 이번 사단으로 인하여 불이 붙은 것으로 보아야 옳을 것이었다. 그것은 옳은 짐작이었다.

4

전주 인근 우서면 장터거리 창가에서 나장이들로 행세한 김학준의 수하것들에 의해 포박을 당한 조성준 일행은 천소례가 난녀와 오득개를 휘동하여 다시 강경으로 노정을 잡은 그 시각에 이르러서야 불현듯 자기들이 천소례의 농간 속에 빠져 든 것을 깨달았다.

물론 새벽참에 나장이들이 서두르는 판에서야 일호의 의심을 둔 바도 아니었지만, 휘동하러 간 나장이들이 해가 거의 중천에 와 박히고 점심참이 되도록 종무소식이 되자, 길소개가 까닭 없이 허허 웃기 시작한 거였다. 웃음 끝에 길소개가 흰소리 비슷하게 내뱉는 말이,

「아직 모르겠소? 성님, 우리가 김학준의 첩실인 그 여편네가 놓은 덫에 떨어지고 말았소.」

당초부터 길소개는 짐작이 갈 만한 말들을 내뱉은 터였지만 조성준이나 이용익은 차마 거기까지는 생각이 미치지 못하였던 것이다.

「덫에 떨어지다니요?」

그적에야 이용익이 귀가 트였던지 다급히 물었다.

「새벽에 만난 그 나장이란 놈들이 전주 감영에서 나온 나장이들이 아니란 말일세.」

「그걸 어떻게 안단 말이오?」

「장교로 행세했던 두 놈 중에 한 놈은 내가 김학준의 집에서 언뜻 마주친 일이 있었거든.」

「그럴 리가?」

「그런 걸 어떡하나?」

원래 속마음을 얼굴에 내보이는 성미가 아닌 조성준이었으되 거기에서는 별수 없이 낭패와 분노로 일그러질 수밖에 없었다.

「그놈들이 정녕 전주 감영에서 기찰 나온 나장이들이었다면 이참에 우린 무고로 풀려 나왔을 시각이 아닌가? 천소례란 계집이 우리에게 나귀를 내주게 일을 꾸미고는 세작을 놓아 은밀히 우리 두 사람 뒤를 정탐한걸세. 우리가 패를 모르고 학춤을 춘 것일세. 김학준의 수하것들이 아니고는 우리를 포박하고 부담롱을 일없이 메고 갈 구실이 없지 않은가?」

그런데도 조성준은 끝내 말이 없었다.

이용익이 버쩍 결기를 긁어 올려 길소개를 흡떠 보면서 물었다.

「그렇다면 성님은 당초부터 그놈들이 김학준의 수하것들이란 것을 알고 있었다는 수작이 아니오?」

「알고 있었지.」

길소개는 천연덕스럽게 대답하였다.

「그놈들의 오라를 고분고분하게 받은 연유가 뭐요?」

「우리가 만약 그참에 모른 체하고 오라를 받았으니 망정이지 제 놈들의 정체를 아는 체하였더라면 그나마 우리가 이 목숨을 부지할 수 있었겠는가?」

「즉살을 당했겠지.」

하고 조성준이 고개를 끄덕였으나, 이용익은 꿰진 심사로 길소개를 흡떠 본 채였다.

「이게 무슨 꼴이오?」

「내게도 생각이 있다고 하지 않았던가. 우리가 이 꼴로 물러날 위 인들인가?」

「여보시오, 주인장, 이젠 이 오라를 푸시오.」

이용익이 이번엔 주막쟁이를 귀쌈이라도 붙일 듯이 흡떠 보았으나 의뭉스럽고 겁 많은 주막쟁이란 놈은 코대답도 않았다. 장터거리 와는 활 두어 바탕쯤으로 상거하였다고는 하나 간혹 지나는 행객들이 장한 셋이 굴비 엮이듯 하고 봉당에 엎딘 꼴을 보자 작파하고 구경하기 시작했다. 더욱이나 포박당한 인사들이 남의 대들보나 서까래를 타는 양경장수들이란 소문이 낭자히 퍼진 뒤라, 장터 악다구니들까지 꾀어들어 울바자 밖이 그지없이 시끌벅적하였던 판국이라 나중에야 발기 잡힐 일일지언정 우선은 얼굴을 들고 있을 처지가 아니었다. 악다구니들은 돌을 집어던진다, 삭정이를 부러뜨려 던진다 하며 야단법석인데 길소개가 주막쟁이를 가까이 불러 일의 발단을 거짓말 참말로 앞뒤 그럴듯하게 꾸며 대어 뒷봉노에 놓아 둔 부담롱이 있는가 없는가 한번 가보고 오라고 으름장을 놓았다.

긴가민가하던 주막쟁이란 놈이 뒷봉노를 다녀 나와서야 나장이들이 화적 떼였음을 알고 허둥지둥 세 사람의 포박을 푸는데 낯짝이 흡사 개가 핥아 놓은 죽사발이었다.

행객이 가지고 왔던 부담롱에 무엇이 들었는지 알 수 없는 주막쟁이는 그것이 전부 황앗집에 패물이었다는 길소개의 공갈을 듣자, 기세 시퍼렇던 얼굴이 금방 쓸개 씹은 얼굴이 되었다. 그러나 그 꼴을 두고만 볼 길소개가 아니었다. 똥 싼 놈은 달아나고 방귀 뀐 놈은 잡히더라고, 천생 일은 난감하게 되었으나 내친김에 서방질이더라고 주막쟁이란 놈을 호되게 족치고 나올 도리밖에 없었다.

「이놈, 예 꿇어라.」

길소개는 마음을 다잡아 먹었다. 주막쟁이는 땅땅 벼르는 길소개의 시늉에 그만 가위가 눌려 엉겁결에 무릎을 꿇고 말았다.

영문 모르는 울 밖의 구경꾼들은 기가 차고 어안이 벙벙한 일이어서 다시 한 번 시끌벅적해지는데, 길소개가 지체 없이 발을 굴렀다.

「이놈, 네놈이야말로 과객들 봇짐을 털어먹는 화적들과 동패가 아니냐? 저잣거리와 멀찌감치 화초방을 차리고 앉아서 그놈들과 동사(同事)하여 도부꾼들 봇짐을 턴 게 언제부터냐?」

「살려 주십시오. 그러나 화적들과 동사한 일은 절대로 없습니다.」

「여어 이놈 봐라, 왼발 구르고 침 뱉는 시늉 아니냐? 그놈들이 육장 여기 와서 살지 않느냐? 네놈이 그놈들과 동사 간이 아니라면 여러 번 귀엣말을 주고받을 까닭이 없지 않느냐?」

「귀엣말이라니요?」

「이놈, 호조(戶曹) 담이라도 능히 뚫을 놈이로구나. 사람 세워 두고 눈 빼먹을 작정이냐? 네놈이 이참에 와서 고수관(高守寬)의 딴전 부리듯 한다마는 그놈들과 귀엣말을 나눈 게 어디 한두 번이었더냐? 네놈 집에 있는 간나희들도 보았지 않았더냐?」

「제가 적굴놈들과 내통하지 않았다는 건 삼이웃이 알고 있습니다요. 동소임이라도 불러 물어보십시오.」

「장물아비 구실을 삼이웃이 알도록 드러내 놓고 하는 놈도 있느냐? 네놈이 장물아비나 그놈들과 동사 간이 아니라면, 그럼 하룻밤에 봉적을 당한 우리가 되레 장물아비란 말이냐? 네놈이 아니면 뒤꼍 봉노에 황앗짐과 패물이 든 부담롱이 있었다는 걸 알고 있는 사람이 없지 않겠느냐?」

「패물이라니요?」

196

「이놈아, 패물 아닌 상목 몇 필쯤이었다면 상목만 꺼내 장달음을 놓았겠지 그 무거운 부담롱은 무슨 지랄로 떠메고 갔겠느냐?」

「제가 그놈들과 여러 번 귀엣말을 한 건 사실이나 그것은 저를 패에 빠뜨리려는 그놈들의 농간이었습죠. 이제 생각하니 도대체 귀엣말을 나눌 건덕지가 없는 말들뿐이었습니다요.」

「그래? 그럼 그 귀엣말은 네놈을 패로 몰려는 농간이었다 치자. 그렇다면 넌 주막쟁이로서 무고히 욕보는 길손을 활인은 못할망정 그놈들이 멀리 장달음을 놓을 때까지 줄창 공갈에 매질은 왜 했느냐? 세 사람이 하마터면 객리 먼 타관에서 강시(僵屍)* 날 뻔하지 않았느냐? 네놈의 오지랖이 열두 폭이기로서니 우리 세 사람 초종(初終)부터 양례(襄禮)*까지 도맡아서 분별할 작정이었더냐?」

「그것이야 만약 댁네들께 도망할 말미를 주었다간 홍살문 구경을 하게 된다고 으름장을 놓는 바람에 어쩔 수 없이 한 짓이 아닙니까요.」

「으름장을 놓았는지 작당을 하였는지 증거해 보일 수가 있느냐?」

「정말입니다. 저는 다만 한갓 장터의 실없는 조방꾼 신세에 불과할 뿐 화적들과 동사하는 입장만은 아니니, 제발 저를 관아로는 넘기지 말아 주십시오.」

주막쟁이는 무두질해 놓은 개가죽처럼 하얀 낯짝에 침이 마르도록 변백이 구구하였으나, 세 사람 중 누구도 그 말을 곧이들으려 하질 않았다.

「네놈이 아무리 구구하게 변백을 늘어놓아 보았자 우리는 도부꾼들에 불과하다. 네놈을 엄히 다룰 수 있는 곳은 역시 관아밖엔 없으니 널 홍살문으로 끌고 가야겠다. 네놈이 형방에 떨어지면 그

---

*강시 : 얼어 죽은 송장.
*양례 : 장례.

화적들이 근포(跟捕)*되어 면질(面質)될 때까지 달장간*은 썩은 구메밥을 먹어야 할 것이다. 구메밥 넣어 줄 내권이라도 있거든 이참에 단단히 당부나 하거라.」

반죽 좋던 주막쟁이도 이제 와선 일이 난감하게 된 것을 깨달았다. 그러나 움치고 뛸 재간이 없으니, 범 본 여편네 봉창 틀어막듯 임시 미봉책으로는 궐자들의 심기를 가라앉힐 재간이 없다는 것을 알았다. 게다가 봉적을 당한 황앗짐이 수백 냥에 이를 것이니 그 또한 심기가 얼마나 괴로울 것인가. 주막쟁이는 정지방으로 뛰어 들어가서 고리짝을 뒤져 조방질로 작량하였던 꿰밋돈을 꺼내 들고 나왔다.

「역려과로(逆旅過路)*에 잠시 한 집 거쳐도 인연으로 알아주십시오. 사구류(私拘留)*는 좋습니다만 제발 관아로는 끌고 가지 마십시오. 국법이란 것이 저 같은 상것을 위해 있는 것이 아니란 것쯤은 댁네들도 알지 않습니까요? 게다가 일가붙이 어느 한 놈 구실을 살고 있는 놈이 없으니, 만약 홍살문으로 들어갔다 하면 목숨 부지해서 나오기는 아예 어렵게 되었습니다요.」

「이 반죽 좋은 놈 좀 보게? 뒷집 짓고 앞집 뜯어내란다더니 사리 불문하고 욕심만 채우려 드는구나. 또한 이제 와서 하찮은 꿰밋돈으로 사람의 심기를 떠보다니? 우리가 그 꿰밋돈을 받아 챙긴다면 네놈은 득달같이 관아로 달려가서 우리가 장전을 먹었다고 발고하여 엎어치려는 수작 아니냐. 감히 뉘 앞이라고 그런 농간을 부리느냐?」

길소개의 모둠발 한 번에 한 줌이나 되도록 오그리고 엎디었던 주

---

*근포 : 죄인을 찾아 쫓아가서 잡음.
*달장간 : 거의 한 달 동안.
*역려과로 : 여행을 다니다가 지나가는 길.
*사구류 : 권세가 있는 사람이 법에 의지하지 아니하고 남을 사사로이 구금함.

막쟁이는 달팽이처럼 때그르르 나동그라졌다. 그적에 방 안에 앉았던 궐자의 권속들이 우르르 밖으로 쫓아 나와서 길소개의 소맷자락을 잡고 늘어지며 대성통곡으로 적선을 구하니, 아무리 신명 떨음이라 한들 그 또한 부질없는 짓이라 길소개도 못 이기는 체하고 물러서고 말았다. 우선 철모르는 아이들 보기가 민망스러웠다.

그러나 길소개 역시 생판 부질없는 짓만은 아니었다. 바깥에 모여선 구경꾼들 중에는 틀림없이 천소례 일행이 남겨 두고 간 염탐꾼이 있을 터이었다. 세 사람이 이 창가를 뜨는 것과 때를 같이하여 염탐꾼은 주막쟁이를 붙잡고 저간의 사정을 묻는 체하며 세 사람이 작로한 곳을 물을 것이었다.

사화술을 내겠다고 주막쟁이는 내권들을 족쳐서 탁배기를 거르고 돼지고기 저민 것을 쪽목판에 수북이 쌓아 올려서 상방으로 들고 들어왔다. 술이 몇 순배가 돌고 봉적한 일은 잊어버리는 수밖에 없다고 서로 위안을 주고받는 체 한숨 끝에 흰소리 몇 마디를 주고받다가 조성준이 먼저 혼잣소리로 부리를 헐었다.

「자, 그럼 귀때기 떨어졌으면 다음 장에 와서 찾기로 하고 해 지기 전에 전주 부중으로 들어갈 채비나 하세.」

「오미잣국에 달걀이라더니 이번 파수에 봉적한 것은 찾을 곳도 없구려.」

몇 잔 술로 눈자위가 제법 불콰해진 이용익이 눈치껏 받아넘겼다.

「그렇게 되면 나는 남원으로 작로할 수밖에 딴 도리가 없겠는걸.」

「우리도 뒤미처 남원일세. 헤어진 동패들 소식을 듣자면 남원 임방이나 전도가까진 가야 할 것 같으이.」

「그렇다면 임실까지만 작반하지요.」

의뭉스러운 주막쟁이가 듣고 있던 앞에서 임실에서 서로 헤어져야 할 처지인 체 거짓 약조를 한 다음, 세 사람은 곧장 창가를 나섰다. 주막거리에 들러 예순 냥에 나귀 두 필을 팔아 버렸다.

해가 지고 인적이 드문드문한 틈을 타서 도선목 쪽으로 내려가는 체하다가 갑자기 길을 꺾어 뻘밭에 질펀하게 깔린 갈밭 속으로들 몸을 숨겼다. 개활지를 거침없이 건너온 바람이 갈밭에 이르러 소용돌이를 치고 뒤축이 헌 짚신에 밟히는 뻘흙은 개뼈다귀처럼 굳어 있었다. 까마귀 떼가 마파람을 모잽이로 받으며 갈밭 위로 날았고 서걱이는 갈대 소리는 스산하였다. 음산한 회색 구름이 서녘에 깔렸는데, 도선목 쪽에서는 배를 기다리는 사당패들이 치는 꽹과리 소리가 자지러졌다. 갈밭 속에 앉은 세 사람은 한참 동안 말이 없었다. 주막쟁이에게 얻어먹은 사화술과 돼지 편육에 일시 허기는 껐지만 갈밭을 뒤덮어 오는 저녁 어스름에 마음속은 돌개바람 지난 파장머리처럼 휑뎅그렁하였다.

「자네 정말 가려나?」

곰방대 아래통을 아드득 감아서 행초를 다져 넣으면서 조성준이 물었다.

「분란이 기왕 장기튀김이 된 바에야 뜸을 들이고 자시고 할 겨를이 없지 않습니까? 김학준이 까탈을 부리기 전에 손을 먼저 쓰는 게 후환이 없지요.」

「김학준의 솔축*이야 제 서방만 찾았으면 되었지 무슨 원혐이 있어 다시 우릴 해코지하려 들까?」

「그야 성님이 김학준에게 품고 있는 원혐이 더욱 크다는 걸 알기 때문이지요.」

「일을 여축없이 그리고 기척 없이 성사시킬 자신이 있나?」

「제게 맡겨 두라 하지 않았습니까?」

―――――
*솔축 : 예전에, 여자 종을 첩으로 맞아 동거하던 일. 여기서는 '종첩'을 말함.

200

어쩐지 이용익은 쓰다 달다 말이 없었다. 그런 이용익에게 한마디 던지려다 말고 길소개는 처연한 어조로 말하였다.

「헤어지는 마당에 증표라도 남겨야지요.」

「옷들을 벗게.」

조성준의 제의에 두 사람도 말없이 저고리와 누비등거리들을 벗기 시작하였다. 조성준의 저고리는 길소개가, 길소개의 것은 이용익이, 이용익의 저고리는 조성준이 받아 들었다.

보부상들에겐 예부터 환의(換衣)의 풍습이 있었으니, 오래도록 작반하다가 헤어져야 했을 때, 같은 고향을 두었으되 한 사람은 고향으로 가고 한 사람은 그러지 못할 사정이 있을 때, 서로의 비밀을 지킬 약조를 나누었을 때, 또는 동료로부터 은혜를 입었을 때, 그들은 환의로써 그 우의와 의리를 확인하였다. 오평생(誤平生)*으로 장구에 의지한 삶이라 할지라도 수십 번의 환의를 겪어 그 우의가 팔도에 얼음 박히듯 한 보부상들이 많았고, 그러므로 저자를 헤매는 보부상 누구도 제 몸에 맞는 저고리를 입고 다니는 자가 드물었다.

「그럼 여기서 헤어질까?」

「구례에서 만납시다.」

갈밭 속에서 먼저 자리를 뜬 것은 길소개였다. 도선목 쪽에서부터 바람이 거슬러 불어와 왁자지껄한 소음이 귀에 잡힐 듯 가까웠다. 갈밭에서 몸을 일으킨 길가는 곧장 강변 둑길로 올라섰다. 짚신 감발을 단단히 죄고 허리춤을 다시 고쳐 매었다. 이대로 내처 걷는다면 신리 세거리까지는 오경 초쯤 해서 닿을 수 있을 거였다. 어디 작반할 밤길 나귀쇠*들이라도 만날까 하여 마계 근처를 어슬렁거려 보았으나 헛일이었다. 근자에 이르러 기승을 부리는 화적 떼들 때문에

---

* 오평생 : 평생을 그르침.
* 나귀쇠 : 나귀를 부리는 사람.

봉적을 당할까 두려운 거개의 행객들은 해만 지면 점막(店幕)에 들고 말아 파발이나 어물 장사치가 아니고서는 상로(霜路)를 택하는 행객이 없었다.

아무래도 혼자서 밤길을 걷는다는 게 썩 내키지 않았지만 사세가 절박한 터수라 경황 찾을 겨를이 없었다. 하기야 밤길이란 향도잡이가 있고 나귀가 있었더라도 워낭 소리에 더욱 쓸쓸하고 고적하지 않았던가.

괴춤에 찔러 넣은 짧은 환도 한 자루가 있고 등에 진 괴나리봇짐에는 겨우 북덕무명* 두 필에 주막쟁이에게서 얻어 넣은 장떡과 편육, 짚신 두 켤레가 달랑거릴 뿐 봉적을 한대도 건네줄 개평 서푼도 가진 게 없었다.

길소개는 작반한 나귀쇠들이나 모꾼들을 만날 요행을 단념하고 주막거리를 벗어나 강경으로 되짚어 오르는 쑥고개 쪽으로 발머리를 돌려 잡았다. 팔자가 역마살을 끼고 나서인지 밤새 걷는데도 지칠 줄 모르는 상놈의 다리를 가졌으니 새벽녘에 세거리 주막에서 술국이라도 얻어 마신다면 글피 점심참이면 강경에 닿을 수 있으리라는 복안이 들었다.

이제 이경이나 되었을까. 이름 모르는 야트막한 고개를 넘는데 바람 따라 급하게 치닫는 구름 사이로 달이 보이기 시작하였다. 길가는 잠시 숨을 돌리고 구름 사이로 비치는 달빛을 받았다. 조성준과 헤어질 때 호기를 부리기는 하였으나 어쩐지 이번 길만은 썩 내키지 않았다. 어디선가 일이 뒤꼬일 것만 같은 생각이 들었다. 그러나 그에 반하여 영문 모를 불가사의한 힘이 또한 그를 자꾸만 잡아당기고 있는 것만 같았다.

---

* 북덕무명 : 품질이 나쁜 목화나 누더기 솜 따위를 자아서 짠 무명.

바람이 목덜미를 할퀴고 바짓가랑이 사이로 엄습해 들어온 냉기가 사추리를 옭아 쥘 적마다 길가는 등토시 속으로 두 손을 오그려 묻었다. 그때 먼 데서 연해 짖어 대는 개소리가 들려왔다. 인가가 멀지 않다는 징조가 보이자 길가의 걸음은 더욱 빨라졌다. 개 짖는 소리는 반 마장 가까이 상거한 곳 같았다.

밤은 이제 사경 축시가 넘어 있었다. 개 짖는 소리를 따라가자니 갑자기 잊고 있었던 피곤이 온몸을 사로잡고 늘어졌다. 인가를 찾아 든다면 그만 그곳에서 밤을 묵새길 생각이 간절해질 것이었다. 멀리 자작나무 숲 사이로 인가의 불빛이 조는 듯 바라보였다. 그곳이 신리라는 생각을 못했다.

예상보다 빨리 닿은 터라 길가는 처음엔 신리 세거리 인근의 마을로 잘못 짚었던 거였다. 길가는 전사에 들었던 숫막을 멀찌감치 비켜서 그중 허술하고 외따로 떨어진 숫막을 찾아 삽짝 귀를 흔들었다. 추녀가 땅에 끌리는 외주물집이긴 하였으나 삽짝 밖에 용수 씌운 주기가 걸렸으니 술막질하는 집인 것만은 틀림이 없었다.

깊은 한밤에 모주 먹은 돼지 껄때청*으로 소리 지르기도 뭣하여 내처 삽짝만 흔들어 대고 있으려니 어느덧 맨 끝 봉노에서 등잔이 켜지고 한참이나 부스럭거리는 듯하더니 편발을 한 처녀 하나가 장지를 따고 고개를 반쯤 밖으로 내밀었다.

「누구십니까?」

기어드는 목소리인데, 처녀는 아직 잠이 덜 깨어 목이 잠겨 있었다.

「길손이다. 잠시 쉬어 갈 봉노 하나 내줄 수 있겠느냐?」

처녀는 짐짓 머뭇거리는 눈치더니 냉큼 열었던 장지를 닫고는,

「이 집에는 지금 남정네가 없어서 길손을 받을 수가 없습니다.」

＊껄때청 : 크게 꽥꽥 지르는 소리.

「사내붙이가 없다니, 그럼 술막질은 너 혼자서 건사하느냐?」

그 소리에 가위가 눌렸는지 방 안에서는 아무런 대답이 없었다.

「그러지 말고 대답하거라. 사정이 절박하다면 문전 박대를 달게 받겠다마는 내쫓을 길손 두고 왜 불은 켰느냐?」

「바자를 흔드는 참에 잠이 깨었지요.」

「네 애비는 어디 갔느냐?」

「할미가 윗방에 자리보전하고 누웠으니 너무 큰 소리 마시고 다른 데로 가보시면 지척에 봉노가 여럿인 숫막이 많습니다요.」

「누가 그걸 모르나. 이 한밤중에 천금을 준들 쉽게 삽짝을 따줄 사람이 어디 있겠느냐? 기왕 불까지 켠 터이니 봉노를 내다오. 아무 일 없을 테니까.」

「안 됩니다.」

「종시 이러다간 얼어 죽겠다. 추운 밤길 지새우며 걸어온 길손을 이리 대접하는 게 아니다.」

「누가 밤길 걸으라 하였습니까?」

「말대답은 그렇게 아금받으면서 삽짝을 열어 주지 않는 까닭은 무어냐? 내가 무슨 화적 떼냐, 아니면 전체(傳遞)송장*이라도 된단 말이냐?」

「전체송장이었으면 제가 감히 문을 열어 보았을까요?」

「응, 그래? 그러고 보면 나도 짐작이 가는구나. 네게 필시 뒤가 구린 곳이 있는 거다. 집에 사내붙이가 없는 틈을 타서 편발을 한 네가 감히 초례도 안 치른 동네 떠꺼머리와 지금 한창 동품을 하고 있었던 거지.」

길가의 그 말이 채 흙도 묻기 전에 닫혔던 장지문이 환히 열리었

---

*전체송장: 고을에서 고을로 차례차례 넘기어 제 고향으로 보내 주는 객사한 송장.

다. 처녀는 옷매무시를 고치며 봉당으로 내려서고 있었는데 바깥에서도 방 안이 환히 들여다보였으나 떠꺼머리는 보이지 않았다. 길가의 허튼수작에 오기 솟아 삽짝을 따기로 한 모양이었다.

처녀가 짚신을 끌고 뜰을 건너오는데 밤눈에도 긴 목덜미가 보기 드물게 희고 잠을 곱게 자는 버릇인지 정수리의 가르마가 흐트러짐이 없이 선명했다. 삽짝 빗장이래야 시늉뿐으로 질러 놓은 막대기만 빼버리면 되었는데 열어 준 삽짝을 따라 옆으로 비켜서면서 처녀가 내뱉는 말이,

「아무리 주막거리에 사는 상것이라고 백지 무근한 말로 사람을 망조 들게 할 수가 없지 않습니까?」

머쓱해진 길소개는 그 말에는 대척도 않고 헛기침으로 곧장 마당을 가로질러 처녀가 자던 방으로 들어가 아랫목 바람벽에 기대고 앉았다.

길손의 놀고 있는 품이 너무나 거침이 없고 당당한 데 놀라 우두망찰인 처녀에게 길가가 물었다.

「얼요기라도 할 것이 있느냐? 우선 어한부터 해야겠다.」

「이 밤에 어찌 술국을 데웁니까?」

「그러면 지난 저녁에 먹다 남은 대궁밥이라도 좀 내다오. 그리고 목침 있거든 잿불에 묻었다가 좀 갖다 다오.」

길가 노는 품이 범상치 않아서인지 가위가 눌려서인지는 모르겠으나 처녀는 말없이 정지로 들어갔다. 한참 있다가 돌아오는데 언제 데웠는지 술국 한 그릇에 푼주에 장떡을 곁들여 납작소반에 받쳐 들었다. 앉은 채로 소반을 받으며 길소개가 짐짓 속내를 떠보았다.

「너는 편발이면서 그렇게도 내외할 줄을 모르느냐?」

금방 장지를 열고 나가 버릴 줄 알았던 처녀가 윗목 바람벽에 기대고 오도카니 앉으면서 내뱉는 소리가,

「한길 가 숫막에서 물어미 노릇이나 하는 처지에 내외할 경황이 어디 있습니까. 할미 병구완 소홀 없게 하랴, 연명할 일도 태산 같은데요.」

「그럼 네 아비와 같이 술소반을 나르는 처지냐?」

「할미가 융병(癃病)*으로 육탈골립(肉脫骨立)*을 하고 누운 후부터는 쇤네도 그리하지요.」

「그래서 내 육담에도 별다른 대척을 않았던 거로구나.」

처녀가 말없이 밖으로 나가더니 잿불에 묻었던 목침을 들고 들어왔다. 길가는 뜨끈뜨끈한 목침을 받아 부르튼 발바닥에 찜질을 하였다. 찜질하고 있는 길소개의 행색을 등잔불 빛으로 요모조모 뜯어보고 앉았던 처녀가 흠칫 놀라는 시늉이더니, 그러나 금방 태연하게 말하였다.

「손님을 어디서 한번 뵌 듯합니다.」

「그래? 어디서 보았느냐? 나야 도부꾼으로 조선 팔도 축담 밑 어디에고 똥 안 싼 곳이 없고 명색이 도선목 나루터라면 안 타본 나룻배가 없으니 넌들 전사에 나를 보았다는 말이 생판 놀랄 일이야 아니지.」

「아닙니다요. 그저께 저쪽 숫막에서 장문을 놓았던 도부꾼 행중에서 손님을 보았습지요.」

「총기도 있구나. 그래서 놀랐느냐?」

「당초부터 어디서 듣던 목소리다 싶었지요.」

「그래, 그 장문 맞은 소매치기는 지금 어찌 되었느냐? 행보도 못할 처지가 되었을 터인데?」

「행보가 무엇입니까? 육장이 되도록 매질을 당했으니 요절이 났

─────────
*융병 : 늙어서 몸이 수척해지는 병.
*육탈골립 : 몸이 몹시 여위어 뼈만 남도록 마름.

겠지요.」

「그럼 그 인사가 지금 세거리에 없다는 거냐? 그 인사 병구완하자면 솟대쟁이패 줄꾼 계집은 이제 눈에서 딱정벌레가 왔다 갔다 하게 생겼구나.」

「아닙지요, 어느 범상한 마상객을 만나 구사일생이 되었습니다.」

「그게 무슨 말이냐?」

「바로 어제 이곳을 지나던 신행길이 있었는데 그 딱한 사정을 보고는 속전을 꼭뒤잡이에 내리고선 여자도 같이 데리고 갔습니다.」

「속전을 내리다니? 그 인사에게 연비라도 있었던 거냐?」

「그저 그 행차는 신행길이었지요. 어쩌다 우연히 마주친 것이지요.」

그제야 길소개는 머릿속에 어렴풋이 짚여 오는 게 있었다. 천소례의 일행이 틀림없다는 생각이 뇌리에 스쳐 가자, 하마터면 혼자서 무릎이라도 칠 뻔하였다. 하필이면 길소개가 발론하여 장문을 당한 궐한과 구완하던 계집을 꿰차고 떠난 천소례의 속내는 훤히 들여다보일 만큼 소상히 알 수 있었다. 그때, 윗목에 앉았던 처녀가 머뭇거림이 없이 물었다.

「지금 어디로 작로하시는 참입니까?」

「글쎄, 어디로 가고 있는 사람 같아 보이느냐?」

「그걸 알면 왜 물었겠습니까?」

「왜 그러느냐?」

「저도 장삿길에나 나가 볼까 하구요.」

「그 편발로?」

「외자로 머리를 얹지요.」

「할미 병구완은 누가 하느냐?」

「아비가 할 터이지요.」

「너 아주 맹랑하구나. 너 혹시 나를 마음에 두고 있지 않느냐?」

「떡 줄 놈 재 너머 있다는 말도 못 들었수? 그냥 대처로 나가고 싶어서지요.」

「너 몇 살이냐?」

「열아홉입니다.」

「혼기를 놓쳤구나. 너 그만 나와 정분이나 트자꾸나.」

「늙은 주제에 염의를 차릴 줄 알아야지요. 덤베북청으로 진둥한둥 덤비는 게 아닙니다.」

「보쌈질 잘한다는 도부꾼 말도 못 들었느냐?」

「차라리 대처로 나가서 창가로 팔려 갈지언정 헙헙하게 늙은이에게 정분이야 줄 수가 없습니다. 요사이 대처로 나가면 되 사람 색상(色商)들이 꿰밋돈을 주고 조선 처녀를 산다고 들었습니다.」

「듣자 하니 넌 편발인데도 벌써 몸에 병줄이 섰구나.」

「길을 뜨실 적에 저도 데려가 주십시오. 산협 주막에서 소반 나르기나 물어미 노릇보다야 차라리 대처로 나가 창기로 떨어지더라도 항문이 찢어져 아물 새가 없는지라 단 한 번이라도 배불리 먹고 싶습니다.」

「내 몸을 팔아 내 배를 채운들 그때는 이미 배불리 먹어 보아야 소용없는 짐승에 불과하다는 건 모르느냐? 내가 노수로 쓰려고 가져가는 북덕무명 두 필이 있다. 그런 오줄없는 생각은 거두고 이것으로 곡식을 바꾸거라. 네 아비가 이 소리를 들었다면 아마 할복을 하고 말았을 거다.」

무명 두 필을 풀어 윗목으로 밀치고 길가는 바람벽에 등을 기대고 앉은 채 여원잠*을 잤다. 잠깐 눈을 붙이고 어섯눈을 떠보니 처녀 또

---

*여원잠 : 깊이 들지 않은 잠. 겉잠.

208

한 윗목에 무릎 세워 앉은 채로 꾸벅꾸벅 졸고 있었다. 잠깐 눈을 붙인 것 같았는데 벌써 봉창이 훤히 밝아 있었다. 조급히 장지를 열어 보았으나 아직 한길에는 내왕하는 사람이 보이지 않았다. 길소개는 가만히 봉노를 나와 숫막을 나서고 말았다. 편발 처녀가 건네던 그 맹랑한 언사들이 마음에 걸리적거렸으나 해동갑으로 궐녀를 붙잡고 붙박여 앉아 있을 수도 없는 처지였다.

5

길소개가 강경 인근에 도착한 것은 전주의 도선목 갈밭에서 동패들과 하직을 한 지 이틀이 지난 점심참 무렵이었다. 작정했던 것보다는 반나절이나 늦어 당도한 셈이었지만 오히려 반나절의 노독을 풀 수 있는 말미가 생겨 다행이었다. 그렇다고 미친놈 파밭 두들기기로 두서없이 김학준의 집으로 뛰어들 수는 없었다.

강경에 닿는 길로 숫막에도 찾아들지 않고 세도나루와 환산나루를 건너다니면서 요행수나 바라는 듣보기장사치*처럼 가게와 어계 근방을 어슬렁거리며 해를 보내다가 완전히 어둡기를 기다려 원항교 윗머리에 있는 김학준의 집으로 발길을 옮겼다. 김학준의 집 솟을대문이 마주 바라보이는 고샅께에 몸을 숨기고 서서 드나드는 사람들을 차근차근 살피었다. 김가가 집으로 돌아온 지 며칠 되지도 않았으니 문중의 일가붙이나 운천댁 새마님이라던 궐녀도 그 집을 드나들 것이었기 때문이다. 궐녀를 사이에 넣지 않고는 김가를 만날 수가 없겠기에 궐녀부터 찾게 된 것이었다. 궐자의 집은 회갑잔치 때처럼 안팎이 시끌벅적하진 않았지만 어계 사람들과 일가붙이들의

---

*듣보기장사치 : 한군데 터를 잡고 하는 장사가 아니라 시세를 듣보아 가며 요행을 바라고 하는 장사치.

출입이 잦았다. 궐녀를 기다리기 이틀째가 되던 날 이경에 이르러서야 솟을대문을 나서는 두 여인이 보였다.

장옷으로 얼굴을 반쯤 가리고 솟을대문을 나서는 계집의 먼 자태가 궐녀임이 분명한데, 거슬리는 것은 족등(足燈)을 든 계집종이 곁에서 종종걸음을 하고 있는 거였다. 솟을대문을 나선 두 여자는 곧장 한터를 가로질러 맞은편 실골목을 빠져나와서는 원항교 쪽으로 내려갔다. 한길에 내왕하는 사람들이 별로 눈에 띄지 않았으나 계집종 때문에 궐녀를 불러 세울 수가 없었다. 그렇다고 마냥 뒤만 밟고 있을 수도 없는 일, 이대로 뒤를 밟는다면 물론 궐녀의 거처를 알게 될지 모르겠으나 여염의 여자를 다시 만난다는 게 그게 어디 쉬운 일이겠는가.

그들이 원항교를 건너서 불빛들이 훤한 장터거리 쪽으로 곧장 내려갈 것이라는 확신이 서는 즈음해서 길가는 얼른 걸음을 재촉하였다. 바싹 뒤쫓아 두어 걸음을 남기고 길가는 편발의 계집종에게 이르듯 물었다.

「얘야, 도선목이 어디쯤이냐?」

두 여자가 내외를 한 채 가던 길을 멈추었다.

「타관에다 밤중이라 통 짐작이 서지 않아서 그런다.」

「이 길로 사뭇 따라 내려가다가 시계전이 나오는 곳에서 오른편으로 꺾으시오.」

계집종은 예사로이 대답하였으나 벌써 길소개를 알아본 궐녀는 장옷자락을 더욱 여미었다.

「고맙구나.」

두 여자는 가던 길을 내처 걸었다. 물론 궐녀는 길소개가 계집종이 가리킨 대로 노정을 바꾸지 않고 뒤를 밟고 있다는 것을 눈치 채고 있을 터인즉, 이제 만나 주고 아니고는 전연 궐녀의 작정에 달려 있었다. 그러나 궐녀는 활 한 바탕의 거리까지 가는 동안 이렇다 할 동요를 보이지 않았고 걸음새도 전과 같았다. 그러나 피물전(皮物廛) 가게들이 저만큼 바라보이는 고샅에 이르자 느닷없이 걸음을 멈추더니 한발 앞서 가던 계집종을 불러 세웠다. 잠시 말을 주고받는 눈치더니 계집종이 먼저 고샅길 안쪽으로 사라지는데 뒤도 한 번 돌아보는 법이 없었다.

「오랜만이구려.」

등토시 속에 두 손을 깊숙이 찔러 넣은 길소개가 다가서며 인사말을 던졌을 때 궐녀는 흠칫 놀랄 뿐 아직은 대답할 경황이 없는가 보았다.

「계집들의 얕은 꾀에 내가 협협하게 곤경으로 빠질 인사 같은가?」

옆으로 약간 비켜섰던 궐녀는 장옷을 더욱 여미면서 한길의 불빛으로 등을 돌리었다.

「김학준의 신수는 어떤가? 물론 원기가 적탈했다 한들 명의들의 방문(方文)으로 지은 약들이 있겠으니 며칠 안으로 신기를 되찾을 테지. 그건 그렇고, 내가 왜 다시 자넬 찾아왔는지 알겠나? 그러나 자넬 즉살하려는 수작은 아니니 걱정 말고 어디 조용한 처소라도 있으면 그리 안내하게. 알다시피 난 타관 사람에 개구멍서방이니 김학준의 집 후원이 아니고서야 자넬 은밀히 만날 장소가 없지 않은가.」

그때까지도 아무런 대척도 없던 궐녀는 여미었던 장옷을 내리고 길가를 뚫어져라 쳐다보는데 그 눈에 전에 없던 눈물이 맺혀 있었다. 자기들의 농간이 이렇게 빨리 탄로 난 것 때문일까, 아니면 예상치 않았던 길소개가 느닷없이 눈앞에 나타난 공포 때문일까. 궐녀는 그제야 겨우 입을 열었다.

「이 일을 어찌하면 좋습니까?」

「어찌하면 좋다니, 자넨 원거인(原居人)이 아닌가? 한속이 들어 이러다간 한길에서 얼음 박히겠네. 따뜻한 구들장이라도 있으면 득달같이 안내하게. 우선 어한부터 끈 뒤에 저간의 졸가리들을 따져 보도록 하세. 만약 전사에서처럼 대중없는 알랑수를 부렸다간 자네나 나나 이젠 끝장일세.」

「따라오십시오.」

궐녀가 제 먼저 두어 걸음 앞서서 걷는데 조금 전에 계집종이 들어갔던 그 고샅길이었다. 궐녀를 따라 빠져 들어갔더니 고래등 같은 기와집은 아니었으나 담 치고 회칠한 품이 제법 범절깨나 차리고 사는 듯한 기와집 한 채가 고샅길을 마주 막고 서 있었다. 궐녀가 그 집을 가리키며 나직이 말하였다.

「이 집이 저의 집입니다. 제가 들어가서 행랑것들을 소간 주어 전부 밖으로 내보낼 터입니다. 내보내고 난 뒤 빗장을 내려놓을 터이니 그때 안으로 들어오십시오.」

「이것이 또한 나를 횡액으로 떨어뜨리려는 수작은 아니냐?」

「아닙니다. 이젠 저도 별도리가 없다는 생각이기에 하는 것이니 별반 의심 두지 마십시오. 제 성격이 본래 소졸(疎拙)*하여 댁을 은밀히 모실 처소 하나 변변치 못합니다.」

길소개는 다시 고샅길을 빠져나와 길을 건너가다가 추녀 아래 몸을 숨기고 지켜보았다.

담배 한 대 피울 참이나 되었을까, 정말 비부쟁이로 보이는 키가 껑충한 사내 한 놈과 몽당치마에 짚신을 끄는 계집이 둘 다 황망히 고샅길을 벗어나서 피물전 가게 쪽으로 줄행랑을 놓듯 달려가고 있었다.

---

*소졸: 성기고 서투르다.

길소개는 그때 섬뜩하니 뇌리에 와 박히는 생각이 있었다. 혹시 이 틈에 집에 남은 궐녀가 장도로 가슴을 찔러 자문이라도 하지 않겠는가 하는 것이었다. 행랑것들이 어둠 속으로 묻혀 가는 것을 기다려 길가는 득달같이 궐녀의 집으로 되짚어 달렸다.

대문은 약조한 대로 열린 채였고 열린 대문을 밀고 마당 안으로 들어서니 대여섯 칸 안으로 안채로 들어가는 중문이 바라보였다. 중문을 가만히 밀치고 들어서자, 맞은편 신방돌 위에 궐녀가 그린 듯이 서 있었다.

궐녀가 말없이 방 하나를 가리키었다. 신방돌 위에서 짚신을 벗어 챙기고 툇마루 밟고 대청을 건너 장지를 열었더니 방 안의 단 공기가 훅 얼굴에 끼얹혀 왔다. 어둠 속이긴 하나 방 안에 인기척이 없다는 건 금방 눈치 챌 수가 있었다. 길소개는 콩기름 잘 먹여 번질번질하게 길이 난 방바닥에 네 활개를 쭉 뻗고 누워 버렸는데, 믿는 것이라고는 괴춤에 찔러 넣은 환도 한 자루뿐이었다. 마음을 크게 먹으면 행동도 과격한 법, 나중에야 횡액에 떨어져 갖은 신고를 겪을 셈 치고 서울이 무섭다고 과천부터 기어갈 까닭이야 없지 싶었다. 그때 중문 밖에서 부산한 발소리가 들려왔다. 그때까지 지대(地臺) 위에서 기다리고 섰던 궐녀가 담 너머서 수선거리는 발소리들을 향해 말하였다.

「벌써 다녀오느냐?」

「예.」

「무어라더냐? 그런 사람이 왔다고 하더냐?」

「아닙니다요. 전갈이 오자면 아직 삼사 일은 좋이 걸려야 한다는 뎁쇼.」

「아범 말이 틀림없는가?」

「그럼요, 저는 밖에 있었습니다만 이 사람과 언년이를 시켜 소상히 물어봤습지요.」

「알았네. 내가 잘못 안 것 같구나. 추운데 수고하였네. 문단속하고
들어가서들 자게.」

노속들이 행랑채로 들기를 기다려 궐녀는 흐르듯이 방 안으로 들
어왔다. 그리고 화롯불을 일구어 등잔에다 불을 댕기었다. 미닫이를
열더니 갑창(甲窓)을 닫고 덧문을 닫았다. 방 안이 고즈넉해지고 개
짖는 소리가 멀어졌다. 활개를 뻗치고 누웠던 길가가 그제야 일어나
앉았다. 삼층장 위에 실궤와 함이 놓였고 그 옆에 윤이 반질반질한
의걸이장이 보였다. 삼층장 맞은편에 사방탁자가 놓였고 방장(房帳)
이 한쪽 벽에 높다랗게 걸려 있었다.

궐녀의 얼굴이 등잔불 빛에 훤히 밝았다. 월궁 선녀라곤 할 수 없
었으되 살색이 희고 흐벅진 육덕을 갖고 있었다. 눈이 악하지 않았
으며 입술은 둥글고 두터운 편이었다. 눈이 유난히 크고 속눈썹이
길었다. 그런 생김새에서 왜 이 여자가 자문할 용단을 못 내리고 있
는지가 어렴풋이나마 짚여 왔던 것이다.

궐녀가 사방탁자 위에 풀어 놓은 길가의 짚신과 괴나리봇짐을 유
심히 바라보는 듯하더니 입가에 엷은 미소를 흘리며 말하였다.

「마침 사랑에서는 사오 일을 작정하고 출타 중이십니다. 적어도
오늘 밤만은 별 사단이 없을 것이니 저를 죽이든지 살려 두시든지
댁네 의중대로 하시고 오경 초쯤 닭이 홰치기 전에 이 집을 빠져
나가십시오.」

「왜 하필이면 이 안방에다 나를 불러들였느냐? 너도 간이 배 밖에
나온 계집이로구나.」

「반명을 하는 사람들은 내권에게 해라를 않습니다. 육두문자를 대
중없이 내쏟으시니 매양 듣기 거북합니다.」

「바람 따라 돛 단다 하였다. 주제에 개구멍서방 노릇인 내가 무슨

214

체통으로 고개를 영남(嶺南)으로 두라는 거냐. 내 행사가 개차반이거든 대척을 않으면 될 일이지.」

「저도 이미 양반 가문의 범절이나 절조를 지키는 아내로서의 체통을 잃은 몸이 아닙니까. 다만 내 성품이 독하지 못하여 자문의 길을 택하지 못하고 이 누추한 목숨 지금까지 부지해 나가고 있습니다. 다만 육신의 욕심을 따라 숨을 쉬고 섭생을 하고 있을 뿐 이렇다 할 여망도 없고 또한 살아생전 인간의 구실인들 바르게 해볼 염의(廉義)도 있을 턱이 없습니다. 댁네를 강경에서 떠나보내면 그래도 이 누추한 목숨이 안돈을 얻을까 하여 앞뒤 돌볼 경황 없이 이 농간에 휩싸였던 것이나, 날이 갈수록 심기는 더욱 혼란해지고 여자의 욕됨은 더욱 가슴을 긁어 대니 차라리 자문치 못할 입장인 바에야 댁네를 따라나서지 못했던 것이 한이 되었을 뿐입니다. 이 심정은 한 치의 거짓도 없는 말이니 제발 믿어만 주십시오.」

처연히 궐녀를 바라보던 길소개는 문득 책상다리를 하고 앉으면서 대꾸하였다.

「내가 천하에 못할 일을 저질렀구나.」

「이게 다 여자의 운명이겠지요. 제가 아무리 반명으로 태어났다 한들 팔자만은 막지 못한다는 것이 오늘 댁네를 다시 만나고 나니 더욱 절실하게 느껴집니다. 댁네가 왜 노정을 바꾸어 되돌아왔는지 짐작 못하지는 않습니다만, 이젠 원혐을 멈추시고 장삿일에 전력하시는 것이 어떠하겠습니까?」

「그건 내가 알아서 발기 잡을 일, 네가 간섭할 일이 아니다. 그건 그렇게 접어 두고 내가 만약 첫닭이 울기 전에 이 집에서 나가지 않는다면 어떻게 하겠는가?」

「이미 가문의 여자가 외간 남자를 몰래 안방에까지 불러들였을 적에는 작정된 바가 있었기 때문이 아니겠습니까?」

「계집의 염량이란 어찌 보면 사내들보다 더욱 담차고 모진 구석이 있구나.」

궐녀는 손가락이 잘린 길가의 손등을 가만히 내려다보는가 하였더니 문득 치마를 끌며 다가앉았다.

「황망중이라 예가 늦었습니다만 손은 부기가 빠진 듯합니다.」

「워낙 상것의 몸뚱이라 주리 참듯 참아 오는 중에 대강은 아물었다.」

「우리 일가붙이들에게 품고 있는 원혐이 많으시겠지만 오늘 밤 잠시 여기서 여독을 푸신 뒤 가시는 것이 해롭지가 않습니다. 잘못하면 그 목숨을 부지 못할 것이니 그 조가 성 가진 사람과는 동패하여 다니지 마십시오.」

「오늘 밤은 여기서 자야겠다.」

그때 궐녀는 앉은걸음으로 물러앉으면서,

「저와 동품을 하시겠다는 말씀입니까?」

「사내대장부가 이 깊은 밤 등잔불 아래 그린 듯이 앉아 있는 여인을 두고 동품을 않고 나자빠져 코를 굴리며 자란 말이냐?」

「그럴 수가 없습니다.」

궐녀는 구들장이 꺼지도록 깊게 한숨을 지었다.

「너도 알다시피 내가 이 집으로 들어올 적엔 가히 목숨을 내놓을 작정이 아니고서는 할 수 없는 일이지 않느냐? 물론 자네로선 이 천하에 고린내 나는 상없는 놈과 마주 앉아 대거리하는 것조차 외욕질이 날 지경이겠지만, 양반의 채신이라고 벗은 몸에도 호패를 차느냐? 상놈의 몸이라고 죽어서도 버들고리를 입에 무느냐? 내가 시방 손앓이를 하고 있어 권신(勌腎)*이 지난할 테지만 양기 부

---

* 권신 : 남자의 음경을 발기시키는 일.

실한 너의 서방 안방샌님과는 그 일 하나에는 지체가 틀리다.」

「제발 그 육두문자 그만두시오. 어찌해서 사랑의 서방님보다 더 당당하고 거칠 것이 없습니까?」

그참에 길가는 획 모 꺾어 앉으며,

「그것이 다랍고 억울하거든 지금이라도 중문 밖으로 뛰어나가 양상군자가 월장범방을 하였다고 소리치거라. 안방으로 은밀히 모실 때는 언제고 지금 와서 오리발을 내미는 수작은 또 처음 보겠구나.」

「못합니다.」

「그렇다면 내 복안에 따라야지. 내가 전주 인근 고을을 떠난 지가 꼬박 이틀째다. 그간 머릿속에서는 일구여심으로 너만을 생각하였네. 김학준의 집 후원에서는 진퇴양난에 빠져 황망히 저질러진 일이지만 네 말따나 그것도 인연이고 팔자가 아닌가. 기왕 벌인 춤이니 너무 몸 사리지 말거라. 양반이든 상것이든 죽어 땅에 묻히면 한 줌의 흙으로밖에 구실함이 더 있겠는가. 마침 샌님이 출타 중이라니 그것 또한 안성맞춤일세. 행랑것들이 혹시 수상히 여길지도 모르니 어서 등잔이나 끄게.」

퀄녀가 가만히 다가가서 입으로 불어 등잔을 껐다. 불을 끄고 나니 퇴창으로 들어오는 달빛이 깔리기 시작하였다. 퀄녀가 일어서서 한참 동안 한숨을 지었다. 창가의 외대머리 갈보나 사당패의 계집을 사지 않은 이상 뱃심 좋은 길가라 하여 울고 있는 여인을 타박할 수야 없었다. 길가는 선 채로 울고 있는 퀄녀의 어깨에다 가만히 손을 얹어 앉히었다. 퀄녀는 앉는 길로 뱅어같이 희고 투명한 손을 들어 은채(銀釵)를 뽑아내고 옷고름을 풀기 시작하였다. 열과(裂果)처럼 터진 가슴을 가만히 죄고 있는 옥당목(玉唐木) 자릿저고리 앞섶 사이로 푸짐한 유방이 살짝 넘보였다.

옷고름 풀리는 소리가 귓결에 잡혀 오자 길소개는 불현듯 사추리에 불이 떨어진 듯 화끈거렸다. 그는 처음으로 궐녀의 풍만하고 탄력 있는 젖무덤을 보았다. 등잔이 꺼지고 퇴창을 스쳐 들어오는 이지러진 달빛으로 바라보이는 것이었기에 길가의 눈시울을 더욱 뜨겁게 하였다. 그로서는 궐녀가 왜 자진하여 옷을 벗고 있는 건지 헤아릴 길이 없었다. 귀신이 항상 대문을 두드리고 있는 것같이 움츠리고 살아야 하는 실신(失身)한 여자의 슬픔이 거기에 있는 것만은 틀림이 없었다. 그러나 궐녀의 당돌한 짓이 발악에 있든 한낱 결기에 불과했든 지금에 와서 연충에 새겨 헤아릴 필요는 없었다. 이것이 설령 간음이 될지언정 떠돌이 선길장수로서는 평생에 걸쳐도 만나지 못할 상음(上淫)이란 것만 길가는 생각하기로 하였다.

벗겨진 궐녀의 옷자락이 한 겹 두 겹 횃대에 걸릴 적마다 길가의 몸뚱이는 오직 화덕에 집어넣은 쇠붙이처럼 달아오를 뿐 잡념은 일시에 가시었다. 옷을 죄다 벗은 궐녀는 이제 돌아앉아서 길가의 괴춤을 풀기 시작하였다. 만덕산(萬德山) 늦은 안개, 햇살에 사라지듯 얼굴에 가득하던 수색은 사라지고 궐녀의 코밑에서 어느덧 단내가 풍기었다.

「어허, 냅뜨지 말거라.」

의외의 일이라 길가는 한 발치로 물러나면서 말하였다.

「가만히 계셔요.」

「소증(素症)을 풀게 되었다만, 내가 자네에게 상적(相敵)한가?」

「아무 말 마십시오.」

「내가 다시 나타날 줄 알고 있었더냐, 아니면 아예 꺾자를 치고 있었더냐?」

「다시 오실 줄 알았습니다.」

「자네가 희언을 하는구나.」

「희언이 아니옵니다.」

「연광(年光)이 몇 살이나 되었느냐?」

「스물일곱이옵니다.」

어쩌면 궐녀가 학수고대로 길가를 기다렸을지도 모른다는 생각이 들기도 하였다. 만약 궐녀가 이것을 원치 않았다면 병문에서 재장구 쳤을 적에 능히 길가를 따돌릴 수도 있었을 거였다. 이만한 육덕이고 모질기가 이만한 계집이라면 양기 쇠한 안방샌님의 가위에 눌릴 여자가 아니란 생각도 들었다.

반가의 계집들일수록 성희가 대담하고 그들끼리 모이면 은밀한 육담이 오간다는 얘기도 들어서 알고 있었다. 어쩌다가 한번 삐끗하여 노복과 상관을 해본 여염의 여자치고 본부(本夫)와 온전히 붙어 산 여자가 없지 않았던가. 도부꾼들에게 보쌈을 당한 과수나 소박데기들도 처음엔 반항하다가도 몇 달만 지나면 친정에서 찾으러 왔다 한들 한사코 손사래 치던 것을 길소개는 몇 번인가 보아 왔었다.

길소개는 궐녀가 젖무덤을 두 손으로 감싸 안고 저고리를 벗겨 내린 자신의 가슴으로 와락 안기는 것을 내려다보았다. 궐녀의 흐벅진 젖무덤이 가슴에 와서 뭉클하자 느닷없이 등골이 대심박이를 당한 것처럼 뻣뻣해졌다. 너무도 대담한 짓이라 의뭉하고 반죽 좋은 길가도 처음엔 허공에다 턱을 걸고 우두망찰할 수밖에 없었다.

「왜 가만 계셔요?」

궐녀가 숨죽이며 그렇게 말했을 때, 길가는 그만 깜빡 정신을 잃을 뻔하였다. 궐녀가 가슴에 대고 몸을 비비기 시작하자 길가는 발끝에서부터 정수리 끝까지 뻣뻣해지는 느낌이었다.

「어허, 이것 낭패로군. 이러다가 우리 작별하긴 글렀지 않은가. 도부꾼 몸에선 동취(銅臭)가 아닌 고린내가 나는 법, 목간한 지가 꽤 여러 날쨌데 체면이 아닐세.」

「몸이 일만 번 죽어 수화에 들지라도 이젠 돌이킬 재간이 없습니다.」

「오궁골 기생집에서 듣던 소리 같군.」

왜 그런 쓰잘데없는 희언만을 내뱉고 있어야 하는 건지 길가 역시 알 수 없는 노릇이었다.

궐녀는 이제 얼굴을 들어 올려 길가의 구레나룻에다 쩍 하고 입을 맞추었다. 그것은 홍시 냄새가 가만히 풍겨 오는 입술이었다. 기껏해야 숫막의 막창이나 해우채 타령부터 먼저인 사당패 계집이 상대였고 어쩌다가 요행으로 걸렸다 한들 삼패* 퇴기 출신의 해사한 들병이가 고작이었던 길가에게 그래도 반명을 한다는 계집이 이토록 허겁지겁으로 기어드는 판국에야 제 육신인들 제대로 가누기 어려울 것이란 불문가지였다.

「이제는 모르겠습니다. 죽이든지 살리든지 이녁의 속내에 달렸으니까요.」

궐녀는 길가의 목덜미에다 얼굴을 파묻으며 울먹거렸다. 길가는 궐녀의 허리가 부러져라 끌어안았다. 사추리는 숯불을 타고 앉은 듯 화끈거리고 뻐근하였다. 끌어안은 궐녀의 어깨 너머로 완곡으로 넘어간 어깨의 선이 허리께 가서 조급히 잘록이었다가 다시 엉덩이께로 내려가선 펑퍼짐하고 안정감 있게 깔린 것을 길가는 등넘이눈으로 바라보았다. 문득 목으로 군침 내려가는 소리가 들렸다. 길가는 자신도 모르게 어금니를 바드득 사리물었다. 이제 길가는 궐녀가 자기를 집 안으로 끌어들였을 적에 무엇을 생각하고 있었는지 확연히 짚여 왔다.

색념이 이는 깐으론 당장 요절을 내고 싶었지만 이미 일이 이렇게

---

*삼패 : 기생의 한 부류. 이패보다 한층 낮은 부류에 속한다.

까지 된 바에는 동침을 한 것이나 진배없기로, 길가는 짐짓 늑장을 부렸다.

「내 차림새가 이 도령 당년에 어사출또 하던 몰골이고, 본데없는 연놈들의 짓이기로서니 이런 일에도 차서가 있는 법, 하다못해 요 때기라도 깔아야 체면이지 않겠느냐? 아직까지야 우리의 지체가 금수에까지 가지는 않았지 않느냐?」

이제 밤이 깊어 사위가 교교한데 일순 뜨락을 건너가던 바람이 후원의 벽오동을 스산하게 스쳐 갔다. 바람을 따라 퇴창의 달빛이 잠시 흔들리는 듯하다가 금방 멎었다. 궐녀는 횃대에 걸어 놓았던 치맛자락을 끌어당겨 흐벅진 젖무덤을 가리고 앙가조촘 일어서더니 의롱을 열었다. 금침을 내려 아랫목에 펴는 궐녀의 희디흰 두 팔이 희부연 달빛 속에 역력했다.

문득 꽃다운 자질이 이지러지고 색기만으로 충만한 궐녀의 얼굴이 흡떠 보였다. 이름하여 월하가연(月下佳緣)*에 비견할 만하다 할지라도 계집의 몸에 다시 자국을 낸다는 것이 박정하기 짝이 없어 일순 길가의 심기는 번거로웠다.

율(律)에 의하면 처첩이 외간 사내와 간음을 하는 현장을 본부(本夫)가 목도하였을 때에는 그 자리에서 간부를 도륙 내어도 죄로 다스리지 않았다. 아무리 양기 쇠한 안방샌님이라고는 하나 이름하여 대장부임에는 틀림이 없겠고, 제 깐엔 손오공이 여의봉 끼고 돌듯 상것이 상전 약탕기 떠받들듯 하는 계집과의 동침에 일말의 주저가 없지 않을 수 있을까. 미상불 율은 크게 어긴 것이로되 가히 월궁항아(月宮姮娥)에 비견할 만한 때깔의 계집과 마주 앉아서 중놈처럼 염불만 하고 있을 수는 없었다.

---

*월하가연 : 달빛 아래서 맺은 아름다운 인연.

가을밤에 술 거르는 소리와 미인의 치마끈 푸는 소리야말로 그중 듣기 좋은 두 가지 소리라 하지 않았던가. 게다가 예부터 음식이든 계집이든 훔쳐 먹는 것이 별미라 하였으니 계집과 상관한다면 우화 등선(羽化登仙)*의 극환(極歡)에 이를 것이 빤한데, 두 눈이 화등잔 같은 본부가 방금 중문 안으로 들이닥친다 한들 행음(行淫)을 박차고 일어설 결단만은 길가에게 없었다. 이왕지사는 이제 와서 따질 경황이 없이 길가는 어깨를 사리며 금침 안으로 기어드는, 명주 고름처럼 야들야들한 궐녀의 허리를 껴안고 말았다.

간음을 저지르는 연놈이야 어느 편이 옳고 그름을 따질 언저리가 있겠는가. 계집이 매몰차게 곁을 주지 않는다면 어느 사내가 감히 범접을 하겠으며 육담 또한 낭자히 늘어놓을 수도 없는 법, 우레와 번개가 서로 만나니 오히려 탕정을 억제한다는 일이 우스꽝스러울 뿐이었다. 연놈이 서로 입을 맞추어 육허기를 달래니 그 달기가 흡사 엿강정이었다. 운치를 알고 규수의 도리를 닦았다는 반가의 계집일수록 행음에 들면 체면치레를 모르는 법. 역발산기개세*로 덮쳐 오는 사내를 계집은 아금받게 받아들였다. 서로의 목덜미에 침을 바르고 등허리를 더듬으며 숨 가삐 기롱(譏弄)하니, 타고난 분복이 서로 다르고 체통이 또한 서로 다를지언정 그 한 가지 일에야 행하는 바가 다를 데 없었고, 범절이 따로 있을 리도 없었다. 처음엔 서로 기롱만 하다가 사추리로 배꼽을 문지르니 침을 삼키던 계집은 어느덧 고개를 빼어 꽂고 사내의 손바닥에 열 손을 어긋지게 집어넣고 밀치는 듯 당기었다. 연놈이 한데 어울려 네 방구석을 가재 기듯 하며 행음에 열중이니 음황에 든 연놈의 행티가 자못 난하고 사세가

---

* 우화등선 : 사람이 날개가 돋쳐 하늘을 나는 신선이 됨.
* 역발산기개세 : 힘은 산을 뽑을 만큼 매우 세고 기개는 세상을 덮을 만큼 웅대함을 이르는 말.

심상치 않은지라 달빛마저 차마 보기 흉하여 문득 바람을 일구어 벽오동 그늘로 퇴창을 덮었다. 오히려 소골(消骨)을 시키겠다고 속으로 단단히 별렀던 길가가 질색할 만큼 궐녀의 행음은 당차서 기가 찼다.

한 식경이 지나고 나니 서로는 땀덩어리였다. 그 총중에 희학질 소리가 바깥에까지 새난 줄도 모르고 간음한 연놈은 촛농처럼 늘어져 나란히 누웠다. 그때 궐녀가 한다는 말이,

「침석(枕席)이 협착(狹窄)하였지요?」

「자넨 오늘 보니 청루에서 노는 논다니와 진배없구나. 하마터면 허리 부러질 뻔하지 않았느냐.」

계집이 그 말 되받기를,

「설마하니 이녁 허리 부러지기를 두고 보았을까요.」

「내가 오늘은 만부득하여 여기서 유숙하게 되었네만 자네 일이 가관일세. 나야 용(龍)바위를 회 쳐 먹을 만큼 배짱이 드센 놈이지만 자네 처지야 어디 그런가. 부인이 남편을 섬김에 음식을 장만하여 공궤하고 의복을 지어 입도록 하는 일도 큰일이겠지만 침석에 모심에 있어 부끄러움이 없어야 할 터인데?」

짧은 한숨 끝에 계집이,

「사람 성미 덧들이지 마십시오. 그야 기필코 앙화를 받겠지요. 이미 일이 이렇게 된 바에는 소위야 어떻든 저의 장래를 맡으셔야 합니다.」

「정녕 나를 따라가겠다는 거여?」

「자문을 할 결기가 없는 계집으로선 당연한 소원이 아닙니까?」

「나를 따라가서 평생을 하시와 수모로 살아갈 수 있겠느냐?」

「제가 어쩌다가 실절을 한 터이지만 지금껏은 그래도 인륜에 어긋난 짓을 스스로 취할 만큼의 탕녀는 아니었습니다. 그러나 이제 체

통이고 무엇이고 유속(流俗)에 얽매일 처지가 아니게 되었잖습니까? 더욱이나 이젠 이녁을 안방에까지 불러들이지 않았습니까?」

「비위 좋기로는 자네도 노래기를 회 쳐 먹겠네. 다른 계집 같았으면 눈꼬리가 시어서 어디 쳐다보기라도 했겠나?」

「제가 일찍이 간수하던 패물이 좀 있으니 대처로 나가서 팔면 몇백 냥은 될 듯합니다.」

「일장 사연 그만두게. 내 지금은 땡전도 없는 걸립패 신세지만 하물며 아녀자에게 기대어 일용을 도모하리만큼 파렴치한 인사는 아닐세. 나도 며칠 전까지만 하더라도 젓동이를 지고 면면촌촌 유리걸식하며 축담 밑에서 비를 피했네만 차차 거조를 볼라치면 그렇지도 않을 것이니 그렇게 짐작만 하고 기다리게.」

「이제 한 식경이 지나면 홰를 칠 때가 되었습니다.」

「과연 자네는 당초부터 화냥질엔 미립이 난 여자가 아닌가?」

「간부(姦婦)가 따로 있나요. 팔자가 비색(否塞)하면 그리 되옵는 거지요.」

길가는 그때 문득 떠오르는 것이 있었다. 이태 전 문경새재 점막에서 만났던 동무 한 사람이 들려준 이야기였다. 그 이야기는 대강 이러하였다.

용산(龍山)의 한 차부가 서울의 성중으로 바리들을 운반하고 일색이 저물어 집으로 돌아가는 길이었다. 궐자가 허기진 배를 틀어잡고 창골〔倉洞〕 앞 수각다리 어름에 있는 한길 가의 여염집 바람벽에 대고 한참 소피를 보고 있었다. 그때 궐자는 머리 위로부터 난데없는 인기척을 느끼고 고개를 쳐들었다. 열어 놓은 퇴창에 한 미인이 얼굴을 반쯤 가리고 서서는 의외에도 영색을 짓고 있었다. 미상불 그 여자는 차부가 소피를 볼 때 내놓은 걸물을 눈여겨본 듯한데 의외에도 손짓으로 차부를 안으로 부르고 있었다.

「뒷문으로 잠깐 들어오십시오.」

당초에 본 일이 없는 궐녀가 한 말이었다. 차부는 심히 부끄럽고 의아했으나 궐녀의 태도가 일순 조급해 보였으므로 부르는 대로 들어가 보기로 작정하였다. 안으로 들어가서 궐녀를 똑바로 쳐다보았더니 나이는 갓 스물 내외로 기색이 장안에서도 빼어났다. 매구* 오라비 반기듯 차부를 반가이 맞아들인 궐녀는 짐짓 유숙하고 갈 것을 청하였다. 희한하고 어리둥절한 대로 남편이 누구인가를 물어볼 수밖에 없었다. 궐녀의 남편은 액정서(掖庭署)의 별감(別監)으로서 오늘 밤은 다행히 숙직하러 들어가고 없다는 것이었다.

차부가 말을 마방에다가 맡기고 오겠노라고 말하자 궐녀는 놀라는 빛이 역력하면서도 일변 언약을 잊지 말아 달라고, 두 번 세 번 당부하였다. 차부가 나가서 소를 객줏집에 맡기고 궐녀의 집으로 돌아오니 궐녀는 그간 기생처럼 소세하고 몸단장한 뒤 문에 기대어 그가 돌아오기를 고대하고 있었다. 조금 기다려 저녁상이 들어오는데 기명이 제법 정결하고 찬품이 그지없어 차부의 입에는 씹지 않아도 녹아나는 것들이었다.

겸상으로 저녁을 먹고 나서 바쁘게 동침으로 들어갔다. 망그러진 삿갓과 누더기옷과 지린내 나는 감발을 벗어 던지고 비단 이불 속으로 기어 들어가니 그 음란함이 이루 형언할 길이 없었다. 그러나 밤이 거의 삼경에 이르렀을 무렵 문밖에 사내가 와서 아내를 부르는 소리가 들렸다. 해삼처럼 늘어져 누웠던 궐녀가 화들짝 놀라 일어나면서 조급히 씨부리기를,

「주인어른이 돌아왔습니다.」

궐녀는 홀떡 벗은 차부를 고미다락에 오르게 하고 쇠를 채운 뒤에

─────────

*매구 : 천 년 묵은 여우가 변하여 된다는 전설에서의 짐승.

색정을 수습하고는 황급히 뛰어나가 대문을 열었다. 사연을 모르는 본부는 예사처럼 방 안으로 들어왔다. 차부가 다락의 문틈으로 본부를 엿보았더니 그의 풍채가 수려하고 의복도 선명할뿐더러 행동거지가 자못 의젓하였다. 액정서에 속해 있는 관속들과 가까운 자들이 서울 변두리의 무뢰배들을 끼거나 도적들과 한통속이 되어 노략질을 일삼아 간혹 양민들의 손가락질을 받아 왔었는데, 별감이라는 궐녀의 본부는 당초부터 그런 잡배들과는 체통을 달리하고 있었다.

궐녀는 눈가에 푸르스름한 달무리가 진 눈길을 애써 피하면서도 그러나 일변 태연하게 묻기를,

「숙직하신다는 양반이 이 깊은 밤에 어인 일이어요?」

「꿈자리가 하도 어지러워서 나왔네. 꿈에 집에 불이 나서 삽시간에 재가 되었지 않았겠나. 꿈이 깬 연후에도 마음을 놓을 수가 있어야지. 궁중의 담을 몰래 뛰어 넘어왔다네.」

궐녀가 눈을 모질게 뜨고는 남편에게 크게 면박을 주었다.

「몽조(夢兆)가 일시 불길하기로서니 궁궐을 지킨다는 양반이 조심을 않고 사사로이 행동하다니요? 마음 고쳐 자시고 얼른 되돌아가십시오.」

「딴은 옳은 말일세. 그러나 이미 나와 버린 일이 아닌가. 그냥 돌아가자니 무척 허전하고 싱거우이.」

본부가 문득 그의 아내를 희롱하려 들었더니 궐녀는 방패막이로 본부의 요구에 끝내 순종하려 들지 않았다. 본부는 짐짓 웃기도 하며 화를 내기도 하며 어설프게 아내를 얼러 댔으나 막무가내였는 데다가 또한 당직소를 오래 비워 두면 화근이 될 성싶었던지 희롱을 단념하고는 이내 궁궐로 돌아가고 말았다.

궐녀는 본부를 따라나가서 대문의 빗장을 내리고 돌아오더니 고미다락의 차부를 맞아 내려서 다시 한바탕의 음사를 벌이는데 난하

기가 그지없었다. 그러나 차부는 곧장 잠이 들지 못하고 등잔을 멀거니 쳐다보며 뒤척이다가 문득 마음속에 한 깨달음을 보았다. 저의 본부는 자기와 같은 상것과는 비견도 못하리만큼 훌륭한 군자인데도 궐녀가 무단히 끌어들여 이런 천하에 못할 음란한 짓을 떠벌이니 이는 결코 인연이 아니고 전혀 궐녀의 넘치는 음욕을 다스리지 못하는 것에 있다. 아까 본부가 와서 백방으로 궐녀를 달래고 얼러 대도 결코 말을 듣지 않았던 것은 자기가 다락에 앉아 있었기 때문이겠지. 저의 부모가 평생을 일없이 살라고 월승을 맺어 주었거늘 계집의 추행이 차마 이 같을 수가 있겠는가. 부부간의 정의와 인간의 도리 저버리기를 누에 뽕 갈듯 하는 계집을 사내의 결기를 타고난 주제로는 두고 볼 수만은 없지 않은가. 차부는 분연히 일어나서 칼로 궐녀를 찌르고 파루(罷漏)* 치기를 기다려 그 집에서 빠져나왔다.

이튿날 이웃 사람들이 들어와서 보니 유혈이 낭자한 방 가운데 궐녀가 죽어 있었고 방바닥에 칼자국이 어지러웠다. 궐녀의 친정에서 본부에게 의심을 두고 관아에 고발하였다. 별다른 단서는 없고 다만 이웃집 행랑것들이 말하기를, 전날 밤 삼경쯤에 그 집 주인이 당직처에서 몰래 빠져나와 방으로 들어가는 것을 보았는데 돌아간 것은 언제인지 모르겠다고 진술하였다. 죄는 여축없이 본부가 뒤집어쓰게 되었다. 게다가 단근질에 주리까지 틀리는 문초를 받고 나니 본디 대가 약한 사람이라 과연 자기가 찔렀다고 허위로 자백하기에 이르렀다. 본부는 자백과 함께 참형(斬刑)으로 판결이 나고 말았다. 대개 사형수가 새남터로 끌려갈 적에는 용산의 차부가 수레로 실어 가는 것이 상례였다. 그날 밤으로 그 차부가 명을 받고 수레를 대기 중인데 아직 죄인은 보이지 않았다. 전옥서(典獄署) 앞거리에서 서성거

---

* 파루 : 조선 시대에, 오경삼점(五更三點)에 큰 쇠북을 서른세 번 치던 일. 서울에서 인정(人定)으로 야간 통행을 금했다가 새벽에 북을 쳐서 해제했음.

리다가 마침 앞을 지나는 형조(刑曹)의 이속에게 물었다.

「나으리, 오늘 끌려가는 죄인은 무슨 죄입니까?」

이속과 수작하려는 터에 사형수가 옥리(獄吏)들에게 끌려 나와 수레에 오르는데 문득 쳐다보매 능히 알 만한 사람이었다. 차부는 그참에야 생각하기를 어찌 나의 한 목숨을 보전키 위해 애매한 사람 하나를 날로 죽일 수가 있단 말인가. 차부는 그길로 달려가서 자수하고 말았다. 옥관(獄官)이 차부놈이 토설하는 경과의 이치를 곰곰 따지더니,

「세상의 풍속을 어지럽히고도 남음이 있는 한 음녀를 죽이고 또한 무고한 자를 살렸으니 이 사람은 당연히 의인이다.」

그리하여 면천(免賤)은 물론이요 상까지 후히 내렸다는 것이다.

길소개는 혼자 쓴웃음을 지었다. 그 옥관이란 놈 쓸개 빠진 놈일세. 길가의 속내가 짐짓 그렇게 잡혀 있었다.

「나는 닭이 첫 홰를 울 즈음에 월장하여 나가겠네. 자네는 인시쯤에 변복을 하고 포구로 나오게.」

「포구라니요? 강경나루 이십 리가 온통 포구가 아닙니까?」

「황산나루 도선목 비알 근처에 버드나무 두 그루가 마주 선 숫막이 있네. 그 어름에서 기다리게. 해 뜨기 전까지 내가 닿을 테니까.」

「배를 사려고 그러십니까?」

「종선이나 야거리를 얻어 타야지. 경강의 삼개로 갈 작정이지.」

「희언은 아니지요?」

「생게망게한가?」

「예.」

「약조를 하였으니 작파나 말게.」

「그럼 이녁은 꼭두새벽에 나가서 무슨 야료를 부리려는 겁니까?」

「야료를 부리든지 섭수를 쓰든지 자네까진 알 것 없네.」

「한출첨배(汗出沾背)*라더니 실은 등에서 식은땀이 비 오듯 합니다.」

「닭 쫓던 개 울 쳐다보기라더니 자네 본부란 사람 천상 그 짝이 났네그려.」

「바깥사랑의 일은 이제 입초에 올리지 마십시오.」

계집과 시(時) 매기고 난 뒤 한 식경이나 흘렀을까, 멀리서 닭이 홰치는 소리가 들려왔다. 길가는 부스스 일어나서 윗목의 자리끼를 벌컥거리고 마셨다.

계집을 다독거리고 난 뒤 장지를 열고 어간대청으로 나섰다. 이미 달은 져서 사방은 칠흑이었고 스산한 바람은 귓결에 차가웠다. 신방돌 위에서 길가는 짚신 감발을 단단히 죄어 신었다.

6

후원으로 돌아가니 키가 열 길도 넘어 뵈는 벽오동 두 그루가 서 있었다. 담을 기댄 벽오동 등걸을 타고 넘어 고샅길로 내려섰다. 열불나게 걷는다면 담배 두 대 피울 참이면 김학준의 집에 당도할 수 있을 터였다. 인적이 뚝 끊긴 한길은 바람뿐이었고 간혹 바람에 밀린 허섭스레기들이 차가운 소리를 내며 축담 아래로 밀려 갔다. 신새벽인데도 바람은 기승을 떨며 불어 왔다.

길가는 연해 이어진 가겟집들의 추녀 밑을 따라 바쁘게 걸었다. 그는 괴춤 안으로 손을 집어넣어 환도를 한번 슬쩍 만져 보았다. 원항교를 건너서는 곧장 김학준의 집 앞 한터를 겨냥하여 걸었다. 한

---

*한출첨배 : 몹시 부끄럽거나 무서워서 흐르는 땀이 등을 적심.

터를 곧바로 가로질러 노속에게 쫓기었던 풀뭇간 고샅길 쪽으로 접어들었다.

그동안 인적이라곤 없었다. 그는 곧장 후원의 담을 훌쩍 뛰어넘었다. 김학준은 아직 신기를 되찾지 못하고 그 솔축에게 구완을 받는 입장일 테고 보면 길가가 한번 뛰어든 적이 있는 소례의 방에 누워 있을 것도 미루어 짐작할 수 있었다. 짚신을 뗀 채로 대청으로 올라서서 장지를 열고 가만히 방 안으로 들어섰다. 금방 인기척이 나는데 예상했던 대로 아귀센 천소례의 목소리임이 분명하였다.

선잠이 깬 목소리되 첫밭에 내뱉는 말이 당돌하였다.

「누구냐?」

궐녀는 희미한 밤빛 속으로 행전 친 두 다리를 단단하게 꼬라박고 선 장한을 보았다.

「가슴 철렁할 것 없다. 내가 누군지 알고 싶거든 어서 불이나 켜거라.」

「웬 놈의 행사가 이리 무엄하고 개차반이냐?」

길가의 한마디로 오갈 들 궐녀가 아니었다.

「이년, 아귀센 척하지 말고 불을 켜라는데 말을 듣지 않느냐? 네 연놈을 한칼에 뗄까?」

그때, 길가로서는 예상치 못했던 한마디가 건너왔다.

「올 줄 알았소.」

「내가 누군지 안단 말이냐?」

「알다마다요. 월장범방에 이력 난 인사가 안방 사랑방을 가리겠으며 밤낮을 가려 범절할 수가 있겠소?」

「대척만 말고 불이나 켜거라.」

궐녀가 화로를 일구어 초에 불을 댕길 때까지 길가는 꿈쩍도 않고 장지문을 막아선 채로 서 있었다. 방 안이 훤히 밝아 왔다.

아랫목에 김학준이 탈기하고 누워 있었고 그 옆에 소례가 자던 이부자리가 보였다. 소례는 자릿저고리 바람이었으나 서울까투리*로 수줍은 기색도, 그렇다고 크게 유난을 떨지도 않았다.

「저놈을 깨워라.」

길가는 칼끝으로 누워 있는 김학준을 가리켰다.

「보쌈질은 이제 못할 거요.」

「그걸 하러 온 게 아니다. 더욱이 자상을 입은 앙갚음으로 온 것도 아니다. 다만 우리 행수가 받아 가야 할 삼천 냥의 빚을 대신 받으러 왔을 뿐이다.」

「삼천 냥이면 초사(初仕) 자리 둘을 사고 남을 거금이 아니오?」

「총기는 있구나. 그야 장리변으로 따진다면 삼천 냥이 넘을 터이지만 우리 행수 어른의 국량이 넓은 소이로 삼천 냥에 아귀를 맞추었으니 총망중에도 그만한 다행이 없지 않으냐.」

「자리보전하고 누운 양반에게 삼천 냥 어음을 내놓으라니요?」

「이젠 그런 수작에 넘어가진 않을 것이다. 꿰밋돈으로 삼천 냥을 내어 놓아라. 만약 섣불리 굴었다간 너의 연놈을 즉살하고 말겠다. 내가 그예 노정을 되짚어 온 바에는 일을 허술하게 마무리짓지는 않으리란 것, 너의 연놈들도 이미 알고 있으리라.」

「그만한 꿰밋돈이라면 지금 당장 구처하기가 불가합니다.」

「조성준의 거금을 까닭 없이 빼앗고 내권을 유린하였을 때도 사정과 이치를 따져서 하였더냐? 저놈을 일으켜 세우지 않으면 뱃구레에 바람구멍을 내고 장달음을 놓겠다.」

길가는 댓바람에 몸을 날려 누워 있는 김학준의 뱃구레를 이불째 깔고 앉았다. 이불 밑으로 늙은 몸뚱이가 한 번 꿈틀하였고 천소례

---

*서울까투리 : 수줍음이 없고 숫기가 많은 사람을 비유적으로 이르는 말.

가 화들짝 놀라 엎어지는 바람에 촛불이 심하게 흔들리었다.

길가는 칼끝을 김학준의 목에다 바싹 들이댔다.

「네년의 계략으로 보쌈한 이놈을 놓치었고 또한 우리 붕당에게 원혐을 가진 솟대쟁이 계집과 담배장수를 끌고 와서 우리를 해코지할 기회를 노리고 있다는 것도 안다. 우리 붕당을 허술하게 보지 말거라. 어쩔 테냐? 삼천 냥을 꿰미로 내놓을 테냐, 아니면 네 늙은 남편의 육신이 저자에 널리는 것을 두고 보겠느냐?」

흔들리는 촛불에 소례의 얼굴이 초췌하게 일그러졌다.

「잠깐 기다려 주십시오.」

「잠깐이라니? 내가 이 방을 나가면 노속들의 추쇄에 쫓길 신세가 뻔하지 않느냐? 잠시 지체도 내겐 천금이다. 봉욕을 사서 얻으란 거냐?」

섭수에 능하고 아귀센 소례도 이때만은 도리가 없었다.

「꿰밋돈을 마련하겠으니 뜸베질은 그만두시오.」

소례가 일어나서 의롱 위에 놓인 화각함을 내렸다. 그 안에 있는 패물들을 꺼내고 의롱을 뒤져 꿰밋돈을 셈하여 내놓으니 값어치로 따져 삼천 냥은 능히 될 만하였다.

「이만하면 삼천 냥 빚 탕감은 능히 될 것이오. 그 대신 수결(手決)이라도 남기셔야 합니다.」

길가는 횃대에 걸린 궐녀의 치마를 걷어 패물을 싸고 꿰미들은 어깨에 감고 배자를 껴입었다.

「만약 이것이 삼천 냥에서 고리라도 셈이 축날 경우에는 또 월장을 할 터이고 수하것들을 진작 풀어서 나를 추쇄하려 들 때에는 그놈들을 하나하나 물고를 낼 터이니 그리 알고 있거라.」

「수결을 남겨 주십시오.」

「조성준의 계집을 유린할 적에도 수결을 남기었더냐? 누워 있는 놈에게 물어보아라.」

「그럼 이제 바라던 바를 성취하였으니 이 방에서 썩 비키시오. 나 역시 청지기나 노속들은 풀지 않으리다.」

「아무렴, 내가 너희들과 한솥밥을 먹을까. 김학준이란 놈 고황에 만 들지 않았어도 사화술이라도 나누었으면 좋겠다만 범절이 아니구나. 언젠가는 네년을 다시 만나리라.」

「왁댓값 받아 가는 주제에 방정은 그만 떠시오.」

「이참에 내가 한마디해 주겠다만 김학준이란 놈 백약이 무효다. 일 삭을 넘기지 못할 것이니 초종범절이나 잘 치르도록 건사하거라.」

「그게 무슨 말이오?」

소례의 얼굴이 그 순간 새파랗게 질리었다.

「그럼, 행수가 그놈을 오래 살려 둘 성싶었더냐?」

「네 이놈들, 무슨 해코지를 하였느냐?」

「이년이 아직도 입정이 살았구나. 네깟 년이 아무리 기승을 떨기 로 네 근본이 상것이고 네년이 아무리 체통을 부려 보았자 김학준 의 솔축에 불과하지 않느냐. 여러 말 말고 엎디었거라. 모가지에 칼자국 나기 전에.」

길가는 다가가서 촛불을 넘어뜨려 끄고 금방 대청으로 나섰다. 꿰 밋돈의 무게로 몸이 휘청하였다. 들어왔던 대밭 위의 축담을 넘어 한터로 나왔다. 그리고 곧장 황산나루로 나아갔다.

나루에는 매서운 강바람만 세찰 뿐 사람의 그림자라곤 얼씬도 하 지 않았다. 그는 주상들이 묵고 있는 숫막과 여각들을 기웃거렸다. 더러 술등이 켜져 있는 숫막들이 보이긴 하였으나 삽짝들이 모두 닫 혀 있고 봉노들도 깜깜하였다. 그는 발길을 돌려 도선목 쪽으로 내 려가 보았다. 칠산 앞바다 위도에서 올라온 조깃배들이 도선목에 여 러 척 정박해 있었으나 거개가 당도리선으로 그가 찾는 주낙배나 야거리가 매어진 곳은 보이지 않았다.

주상들은 거개가 숫막에 들었으나 화장들은 배에 남아서 어물을 지키고 있었다. 그러나 대개가 추위를 이기기 위해 모주들을 억병으로 마시고 취해 자빠져 있는 터라, 은밀히 수작할 위인을 만나기가 어렵게 되었다. 길가는 한 계책을 생각하고 갯가로 올라와서 뻘밭에 흩어진 삭정이들을 주워 모았다. 그러고는 주상들이 오르내리는 길목 어름에다가 모닥불을 피우기 시작하였다. 모닥불로 주위가 밝아지고 사추리가 제법 뜨끈뜨끈해 올 무렵쯤에 언 수탉 같은 뱃사람들이 하나 둘 불을 보고 모여들었다. 거개가 모주를 사먹을 형편이 못되어 새벽 추위에 마냥 떨고만 있던 화장들과 설레꾼들이었다. 불을 보고 모여드는 축들이란 십중팔구 행탁이 비었거나 화초방에서 쫓겨난 설레꾼들이었다. 대여섯 사람이 모여들기를 기다렸다가 길가는 그중 허우대가 우람하고 텁석부리 수염이 진한 장한 한 놈의 옆구리를 꾹 찔렀다.

「노형께선 어디서 오셨소?」

「나요? 한 시절 보내 버린 뱃놈인데 어디서 오고 어디로 가봐야 뱃길이지요. 멈추어야 포구 갯벌밖에 더 있었겠소.」

「추위를 몹시 타는구려.」

「여각에서 진작 물종을 넘겨주지 않아 벌써 보름째 이러고 있소. 순대가 비었으니 떨 수밖에요.」

이런 잡담 저런 농지거리를 주고받다가 궐자를 모닥불 뒤편으로 불러냈다.

「왜 그러시오?」

궐자가 눈이 희번덕해서 물었다.

「주낙배나 야거리 한 척 낼 수 없겠소?」

「언제 말이오?」

234

「지금 당장이오. 선가는 후하게 내놓을 터이니 해 뜨기 전에 떠나서 점심참쯤에 우리를 내려 주시오.」

궐자가 잠시 망설이던 눈치더니,

「어떤 사람들이오?」

「나와 동무 한 사람이오. 행중의 한 놈이 행수의 전대를 풀어 튀었소이다. 그놈을 추쇄하려는 거요. 그래서 한 패는 육로로 한 패는 강으로 내려가려는 거요.」

「얼마 내시겠소?」

「상목으로 한 동 값을 내리다.」

궐자의 눈이 휘둥그레졌다.

「도대체 어디까지 모실깝쇼?」

「여기선 군산포(群山浦)의 중간인 갓개〔笠浦〕까지만 데려다 주시오.」

「선돈이오?」

「배에 오를 때 드리리다. 그러나 이 약조는 노형과 나만의 약조이니 함부로 입정을 놀려선 안 됩니다. 배는 있소?」

「선가만 후하다면 명색이 뱃놈인데 그깟 야거리 한 척 구처할 수 없겠소?」

「도선목에 소문이 퍼지면 안 되오.」

「거 듣던 중 반가운 소리요. 나 역시 댁네들을 모시려면 야거리를 훔쳐야 하니까요.」

「그러다가 사단이 나면 어떡하시려구 그러시오?」

「허, 노형, 구더기 무서워 장 못 담그겠수. 약차하면 배를 버리고 줄행랑을 놓아 버리지요. 그깟 배 못 타서 걱정이겠수. 내겐 당장 허기 끄는 것이 급한 일이오. 우선 몇 닢 주슈. 장국이라도 먹어 둬야 노를 잡을 것 아니오.」

「어디로 나갈까요?」

「저 윗녘으로 올라가면 제법 키가 크게 자란 갈밭이 있소. 그곳으로 나오시오. 곧장 배를 대드릴 테니.」

길가는 궐자에게 몇 닢을 건넸다. 궐자가 숫막 쪽으로 뜀박질하는 것을 기다려 길가는 궐녀와 약조했던 버드나뭇집 어름으로 걸음을 옮기었다. 숫막의 삽짝을 끼고 뒤꼍으로 돌아가니 도부꾼으로 변복을 한 궐녀가 기다리고 있었다. 사람을 먼저 알아본 것은 길가가 아니고 궐녀였다.

「저 여기 있습니다.」

길소개를 밀막으면서 궐녀는 떨리는 목소리로 말하였다.

「자, 어서 가세. 더 지체할 경황이 없네. 먼동이 트기 전에 포구를 벗어나야 하네.」

두 사람은 도선목 어름을 멀찌감치 비껴서 나루의 서쪽 길로 내려갔다. 문득 불던 바람이 잠잠하였고, 멀리 길가가 피웠던 모닥불 주변에는 웅기중기 모여 선 화장들의 그림자가 어른거렸다. 앞서거니 뒤서거니 서로 재촉을 주고받으면서 반 마장쯤이나 걸어서야 궐놈이 일러 준 갈밭과 만날 수 있었다. 갈밭은 제법 길게 강심(江心)에까지 뻗어 있어서 주낙배 한 척쯤은 저어 온대도 잘 보이지 않을 정도였다.

배는 아직 도착하지 않고 있었다. 갈밭 속에 숨어 앉은 두 사람은 강심 쪽으로 신경을 곤두세우고 노 젓는 소리가 들려오기만을 기다렸다.

「그 뱃사람, 저자의 무뢰배는 아닌지 모르겠습니다.」

뒤끝이 미심쩍었던지 궐녀는 대뜸 뱃사람이 누구인가부터 물었다.

「난들 알겠는가. 근력이 있어 보이기에 수작을 걸었지. 그깟 아무 놈이면 어떤가, 뱃놈 아니면 갯바닥 왈짜겠지. 그러나 강경 일대의 민심이 안연(晏然)*하니 그렇게 걱정일랑 말게.」

「대중없이 배를 샀다가 우환이라도 생기면 어떡합니까?」

「지금이 진안주 마른안주 가릴 처진가. 그놈도 야거리 한 척을 훔쳐 온다니까 그놈이나 우리나 처지 다를 바가 없네.」

「제 본색이 탄로 나면 어쩌지요?」

「자넨 그저 창막이 판자에 쥐 죽은 듯이 앉아만 있게. 그놈과 대척은 내가 할 테니까.」

그때, 갈밭 저쪽에서 노 젓는 소리가 들려왔고, 얼마 기다리지 않아서 희미한 미명 속으로 활대를 내린 돛배 한 척이 갈밭 사이를 비껴 흘러 들어왔다. 길가가 일어서서 갈밭 위로 고개를 디밀어 올렸다.

「노형이시우?」

「그렇소.」

「일행은 왔소?」

「여기 있소.」

궐자는 배를 뻘밭 속으로 깊숙이 갖다 대었다. 두 사람이 배에 오르자, 배는 금방 갈밭을 빠져나와 강심으로 나아갔다. 배에 오르는 길로 길가는 꿰밋돈을 궐자에게 건넸다. 궐자는 셈을 해보는 눈치도 없이 선가를 받아 괴춤에다 찼다. 일행인 궐녀에겐 힐끗 일별을 주었을 뿐 고물 쪽에서 열심히 노만 젓고 있었다. 활대를 올리고 돛을 펴자면 두 식경이나 기다려야 할 판이었다. 포구가 시야에서 사라지기 전까지는 돛을 올려서는 안 되었기 때문이다.

궐녀는 배에 오르는 길로 고물 쪽으로 등을 돌리고 꼼짝달싹 않고 앉아 있었다.

「요기는 든든히 하였나?」

---

*안연 : 마음이 편하고 침착하다.

등 뒤에 앉았던 길가가 나직이 물었다.

「무슨 경황이 있었겠습니까.」

「나도 사뭇 빈속이라 떨리는걸.」

「패물을 싸고 백설기를 조금 가지고 왔습니다. 초벌 요기라도 하시지요.」

「그만두게. 삼천 냥이나 가진 놈이 백설기로 복장을 채우겠나.」

「삼천 냥이나 빼앗았군요.」

「내가 김학준의 집에 다녀온 걸 어떻게 알았나?」

「저도 눈치 있는 계집인데 그걸 모르겠습니까.」

「그놈이 응당 내어 줄 돈을 챙기었으니 만에 하나 나를 화적 취급은 말게.」

「본부 몰래 도망하는 년이 화적과 만난들 또한 어떻겠습니까.」

「거 듣던 중 섭섭한 말일세.」

「배를 훔칠 바에는 차라리 이녁이 키를 잡지 왜 뱃사람을 샀습니까?」

「내가 물길에는 설지 않은가. 게다가 서툰 솜씨로 남당진(南堂津)을 빠져나가다가 무슨 변을 당할지 모르지 않는가. 우리가 거기서 물귀신이 된다면 그 꼴이 무언가? 남당진만 무사히 빠져나간 뒤 뀔놈과 배를 돌려보내면 그땐 우리 둘일세.」

「저자가 혹이나 농을 걸면 어떡하지요?」

「만사 귀찮은 체하고 고개를 떨구고 앉아만 있게.」

길가는 뼘가웃 곰방대를 꺼내 시초 한 대를 담아 물었다. 강경포에서 군산포까지의 뱃길은 150여 리 상거였다. 게다가 진(津)과 포(浦)가 연하여 다닥다닥 붙어 있었다. 우선 강폭이 왼편으로 완만하게 꺾이면서 만나는 곳이 낭청진(琅靑津)이었다. 낭청진에서 오른편 용안현(龍安縣)의 용두산(龍頭山)을 바라보면서 곧장 배를 저어 가

238

면 임천계(林川界)의 청포진(菁浦津)과 만나게 되었다. 청포진은 용안현의 다근이나루와 마주 바라보면서 용안의 북면(北面)에 이어진 길을 이루었다. 청포진을 지나면서부터 강폭은 더없이 넓어졌다. 왼편으로 드넓은 개활지가 나타나면서부터 다시 용안의 성당창(聖堂倉)이 나타났다. 성당창이 바라보이면서부터 강폭은 가파르게 좁아지면서 물결이 거세졌다. 그곳이 남당진이었다. 남당진은 강폭이 좁아지는 대신 조수가 빠르고 파도가 높았다. 서투른 주상들이 멋모르고 남당진으로 곧장 접어들었다간 십중팔구 봉변을 당하였다. 이력이 난 장삿배들도 남당진을 지날 때에는 반드시 북과 꽹과리를 치며 제사를 지냈다. 조기철에 갓개의 장시가 강경을 방불케 하고 있는 것은 남당진의 빠르고 무서운 조수에 뱃길을 놓을 수 없는 주상들이 남당진 못미처인 갓개에 어물을 풀어 버리기 때문이었다. 남당진만 무사히 빠져나가면 뱃길 10리가 못 되어 갓개와 만나게 되었다. 갓개에서 근 시오 리의 뱃길은 배를 버려 둬도 저절로 나갔다. 그 시오 리 어름에 함열현(咸悅縣)의 피포(皮浦)가 있었다. 피포에는 해창(海倉)이 있었다. 피포의 해창은 득성창(得成倉)의 수로가 막히면서 새로 낸 신창인데 남원, 운봉, 금산, 진산, 용담, 고산, 익산, 함열의 전세(田稅)와 대동미(大同米)를 경강으로 조운(漕運)하였다. 피포에서 지척이면 다시 함열의 곰개나루〔熊浦〕였다. 곰개나루는 다시 맞은편 임천의 상지포(上之浦)와 후포(朽浦)와 이어지고 다시 10리를 저어 가면 죽산진(竹山津)과 만나게 되었다.

죽산진은 맞은편 연안의 임피(臨陂)로 이어지고 다시 한산(韓山) 쪽으로 완포(完浦)와 와초(瓦草) 그리고 옥포(玉浦)로 이어지면서 군산포에 이르게 되었다. 군산포에도 해창이 있었다. 군산포에서는 옥구, 전주, 진안, 장수, 금구, 태인, 임실 등의 전라도 내륙 7읍의 전세와 대동미를 계량하여 역시 경강으로 조운하였다.

포와 진이 강 연안에 즐비하고 두 개의 조운창이 있으며 충청도와 전라도의 물산이 쏟아져 나오기 때문에 저자가 서는 날이고 무싯날이고가 상관없이 포구와 진에는 장사치들이 들끓었다. 그나마 갯가가 연명하기 손쉽다 하여 6월의 수해로 집과 장토를 잃은 남원의 굶다 못한 백성들이 흘러나와 나루와 포구로 떼 지어 몰려다니며 구걸 행각을 벌이었다. 장사치들의 행탁을 노리는 소매치기는 물론이요 경강에서나 있음 직한 갖가지 사기 수법이 오직 연명하기 위한 수단으로 자행되었다. 여각과 어계의 사람들은 관속들과 짜고 억매홍정으로 주상들의 물종을 빼앗다시피 하였고 아전들은 또한 그 틈에 끼여 몽전을 챙기었다. 이조 참판 조병식(趙秉式)은 충청도 관찰사로 있던 당시 그 토색질한 장전이 9만 6천 냥에 이르러 나주목(羅州牧) 지도(智島)로 귀양 보내니 백성이 또한 믿을 곳이 없었다. 전라도에 암행을 나갔던 어윤중(魚允中)의 서계(書啓)에 따라 전주 판관, 고부 군수, 영광 군수, 임자도 첨사(僉使), 흑산도 별장(別將) 등이 치죄를 받았던 것이 전부 김해와 남원에 수해가 극심하였던 6월의 일이었다. 그들의 뒤에는 재물로 양반의 직첩을 산 거상들과 선주들이 버티고 있어서 일찍이 우의정이었던 김병국(金炳國)은 이를 개탄하여 마지않았다. 그러나 굶주리고 갈 곳 없는 백성들이 거기에 빌붙어 연명하고자 하였으니 나루와 포구엔 어딜 가도 싸움질이요 모함이었다.

　어디 그뿐인가. 강 연안에는 수적(水賊)이 횡행하였다. 충청도 관찰사 이명응(李明應)은 지난 7월에 화적인 이한성(李漢成) 일당 일곱 사람, 그리고 안봉길(安奉吉) 일당 여덟 사람, 그리고 9월에는 수적승(水賊僧) 여덟을 공주진과 공주 진두(津頭) 저자에 끌고 나와 수천의 장사치와 백성들이 바라보는 가운데서 효수(梟首)하였으니, 이는 명화적(明火賊)이 날뛰어 민심이 흉흉하고 장시(場市)가 날로 공

폐(空廢)되어 감에 따른 자구책이기도 하였으나, 외읍(外邑)의 도적
은 근절되지 않았다. 도적이 효수되었다는 소문은 금강을 타고 내려
연안의 포와 진에 낭자히 퍼졌고 도부꾼들은 직접 구경한 이도 적잖
았으나, 배가 고픈 백성들에게는 지금 당장은 남의 일일 수밖에 없었
다. 연안의 전세(田稅) 관리도 말이 아니었으니, 지난해 6월에 조창
(漕倉)을 떠났다는 배들이 5월까지 경강에 도착하지 않아 삼남(三
南)의 관찰사들이 문책을 당한 바 있었다.

　이는 관속들의 기강이 해이하고 태만한 것에도 연유하였지만 실은
포흠을 일삼는 지방 관아의 농간과 흉년을 당한다 하여도 한번 결정
한 전세는 정감(停減)*하지 않는 지방 관아의 횡포와 가렴주구*에
있었다. 김병국은 상납세미(上納稅米)의 농간에 대하여 선주들에게
는 선참후계(先斬後啓)*하고 수령들에게는 선파후나(先罷後拿)*로
다스리라 하였으나 그것이 별무효과였던 것은 건납(愆納)* 자체가
관속들의 농간에 있었기 때문이다.

　두 사람이 탄 야거리가 아무런 사단이 없이 청포진을 지나 남당진
가까이 이르렀을 때는 해가 떠서 어느덧 진시(辰時)*참에 이르렀다.
남당진 좁은 목쟁이에 들어서는 배가 몹시 흔들리었고 흔들리는 만
큼 뒤로 물러나기도 하였다. 궐자가 키를 놓치지 않으려고 무진 애
를 쓰는 동안 길가는 용총줄을 당겨 배를 물살 위로 세웠다. 창막이
아래로 물이 들어왔고 궐녀는 쪽박으로 창막이에 차 오르는 갯물을

---

*정감 : 흉년이 들어 백성이 조세나 환곡을 내기 어려울 때에, 나라에서 받지
　아니하거나 덜어 주던 일.
*가렴주구 : 세금을 혹독하게 징수하고 강제로 재물을 빼앗음.
*선참후계 : 군율을 어긴 사람을 먼저 처형하고 나중에 임금에게 아룀.
*선파후나 : 먼저 파직시키고, 죄상은 나중에 잡아들여 촉문함.
*건납 : 세금 따위를 기한까지 내지 못하여 밀림. 체납.
*진시 : 오전 일곱시에서 아홉시 사이.

퍼내기에 바빴다. 남당진을 무사히 빠져나오는 데는 반나절이 걸린
셈이었으나 궐자의 근력이 세차고 남당진 목쟁이를 여러 번 왕래한
이력이 있는지라 강포의 욕은 보질 않았다. 그때, 궐자가 한숨 돌릴
참으로 키를 놓고 덕판 쪽으로 건너왔다.

「이제 어려운 고비는 넘겼수. 돛만 펴놓으면 갓개가 지척이오.」

궐자가 덕판에 앉은 궐녀에게 처음으로 수작을 걸었다. 궐녀는 대
척은 않고 흰자 많은 눈으로 힐끗 쳐다보았다.

「시초 한 대 얻읍시다요.」

괴춤에서 곰방대를 빼내 들며 궐놈이 씨부렸을 때 뒤에 섰던 길가
는 놈의 태도에서 뭔가 심상치 않은 낌새를 느끼었다. 쌈지를 꺼내
주자, 대통을 쌈지 속에 집어넣으면서 궐자가 말하기를,

「행중의 한 사람은 옥골선풍이우.」

「떠돌이 신세에 옥골선풍이면 무엇에다 쓰겠소.」

길가가 대수롭잖게 대답했으나 궐자는 대통에 불을 댕긴 다음에
의외에도 궐녀에게 곰방대를 건넸다.

「한 대 피우시오.」

「그 사람 행초 태울 줄 모른다우.」

「허허, 내가 노형께 담배를 권했소? 왜 말끝마다 쌍지팡이시우?
이 상투 외자루 튼 총각이 아까부터 통 말이 없기에 해포이웃하자
고 내가 시방 인정을 쓰고 있는 거요.」

「거 상둣술로 친구 사귄다더니 노형이 그 짝이오. 왜 하필이면 남
의 담배 얻어서 인정을 쓰시오? 게다가 그 사람은 담배를 못 피운
다지 않았소?」

궐자는 길가와는 대척도 않고 곰방대를 곧장 궐녀의 코앞으로 디
밀어 댔다. 궐녀는 곰방대를 밀막으면서 외면을 하였고 의뭉스러운
궐자는 더욱 의미심장한 눈으로 궐녀를 뒤지듯 쳐다보았다.

「거 곰방대 못 치워?」

「여보시오, 노형, 피우는지 못 피우는지 이 총각 속으로 빠졌소?」

「그러지 말고 키나 잡으슈. 그러다간 배가 산으로 가겠소.」

「그건 걱정 마쇼. 내 뱃놈 십 년에 아직 산으로 가는 배는 본 적이 없으니까.」

「이봐, 못 피운다구 하지그래. 그만하면 알아듣겠네만 뱃사람치군 너무 치근덕거리는군.」

그 말을 얼른 주워 담은 건 역시 궐자였다.

「아마 대꾸를 못할걸…….」

「거 무슨 깜냥 없는 말이오?」

「이 사람이 변복한 색다른 손님이란 걸 내가 알기 때문이우.」

「변복이라니?」

「아까 남당진을 지나올 때 내 이 사람의 엉덩이를 봤소이다.」

「거 눈치 한번 빠르시군. 사실은 여상단이오.」

「노형, 그러지 마슈. 이 여자는 상단 사람이 아니지 않소? 명색이 뱃놈 십 년에 상단 사람 모르고 여염의 계집을 모르겠소? 노형이 전대 털고 장달음을 놓은 동패를 추쇄한다지만 기실은 노형과 이 계집이야말로 쫓기고 있는 판국이 아니오?」

「거 실없는 소리로 사람 공연히 욕보이지 마시오.」

「노형은 지금 반가의 계집을 보쌈질하고 있는 게 분명하지 않소? 거 낯빤대기가 해반주그레한 걸 보니 용색이나 쓰게 생겼수다. 허기야 강경으로 돌아가면 어느 집 계집이 야반도주를 하였는지 소문이 낭자하겠지만…….」

「남의 속사정 깊이 알 것 없이 후한 선가를 받아 줘었으면 뱃길이나 온전히 잡으시오.」

「허기야 내겐 강 건너 불이지요. 어느 놈이 계집을 업어 가건 상관

이야 없지요. 하지만 나도 이참에 선가 외에 후한 용채라도 받아
쥐어야겠수다.」

「얼마면 되겠수?」

「아예 노형께서 가진 것 중 반반으로 합시다.」

「그러지 말고 아예 내 전대를 털지 그러느냐.」

「거 함부로 해라 던지지 마슈. 진마다 관속들이 기찰을 돈다는 걸
모르슈? 여염집 계집 꿰차고 도망하는 놈 알려만 주면 후한 행하
가 떨어질 건 물론이요, 본부라는 사내도 상급을 내릴 것 아니오.
자, 어떡하겠소? 내가 가만히 앉아서 손재를 보란 말이오?」

「네놈도 배를 훔친 주제가 아니냐? 그런 건 관아에서 다룰 줄 모
른다더냐?」

「노형, 이 배가 훔친 배인지 내가 부리는 배인지 어떻게 아우?」

「네놈의 입으로 말하지 않았느냐, 훔쳐야 한다고?」

「이 배는 엄연히 내가 부리는 배요. 그건 두둑한 선가를 받아 낼
요량으로 잠시 지어낸 말에 불과하우.」

그 순간 길가는 창막이 판자를 박차고 득달같이 궐놈에게로 달려
들었다. 궐자의 멱살을 잡고 곧장 물속으로 처박아 넣을 듯이 꼬라
박았으나 궐자는 놀라기는커녕 두 눈을 부릅뜨고 되레 공갈을 쳤다.

「어허, 늦바람이 나면 곱사를 벗긴다더니, 이 구닥다리 주제 하구
선 제법 방귀깨나 뀌는데그려. 이놈아, 강경 인근에서 내 멱살 잡
은 놈은 이제 네놈이 처음이다. 상추밭에 똥 싼 개는 눈에 보이는
것이 없느냐?」

길가가 그 순간 드잡이한 손을 빼내어 궐자의 귀쌈을 겨냥하여 손
을 허공으로 날리는데 어느새 궐자의 한 손이 허공에서 팔을 낚아
챘다.

「화적질한 꿰밋돈을 나눠 먹자는데 이렇게 기승을 부릴 건 없지

244

않나? 그래 봤자 소용없어. 나로 말하자면 대〔竹〕끝에서도 삼 년을 연명할 놈이여.」

「나나 너나 환장하긴 매일반이다. 더 다툴 여지가 없다.」

길가는 궐자의 손으로부터 팔을 비틀어 빼내었다. 그리고 손을 괴춤으로 넣어 환도를 가만히 만져 보았다. 궐자는 생김새부터가 장한이었고 어쭙잖은 속임수 따위론 물러날 위인 같지도 않은 데다가 자기는 꿰밋돈까지 짊어진 터라 완력으로 다루기는 때늦은 감이 없지 않았다.

이미 두 사람의 본색이 탄로 난 이상 돈 백 냥 정도라면 길가도 선뜻 내놓을 작심을 했을지도 몰랐다. 그러나 궐놈은 백 냥 이외에 또다시 무슨 구실을 붙여 야금야금 전대를 털어 갈 것이 분명하였다.

「네놈의 요구대로 하지.」

길가의 태도가 그참에 와서 돌변하는 걸 보자 궐놈은 짐짓 웃음을 흘리며,

「진작 그럴 것이지.」

길가는 그때, 배자 속으로 손을 집어넣어 꿰미를 내리는 체하다가 잽싸게 환도를 꺼내어 바로 앞을 막고 서 있는 궐놈의 뱃구레에다 깊숙이 찔러 넣었다. 궐놈은 한순간 짧은 신음 소리를 내더니 눈자위를 허공에다 똑바로 박고는 모가지를 뻣뻣이 세웠다. 길가는 한 손으로 궐놈의 어깨를 끌어안는 체하면서 다시 환도를 빼내 가슴에다 칼을 꽂았다. 그의 배자 위로 핏자국이 낭자히 튀면서 궐자가 창막이 판자 위에 맥없이 쓰러졌다. 쓰러지는 판에 배가 한 번 기우뚱거렸고 덕판에 앉았던 궐녀가 그때 새된 소리를 내질렀다.

「에이그머니나!」

창막이 판자를 허리에 걸고 궐놈은 하늘을 똑바로 쳐다본 채였는데 눈자위는 아직도 굴리고 있었다. 궐자의 두 손이 아랫배를 잔뜩

모아 잡고 있었는데 북두갈고리 같은 손마디 사이로 선혈이 배어 나기 시작하였다.

「이노오옴.」

궐자의 입에서 마지막으로 새어 나온 말이었다.

「이놈아, 뱃구레에 바람구멍을 내어 놓았으니 네놈도 이제사 속 시원한 변 한번 보았겠구나.」

「이를 워째?」

궐녀가 창막이까지 기어와서 정신없이 지껄였으나 길가는 그때 멀리 비껴나는 연안의 갈밭을 바라보고 있었다.

「꼼짝 말고 덕판으로 가서 앉아 있게. 잘못했다간 원악도로 가네.」

배는 마침 불어오는 북서풍을 타고 기세 좋게 강심을 가르고 있었다. 바람을 한껏 껴안은 돛이 찢어질 듯 팽팽히 당겨졌고 용두(龍頭)에 매인 용총줄은 당기지 않았어도 핑핑 울었다. 길가는 고물 쪽으로 나아가서 키를 잡았다. 멀리 연안에는 야거리와 주낙배 여러 척들이 매여 있었고 강에 떠 있는 배도 여러 척이었다. 그러나 너무나 순식간에 일어난 일이라 앞뒤에서 나아가는 배들에선 이 분란을 눈치 채지 못하고 있었다.

궐녀가 체머리를 떨며 울기 시작하였다. 길가는 예사롭게 배를 몰다가 멀리 연안의 갈밭이 무성한 갯벌을 발견하고 키를 틀었다. 배는 북서풍을 사각으로 받으면서 갈밭 어름으로 천천히 다가갔다. 갈밭 사이에 배를 대고 돛을 내렸다. 지나가는 배에는 짐짓 부러진 활대를 고치는 체하였다. 한 식경이나 기다려서야 겨우 시야에 배가 보이지 않는 참이 왔다. 길가는 갈밭 속에다 시체를 버렸다. 그리고 다시 돛을 올려 강심으로 나섰다. 언뜻 배를 내리기로 작정한 갓개나루가 저만치 뒤로 보였다. 바람이 좋았다.

초장부터 얼혼이 빠지고 신색이 하얗게 질린 채로 이물 쪽 덕판에 몰골 없이 앉아 있던 궐녀가 뱃전 가녁을 잡고 창막이까지 건너왔다. 그리고 탈기하여 앉아 있는 길가에게 이르기를,

「군자는 한 발짝을 내딛는 데도 신중하여 소홀히 해서는 아니 됩니다. 심히 난처한 경우를 당하더라도 그중에서 곰곰 생각해 보면 반드시 통로를 열어 나갈 길이 있을 터인즉, 하물며 자신의 용력만 믿고 사람을 그렇게 간대로 살상을 해서는 안 될 일이 아닙니까? 이런 변고가 어디 있습니까?」

상기된 낯짝으로 곰방대 대통에다 부싯깃을 갖다 대다가 바람 때문에 여러 번 실패를 하던 길가가 곰방대를 덕판에다 홱 내던지고 가래침을 퉤악 뱉더니,

「임자는 털도 없는 주제에 말은 한번 푸짐하이. 중놈 장삼 가랑이에 신대가리 불거지듯 냅뜨지 말고 가만있기나 하게. 살상을 하는 길밖에 다른 도리가 없는 경우에는 그것이 또한 통로일 수밖에 다른 섭수가 없지 않은가?」

「그랬더라도 다른 도리를 찾아야 했지 않습니까? 그것만이 원만한 처사였다고 생각하십니까?」

「거 식자(識字)가 쇠눈깔일세. 임자도 궐놈의 허우대를 보았지 않은가? 내가 궐놈의 모가지를 잡아 조리를 돌리든지 모가지를 뽑아 밑구녁에 갖다 박을 만한 완력만 있었다 한들 궐놈을 찌르지는 않았을걸세. 그러나저러나 이젠 궐놈도 된급살을 맞고 식은 방귀를 뀌었으니 우리가 애써 아귀다툼할 건덕지도 없게 되었네.」

「제가 이녁과의 연분으로 백 년 의탁할 곳을 얻어 따라나서기 반나절 노정도 못 되어 이런 절박한 망조에 떨어질 줄은 미처 몰랐습니다. 갖은 신고로 천방지축으로 도망질쳐서 난데로 잠주를 한다 한들 평생을 여원잠에 요행만을 기다리게 되었으니, 제 사주 기박하기는 엎어지나 자빠지나 매양 같군요. 남의 삶을 가벼이 여기

면 반드시 응보를 받을 것이니 이 일을 어찌하면 좋습니까? 박정하기 가없고 적원(積怨)하기 이를 데가 없습니다.」

궐녀가 차 치고 포 치고 하는 꼴을 흰자 많은 눈으로 바라보던 길가가 그참에 벌떡 일어나서 용총줄을 바싹 끌어당기었다. 돛이 삐걱 소리를 내며 기우뚱하자, 배는 바람을 사각으로 받기 시작하였다. 길가는 고물을 틀어 먼 데 미루나무가 빽빽이 들어선 상지포 윗녘 비알진 언덕으로 나아갈 거조였다.

「왜 배를 가녘으로 모십니까?」

「내 임자를 뭍에다 내려 주려고 그러네.」

「뭍에다 내리시다니요? 그럼 저는 어찌하란 말씀입니까?」

궐녀가 놀라 이물 쪽으로 기어오더니 덥석 길가의 행전을 잡고 늘어졌다. 길가가 개연한 어조로,

「그건 내가 알 바가 아니지 않은가. 길 아무개 소행이라고 관아에 발고하여 오라를 씌우든지 원악도로 귀양을 보내든지 아니면 임자의 본부에게로 되돌아가든지, 그건 임자의 심사에 달렸지 않은가?」

「그건 아니 됩니다.」

「요 박살할 년, 내가 희언을 하는 줄 아느냐? 내 일찍이 너와는 상적할 인사가 못 됨을 알고 있었다.」

길가가 목자를 부라리며 궐녀를 모둠발로 내려찍을 기세이자, 궐녀는 몸을 바싹 오그리고 길가의 두 다리를 더욱 힘주어 껴안았다.

「반명을 한다는 네년이 어찌 살인을 한 상것과 한방 거처를 하겠느냐? 다 부질없는 생각이었다. 네 간장으로 그걸 해낼 성싶으냐?」

「저는 이미 이녁을 따라가기로 작정한 계집이 아닙니까?」

「내가 장하(杖下)에서 목숨을 잃기 전에 너를 본부에게로 돌려주는 것이 사내의 도리가 아니겠느냐? 말이 푸짐한 걸 보니 너는 어

차피 나와 같은 상것의 동류가 아니란 생각이 든다. 양반인지 좆
반인지 허리 꺾어 절반인지 개다리소반인지 그놈에게로 돌아가서
아무 일 없었다는 듯이 맞붙어 살아야 네게는 격일 것 같구나.」

「사세 절박하여 잠시 지껄인 말이었을 뿐입니다. 그러나 이녁이
이제 이르러 저를 버린다 한들 도리가 없지요. 그러나 제 본부에
게는 돌아가지 않겠습니다. 대저 글줄이나 한다는 사류(士類)들
이란 독서를 하고 경쟁을 해서 금방(金榜)*에 으뜸으로 이름을 올
려 홍패(紅牌)를 따고 문임(文任)을 담당하여 조서(詔書)를 꾸며
이름이 나라에 빛나고 천하에 일인자가 된다 한들 내사(內舍)에
처박힌 아녀자와 무슨 상관이며 정부인(貞夫人) 마님으로 떠받든
들 그것 또한 한낱 겉치레의 예우에 지나지 않을 뿐이잖습니까?
그것이 전부 바깥사람의 위풍이요 이름일 뿐입니다. 제 또한 침선
방적(針線紡績)에 남달리 민첩하고 치가범절(治家凡節)에 규모 있
게 해로한들, 또한 자손이 현달(顯達)하여 종신토록 궁핍을 모르
고 지낸다 한들 그 또한 정작에 무덤에까진 이르지를 못합니다.
큰 소리로 노복을 불러 가통을 세우고 반가의 체통을 이어간들 종
내엔 허무일 뿐입니다. 또한 명색이 성혼은 하였다지만 아직까지
운우지정(雲雨之情)이 무엇인지 알 길이 없고 밤마다 충수만 채운
답시고 될 일이 아니지 않습니까. 전당 잡힌 촛대 모양으로 내사
에 갇혀 앉아서 가훈을 익히고 여자의 도리를 다한다 한들 가슴엔
멍이 들고 머리카락은 일없이 세어 갈 뿐입니다. 문벌이 좋으면
무얼 합니까. 반명의 여자란 기탄없이 속내를 밝힐 수도 없는 한
낱 꼭두각시에 불과합니다. 도포짜리들이란 부부간의 합환에도
의식에 얽매이기 일쑤요 외람됨을 꾸짖기 일쑤이니 대중없이 찾

---

*금방 : 과거에 급제한 사람의 이름을 써서 거리에 붙이던 글. 과방(科榜).

아 대는 율과 도리로 자연 양기는 쇠하고 체통만이 하늘에 닿게 됩니다. 대저 부부지간이란 때로는 고상하고 때로는 음탕한 점도 있으니 서로가 각석하게 굴 것이 못 되지 않습니까. 만약 그런 눈치를 조금이라도 보였다간 소박맞기 다반사이니 날이 새면 질 때까지 외나무다리를 건너는 형국으로 살아갈 뿐입니다. 가슴이 옥죄이고 가시를 입에 문 듯 조심으로 살아가니 인간의 본심을 타고난 계집으로선 할 짓이 아니었습니다. 이녁을 따라나선 속 깊은 연충은 거기에 있었으니 설령 이녁이 사람을 죽였다 한들 어찌할 도리가 없습니다. 또한 이 사단이 저와의 행중에 일어난 일인즉 저 또한 방조한 계집이 아니옵니까? 이래도 저를 내쫓을 작정이십니까?」

「네 심기가 정녕 그러하다면 제발 그 아갈통은 좀 닫고 가만있거라. 시방 우리가 삐끗하였다간 너도 죽고 나도 죽는다. 절처봉생(絶處逢生)*이라 하였으니 설마하니 사대육신 멀쩡한 우리가 살아날 길이 없겠느냐.」

두 사람은 뭍으로 오르진 않았다. 궐녀가 싸가지고 온 백설기로 초벌 요기는 했으나 시각은 벌써 중화참에 가까웠고, 신새벽부터 나루 바람만 쐬고 온 판국이었으니 금방 속이 출출하니 허기가 찾아왔다. 길가도 비린 자반에 탁배기 한잔이 간절하였으나 정작 나루에 배를 댈 수만은 없었다. 육로를 택한다면 반 마장을 못 가서 추쇄에 쫓길 거였다. 그러나 배를 띄우고 있는 한은 안심할 수가 있었다. 길가가 궐놈의 시체를 뻘밭에다 버릴 적에는 산속에서 사람을 결딴내어 강에다 버린 것처럼 뻘흙에다 발자국을 내놓았기 때문이다. 이미 각 나루와 진에는 기찰하는 나졸들이 깔렸음 직하고 나루의 숫막들

---

*절처봉생 : 오지도 가지도 못할 막다른 판에 요행히 살길이 있음.

에도 가근방에 수적이 나타났다고 소문이 낭자할 것이고 보면, 육로를 택하였다간 언제 오라를 받을지 몰랐다. 길가는 서투른 대로 내처 군산포 어름에까지 배를 몰아가기로 작정하고 용총줄을 단단히 휘어잡았다.

7

길소개가 이름 석 자도 모르는 궐녀의 본부에게 오쟁이를 지우고 백마강을 따라 군산포 쪽으로 기세 좋게 줄행랑을 놓을 제, 이용익과 일행이 된 조성준은 길가를 따라 뒤미처 신리 세거리를 뜨고 있었다. 길가와의 행중의 약조대로라면 두 사람은 지금쯤 남원 부중쯤에나 내려가 있어야 할 처지였다. 그러나 전주 인근 우서면 도선목 갈밭에서 환의까지 하고 길소개를 떠나보낸 두 사람은 두 식경이나 지나도록 내처 갈밭 속에 숨어 있었다. 사방이 어두워 불과 네댓 칸 밖의 사람도 알아볼 수 없을 정도가 되어서야 둘은 갈밭에서 몸을 일으켰다. 몸을 일으켜 조금 전까지도 사당패들의 꽹과리 소리가 낭자하던 도선목 쪽으로 내려갔다. 물론 도선장의 나룻배는 이미 끊어진 뒤였고 사공막의 거적도 내려져 있었다.

「어디쯤 갔을까요?」

등토시 속에 두 팔을 깊숙이 찔러 넣고 어두운 강심만 바라보며 걷던 이용익이 뒤따르는 조성준에게 불쑥 물었다.

「글쎄, 궐자도 자네만 한 일족(逸足)인 데다 또한 딴 배포가 있으니 자연 걸음이 빨라질걸세. 얼추잡아도 내일 신새벽이면 신리 세거리에 당도할걸세.」

「어찌할 작정이시오?」

「우선 맞춤한 숫막에 드세. 사추리가 쓰리도록 서두를 까닭이야 없네.」

「적변이라도 당하는 날엔 우린 날 샌 올빼미 처지가 아닙니까?」

「적굴놈들과 동사를 하는 한이 있어도 전대를 빼앗길 사람 같아 보이던가. 우린 궐자와 길을 죄되 적당해야 하네.」

이용익은 더 이상 말대답이 없었다. 도선목을 되짚어 활 한 바탕 상거한 어름에 용수 내건 숫막 두 채가 나란히 앉아 있었다.

허우대가 껑충한 중노미 녀석이 상방 아궁이에 엎드려 군불을 지피다가 삽짝 밖으로 들어서는 두 사람을 알아채고는 황새걸음으로 마당을 질러왔다.

「두 사람이 들 만한 봉노가 있느냐?」

「예, 있습죠. 저리로 드십쇼.」

「요기할 건 있고?」

「예, 방금 봉노로 든 상단들 저녁을 짓는 참이니 우선 들어가서 기다립쇼.」

중노미가 가리킨 봉노로 가서 용익이 외짝 바라지를 열었더니 고린내가 물씬하게 코에 끼얹히었다. 서너 칸이나 됨 직한 봉노에는 일고여덟 명이나 되는 상단들이 더러는 활개를 뻗치고 누워 있고 더러는 엎디었다가 두 사람이 들어서자 반몸들을 일으키고 잔기침을 하였다.

「동무님들 어서 오십시오.」

그중에서 나잇살이나 먹어 보이는 작자가 산가지로 셈을 하고 있다가 수인사를 차렸다. 조성준이 윗목에 앉으며,

「어디로 놀아 계십니까? 하생 살기는 경기도 송파가 지본이요, 성은 조가입니다.」

부엉이가 마빡을 때린 듯 구레나룻에 털이 수북한 상단의 행수는,

「좋은 곳에 살아 계십니다. 하생 살기는 전라도 구례입니다. 김가

성 가졌으니 김구례지요. 하생도 지난 팔월 여러 해포* 만에 송파 쇠전머리에서 장마를 만나 며칠 묵새긴 일이 있지요.」

「소생이 오래 못 가본 고향땅을 동무께서라도 밟아 주었으니 그런 은혜가 없습니다.」

조성준이 인사치례를 주고받는 사이, 이용익은 벌써 아랫목으로 비집고 들어가서 행전을 풀어 봉창에 대고 탁탁 터는 시늉이자, 저녁 밥상 기다리기 지쳐 빈대 핏자국이 낭자한 바람벽에 기대어 수잠이 들었던 상단 패거리 하나가 목자를 어설프게 뜨고 푸스스 일어나더니 대뜸 반말거리로,

「이봐 젊은이, 똥 눈 자리에 주저앉기지 거기다 털면 그 고린내가 다 어디로 가나?」

앞뒤통수가 불거져 나온 궐자를 힐끗하며 용익이 말했다.

「미안하우.」

하였는데, 용익이 하는 양을 곁눈질로 바라보던 궐자가 무슨 생각이 들었던지 뉘었던 몸을 다시 일으키며 제법 은근한 목소리로 내뱉는 어조가,

「거 사내치곤 제법 해반주그레한데그려. 자네 오늘 밤 내 옆에서 자지 않겠나?」

「왜 그러시우?」

「퇴짜를 놓을 텐가?」

「그건 어려울 거 한 푼 없소만, 어째서 갑자기 싹싹해졌수?」

그러자 궐자의 곁에 앉아 있던 비쩍 마른 사내가 양치를 못해서 싯누런 이빨을 드러내고 웃으며,

「거 젊은이 눈치도 없네그려. 저놈이 수작하는 뜻을 몰라서 그러

---

*해포 : 한 해가량의 동안.

나? 자네도 보아하니 장삿길에는 종짓굽은 떨어진 터수에?」

「여보시오, 아직 한속도 덜 들인 사람을 잡고 도대체 무슨 말들이
오?」

이용익이 결김에 목청을 돋우자 비쩍 말라 하관(下觀)이 가파른 그
사내가 곰방대를 등잔판에 탁 털고 나더니 앉은걸음으로 용익에게
썩 다가와 앉았다. 시늉은 귀엣말이었으나 온 봉노가 다 들리도록,

「자네 보아하니 선길장수치곤 보기 드문 옥골선풍일세. 저놈이 지
금 자넬 보고 옹색을 풀려는 수작 아닌가. 비역을 하자는 수작이
여. 그러나 비역을 하자면 우선 일차로 자네의 호두 불알 점고는
내가 해야 하네.」

수런거리던 봉노에 갑자기 웃음이 터져 나오자 용익의 얼굴이 새
파래졌다. 그러나 일고여덟 명이나 되는 상단들이 일제히 몸을 일으
키고 음흉한 눈으로 용익을 바라보고 앉았으매 당장은 어쩔 도리가
없었다. 맞은편 바람벽을 등지고 누웠던 패거리 하나가 장마 때 지
팡이 자국처럼 움푹 들어간 두 눈을 꿈적이며,

「여, 이거, 오늘 밤 줄쌈지 떼는 희학질 소리에 잠은 다 잤지 않나?
그러지 말고 자네들 다 하거든 조리를 돌려서 내게로 돌려주게.
나도 달포간이나 육허기를 못 푼 입장이니까.」

다시 키득키득 웃음소리가 났으나 조성준과 인사수작을 나누고
있던 행수 격인 털북숭이 사내가 꽥 하고 소리를 내질렀다.

「거 되다 만 수작들 말고 조용히들 하게.」

방 안이 잠잠해지자 행수는 다시 조성준에게 시선을 돌리었다.

「우리가 남원, 곡성으로 해서 구례까지 닿을 것이오. 구례에서 하
동은 그리 먼 길이 아니오.」

「작별한 지 오래되어 사정이 여의치는 않겠으나 두 사람이 동패가
되어 행중에 있을 것만은 틀림이 없습니다. 조송파라면 금방 알아

들을 것입니다.」

「알았습니다. 송파 쇠전머리가 아니면 삼개 염전머리에서 동무를 수소문하라는 전갈만은 틀림없이 전하겠습니다만, 혹시 우리와 노정이 엇갈릴까 그게 걱정입니다.」

「십중팔구 그 길을 따라 올라올 겁니다. 삼남(三南)의 길이란 저자를 따라가다 보면 으레껏 북으로 오르게 되어 있으니깐요.」

「여부가 있겠습니까.」

조성준과 상단의 행수가 주고받는 말은 천봉삼과 자춤발이 최돌이를 두고 하는 말이었다. 길소개를 따라 경기 지경으로 올라가야 할 입장이고 보면 어차피 그들과의 재회는 단념하는 게 옳았다. 마침 구례, 하동 쪽으로 내려가는 소몰이꾼들을 만났으니 행방만을 알려 놓으면 달포 후에라도 만나게 되기를 기대하는 수밖에 없었다.

물론 하루 전만 하였더라도 조성준은 그들과 만나기로 작정을 하고 구례 쪽으로 내려갈 노정을 택하였었다. 김학준의 일은 아무래도 그들과 만나서 다시 계획하는 것이 옳다는 생각에서였다. 그러나 그 결심을 하루아침에 바꾸게 한 장본인이 길소개였다.

길소개가 단신으로 강경으로 회정하겠다는 말을 했을 때, 조성준은 속으로 적이 놀랐었다. 그것은 이용익도 마찬가지였다. 길가가 단신 김학준을 찾아가서 결딴을 내겠다는 발설을 하였을 때 용익이 끝까지 말이 없었던 까닭도 거기에 있었다.

그제야 두 사람은 길소개의 속셈이 무엇인가를 알아차렸다. 길가가 동무의 원험을 갚기 위해서라면 왜 남아 있는 두 사람 중에 한 사람에게라도 동행을 권유하지 않았을까. 그리고 왜 전주 인근에서 기다리라 하지 않고 구례에서 만나자는 약조를 한 것일까. 그것은 두말할 것도 없이 두 사람을 멀리 보내 버리자는 속셈이 아니었던가.

알고 보면 세 사람 중엔 그중 염량이 출중하게 빠르고 언변도 좋거

니, 김학준에게 꿰밋돈을 받아 내어 겁간을 하였다는 계집과 야반도
주를 해야겠다는 생각이 든 것인지도 몰랐다.

곰곰 따지고 보면 길가의 행적에는 수상쩍었던 것이 한두 가지가
아니었다. 장터거리 창가의 조방꾼에게 제 먼저 나가서 으름장을 놓
고 땅땅 벼르던 일이며, 또한 세거리 주막에서 소매치기한 담배장수
에게 장문을 놓게 한 것도 부상의 의리와 의협심에 산다는 것을 은
연중 돋보이게 하기 위한 계략이 아니던가. 창가에서 변복한 김학준
의 수하것들에게 포박을 당할 적에 그중 한 놈을 진작부터 알고 있
었으면서 당한 뒤에야 넌지시 알린 것도 뭔가 속셈이 있어서가 아니
었을까.

그것이야말로 그가 조성준 몰래 단신으로 김학준을 만나야겠다는
계략을 진작부터 갖고 있었다는 증거임이 분명하였고 젓동이를 미
련 없이 내던지고 밑도 끝도 없는 조성준의 행중에서 끝까지 동사한
것도 천소례에게 자기가 조성준과는 뗄 수 없는 동사 간이란 것을
확인시키려는 속셈이었다는 거였다. 그래야 길가 단신으로 찾아가
도 천소례나 김학준이 한통속 동패임을 의심 두지 않고 꿰밋돈을 내
줄 일이 아닌가.

어쨌든 길가의 계략에 빠진 것이 틀림이 없다면 길가가 천소례에
게 거금을 채간 것만은 틀림이 없을 것 같았다. 그래서 조성준은 길
가의 뒤를 밟기로 작정한 터였다. 조성준의 짐작대로 길가가 노리던
거금을 챙기었다면 겁간을 하였다는 계집과 동행일시 분명하고 그
것이 또한 육로가 아닌 뱃길일 공산은 너무나 컸다. 그러나 사람이
당황하여 장달음을 놓는 길에는 반드시 증표나 흔적이 남는 법. 설
령 궐자와 마주칠 수 있는 방도가 있다 한들 조성준은 궐자를 포착
하지 않고 다만 궐자가 남기고 간 흔적만을 은밀히 뒤따를 요량이었
다. 거금을 챙겨 달아나는 놈을 잡아서 혼꾸멍을 내고 장전을 빼앗

는 일이야 그렇게 어려운 일이 아니었다.

문제는 천소례란 김학준의 솔축에 있었다. 궐녀의 재간이 출중하고 또한 울 센 계집이고 보면 달아나는 길가를 마냥 그대로 두지만은 않을 거였다. 세작을 놓아 길가의 뒤를 밟든지 아니면 왈짜들을 풀어 후미진 곳에서 길가를 결딴내려 할 것이었다. 그러나 길가 또한 그것을 예상 못할 옹색한 위인은 아니었다. 그러고 보면 길가는 땀 들일 여가 없이 경강 어름으로 장달음을 놓을 판국인데 조성준의 편에서 보면 그것은 그만한 거금을 경강에까지 운반해 주는 아주 믿음직스러운 충복 하나를 앞세워 두고 있는 셈이었다. 궐자와 헤어질 때 환의의 정을 나눈 것도 사실은 길가를 안심시키기 위한 방도였었다. 그러나 조성준에게는 길가의 뒤를 밟는 일변 다른 한 가지 일이 있었다. 그것은 어떤 방도를 꾸미든지 간에 천소례로 하여금 그 백민(緡)*이 넘는 거금이 아직도 그 자신의 수중에 있지 않다는 것과 길가의 계략이 있었다는 것을 넌지시 알게 해야 한다는 일이었다. 말하자면 원험은 그 자신의 손으로 갚는다는 이쪽의 결의를 보여 주어야 한다는 것이었다.

쇠전꾼 상단의 행수와 단단히 약조를 주고받는데 저녁상이 들어와서 누웠던 패들이 일어나 앉았다.

「이거 섬밥을 먹은들 허기가 차겠는가.」

비쩍 마른 사내가 개다리소반 밑으로 무릎을 착 밀어 넣으면서 투정부터 먼저 하였다.

저녁들을 먹은 뒤엔 조성준이 전대를 풀어 탁주 한 동이를 샀다. 아니래도 머쓱한 판에 추렴을 놓아서라도 술자리를 만들려던 패거리들이라, 술동이가 나오자 7년 대한(大旱)에 소낙비 만난 듯이 반기

---

*민 : 꿰미.

었다. 입사발이 철철 넘도록 몇 순배가 돌고 나자 모두 낯짝이 불콰해지고 패설이 오가기 시작하는데 자못 듣기 거북할 지경이었다.

저녁 전에 용익에게 수작을 걸던 주걱턱 빠진 사내가 게트림을 길게 빼면서 용익에게 다가앉더니 모두들 들으란 듯,

「이거, 전대 사정이 간구하다 보니 막창 한 년 살 형편이야 못 되지만 기왕 내친걸음이더라고 오늘 저녁 자네 비역맛은 기어코 한번 봐야겠네.」

체수 작은 자가 또 맞장구치기를,

「어허, 도부꾼 말년에 서로치기로 세상 다 보내는 것 아녀. 비역으로만 충수 채우다가 종내는 타관 객지 숯막 축담 아래서 서빙고를 치겠지.」

또 한 놈이 율기를 잔뜩 빼는 체하면서,

「이놈들, 듣자 듣자 하니까 패설이 너무 심하지 않은가?」

「그놈 보아라. 이놈아, 넌 그럼 그 주제 하구선 못난 옹색을 어디다 풀려나?」

「이놈들, 사당패 남색질한다는 소리 풍편에 넌짓 듣고 길래 그 짓 하다간 뜨물에 애나 들면 어떡하나?」

일순, 주걱턱의 형용이 머쓱해지는 듯하더니,

「까짓것, 개구리 해산하듯 무수히 퍼 낳지 딴 도리가 있겠나.」

체수 잔망스러운 자가 냉큼 되받기를,

「물색에 뜻이 있거든 이참에 피나무 껍질 벗기듯 아예 홀랑 벗기고 다리 앙구어서 단단히 동인 후에 경도나 없는지 한번 보거라.」

봉노에 앉았던 모두가 상툿고가 느슨해지도록 웃음을 쏟아 놓는데, 주걱턱은 웃지도 않고,

「댕기 끝에 진주씨요 상추밭에 파랑새라더니, 오늘 전라도 초두 길 여산 땅에 와서 공술에 기갈 풀고 옥골 만나 육허기 풀게 생겼

으니 이 또한 복일세.」

체수 작은 자가 연잎 뜬 듯 낯짝을 바싹 치켜들고 맞장구를 쳤다.

「자네, 외상 팥죽으로 겨우 연명해 온 터수에 권신인들 온전하겠
나?」

「이끼, 그런 말 말게. 나로 말하면 그 일에는 숙수단(熟手段)*이 아
닌가. 오강 사공(五江沙工)의 닻줄 감듯* 상투 자락 휘감아 쥐었다
면 그깟 권신이 되고 안 되고가 대순가.」

먼 데 개소리 공허하고 퇴창 밖으로 바람 소리 스산한데, 중노미
녀석이 툭툭 꺾어 지피는 삭정이 타는 소리가 장지문 밖에서 간간이
들려오고 주걱턱과 체수 작은 자가 서로 한마디씩 말꼬리를 물고 늘
어질 적마다 봉노에는 웃음소리가 낭자하였다. 궐자들은 그럴수록
더욱 기고만장이었고, 이용익은 자기를 두고 이르는 농지거리건만
처음부터 이렇다 할 대꾸도 없이 묵묵히 탁배기 부은 입사발만 들이
켜고 있었다. 그런 용익이 보기가 좀은 딱하였던지 어떤 자가 그를
힐끗 돌아다보며,

「헛, 그 총각 속 좋기로는 천상 기생 서방일세그려.」

주걱턱이 그 말을 되받아치며 나오기를,

「이끼, 이놈, 누워서 떡 먹기는 눈 위에 떡고물 떨어지기 일쑤요 앉
아서 똥 누기는 허리가 시리지 않나? 뜨거운 봉노에 가로누워 하
는 짓이 무엇이 나쁘기에 총각이 율기를 하겠나? 내 일찍이 팔도
저자를 무른 메주 밟듯 하면서 조선의 별미로는 맛보지 않은 것이
있었겠나? 배천의 참기름, 영변의 홍미반(紅米飯), 북청의 게장, 황
주의 세하젓, 해주의 도미국수에 비빔밥, 연안(延安)의 인절미, 평

---

*숙수단: 아주 익숙한 수단.

*오강 사공의 닻줄 감듯: 무엇을 능숙하게 둘둘 감아 동이는 모양을 비유적으
로 이르는 말.

양의 닭볶음[桃李湯]에 어죽, 장단(長湍)의 밤떡, 송도의 보쌈김치
에 식혜, 금강산의 잣박산, 청량리의 두견술[杜鵑紅], 경우궁(景祐
宮)의 된장찌개, 과천의 청참외, 자하문 밖 능금, 수원 용주사의 약
과, 양주 백화암의 찹쌀튀각, 용문사의 두릅회와 취쌈, 봉선사의 전
골, 광주(廣州)의 속댓국, 용인의 오이지, 회덕(懷德)의 행채나물,
여주 남강(南江)의 쏘가리탕, 청주 갈비, 공주의 밀국수에 깍두기,
회암사의 간장, 서산의 뱅어, 칠갑산 고사리, 노성(魯城)의 게, 연산
의 황계탕(黃鷄湯), 임실의 물감, 순창의 고추장, 법성포 굴비, 홍성
의 어리굴젓, 강진의 유자청(柚子淸), 해남의 낙지회, 고흥의 고막,
광주(光州)의 애저와 무등산 푸렝이, 전주의 유과, 남원의 미나리,
금강의 송어회, 보성의 쓰레홍합, 창평(昌平)의 생강엿, 풍기의 곶
감[乾柿]에다 육상궁(毓祥宮)* 김치하며 팔도의 별미라곤 하다못
해 나으리님 진지 대궁으로라도 맛 안 본 것이 없네만 그 천 가지
별미를 다 보았어도 그중 별난 것은 뒷전에 앉았다가 공으로 먹는
성애술*이요 또한 그것보다 으뜸인 것은 봉노에서 보는 비역맛이
잊을 수가 없더라네.」

「어허, 봉패로다. 저런 야단이 있나.」

누군가가 반농조로 그렇게 풀쑥 질러 놓았는데 그때 아무 말 없이
입사발만 기울이던 용익이 벌떡 일어나서 두어 발 주걱턱 앞으로 걸
어가더니 다짜고짜로 궐자의 멱살을 잡아 낚았다.

「이 불측한 놈.」

두 눈을 부라리며 꾸짖는가 하였더니 난데없이 /맞은편 바람벽이
무너져 내리는 소리가 났다. 용익이 궐자를 왼배지기로 댓바람에 바

* 육상궁 : 조선 시대에 역대 임금 가운데 정궁 출신이 아닌 임금의 생모 신위를
  안치한 사당.
* 성애술 : 흥정을 도와준 대가로 대접하는 술.

람벽 아래에다 곤두박아 버린 거였다.

「아쿠쿠…….」

바람벽 아래에서 비명 소리가 들리는가 하였더니 궐자는 상툿고를 바닥에 처박고 물거미 뒷다리 같은 하초를 허공에다 대고 버둥거렸는데, 용익은 사이를 두지 않고 체수 작은 사내를 끌어내선 또한 겹치기로 모질게 곤두박아 버렸다. 그러나 삽시간에 두 사람을 곤두박아 버린 장본인이 숨 한 번 가쁘게 쉬는 법이 없자, 온 봉노에 앉았던 상단들은 주기는 간데없고 신색들이 모두 외꽃이었다.

「이놈들, 내 오늘 신명풀이 한번 해볼까.」

용익이 내친김에 발길질하는 형용으로 궐자들에게 다시 욱기 돋워 달려들었다.

그때까지 봉노 한구석에 시종 묵묵히 앉아 있던 사내 하나가 있었다. 상단들과는 동패가 아닌 듯 술자리에도 끼이지 않았었는데, 일견 도부꾼 행색이긴 하였으나 자세히 뜯어보면 땅뙈기를 버리고 집 나선 시골고라리로도 보였다. 봉노 안에서는 행색이 그중 남루하였고 얼굴은 쭉정이같이 누렇게 뜬 데다가 견골이 저고리섶 위로 툭 불거져 나온 품이 몸가축도 제대로 못한 주제임이 분명하였다. 체수로 보아서도 누구에게 앙심을 품을 주제도 못 되거니와 더욱이나 용력을 쓸 잡이도 아니었다. 궐자가 두 사내를 향해 다시 달려드는 용익을 쳐다보며 한마디 꾸짖었다.

「이런 분란이 있나? 헛, 그놈 행티가 보통 아닌데그려. 어한이나 하자고 봉노로 찾아들었더니 아직 마빡에 피도 덜 마른 녀석이 날뛰니 여윈잠인들 온전하겠나.」

용익이 발길질하다 말고 힐끗 궐자를 돌아다보았다. 봉노에는 산초기름으로 타는 등잔 하나뿐이어서 구석에 앉은 궐자의 형용이 확연히 보이지 않았으나 그 목소리만은 자못 생기가 있었다.

「이제 농을 건 놈이 누구냐?」

「그놈 말버릇 한번 본데없군. 어디다 함부로 해라를 쓰느냐? 이놈,
봉노가 이런 개차반이 되어서 노독인들 온전히 풀겠느냐?」

「이놈, 이리 나와.」

「이놈이라니? 네놈은 네 애비 나이도 함께 처먹느냐, 이놈아. 대장
부가 설혹 용력을 가졌다 하자. 그러나 의지가지없는 도부꾼들 다
소 패설이 있었기로서니 어찌 함부로 치고 나오느냐?」

　말투 거세고 옹골찬 품이 마냥 두어서는 안 되겠다 싶었던지, 용익
이 득달같이 달려가서 궐자를 드잡이하여 일으켜 세웠다.

「내 이놈을 조리를 돌릴 테다.」

　용익이 궐자를 번쩍 들어 패대기를 치려는 거조로 드잡이한 손을
비틀어 꼬나 잡는데, 언제 나왔는지 궐자의 한 손이 문득 소매 밖으
로 기어 나오더니 용익의 견골을 슬쩍 건드렸다. 그러자 용익은 금
방 기를 잃고 농든 배추포기처럼 궐자의 발아래 그대로 쓰러지는데,
신색은 어느새 새하얗게 질려 있었다. 의외의 단판이 나버리자, 봉노
는 다만 어안이 벙벙할 뿐 어느 한 사람 대척도 못하였다.

「조금 있으면 신기가 돌아올 것이오.」

　용익을 안아 올리는 조성준에게 그렇게 말한 궐자는 본디 앉았던
구석자리로 돌아갔다. 냉수 한 사발을 들이켜고 난 용익은 부스스
눈을 뜨긴 하였으나 삭신이 노글노글해서 기를 되찾기가 어려웠다.

「동무는 어디 임방이시오?」

　조성준이 궐자에게 돌아앉으면서 넌지시 물었다.

「소생은 장돌림이 아니오.」

「그렇다면 가근방에 살고 계시오?」

「전라도 해남이 고향이지요.」

　조성준에게 대척할 때는 궐자 또한 고분고분하기 짝이 없는데 등

잔을 당겨 쳐다보니 나이는 30세 전후였다.

「나와 사화술 한잔 하겠소?」

「술은 먹지 못합니다.」

「어디로 작로하는 참이오?」

「그냥 떠도는 신세지요. 제 신수를 보시면 짐작이 가겠습니다요
만.」

「보아하니 금점(金店)꾼* 같아 보이는데?」

「그건 어찌 아십니까?」

「내 아까 동무의 괴나리봇짐을 힐끗 보았소이다.」

「저보다는 연만하신 터수에 말씀 낮추십시오.」

「그래도 되겠는가?」

「저 동무는 일행이십니까?」

「그렇다네.」

「힘이 장사입니다.」

「왜 저 사람을 욕보이었나그래?」

「보아하니 힘이 장사인데, 그 용력을 함부로 쓰는 버릇이 있군요.
제가 저 동무를 욕보인 것은 그냥 행티를 놓은 것이 아니라, 차제
에 저 동무도 용력을 써야 할 자리에선 먼저 한번 생각하라는 뜻
이 더 컸습니다. 원숭이가 나무에서 떨어져 죽듯이 힘 가진 사람
이란 제 용력만 믿다가 신세 망치는 꼴 당하기 십상이지 않습니
까. 신수를 훑어보니 그로 실패를 보아서는 안 될 사람 같기에 제
가 나섰던 거지요.」

떠돌이 금점꾼치고는 말세가 궁하지 않았고 눈시울에 정기도 뚝
뚝 묻어 흘렀다.

---

*금점꾼 : 금광에서 일하는 사람.

「정처가 없다면 잠시 우리와 동패하는 게 어떤가?」

「어디로 가십니까?」

「글쎄, 우선은 강경 포구일세.」

「예, 저는 탁명길이옵니다.」

「난 조송파라 하네.」

「맥을 찾아 나선 지 벌써 오 년째입니다만, 맥도 못 찾고 그렇다고 고향으로 돌아갈 염의도 없어 떠돌이 신세 하다 보니 체면이 많이 틀리었습니다.」

「그야 자네나 우리나 마찬가지가 아닌가……. 어떡하겠나? 우리와 동패를 하려나?」

「그러지요.」

용익이 조성준의 수작하는 품이 적잖이 마음에 켕기었으나 궐자가 금점꾼이라는 것에 동하여 작패하는 것에 훼방은 놓지 않았다. 용익이 역시 사소한 황앗짐이나 지고 다니는 도부꾼으로서는 만족할 수 없어 은밀히 금광을 찾아 나서기로 작정하였기 때문이다. 게다가 궐자가 자기를 두고 한 말에는 뭔가 되새겨 볼 여지가 있었고 보면, 한나절 작반쯤이야 마다할 까닭이 없었다.

의외로 행중에 힘깨나 쓴다는 동패가 둘이나 생겼으므로 강경으로 올라가는 조성준의 마음도 어느 때보다 느긋해졌다. 상단 사람들과 헤어진 세 사람은 이튿날 늦은 중화참에야 신리 세거리에 당도하였다. 세거리 숫막은 물론 낯익은 곳이었다. 여기저기 들러서 길소개의 행적을 수탐해 보았으나 그를 보았다는 사람이 나서질 않았다. 거리의 맨 끝에 있는 숫막에서 길가를 보았다는 편발 처녀를 만날 수 있었다. 삽짝 밖에 용수 달린 것을 보니 술막질하는 집은 분명한데 길손이 들어가도 인기척이 없었다. 한 처녀가 발소리를 듣고 겨우 장지를 열긴 하였으나 방색(防塞)하는 낯빛이 분명하였다.

「요기를 좀 하려는데 형편이 되느냐?」

처음 부리를 헌 이는 탁명길이었다. 처녀는 세 사람의 행색을 유심히 뜯어보더니 애매한 낯빛이 되었다.

「집에 우환이 있어서요.」

「그렇다면 다른 집으로 갈 일이되…… 수소문할 게 있는데 그저께 신새벽쯤에 이 숫막에서 행객 한 사람이 묵어간 일이 없느냐?」

그제야 처녀는 장지를 열고 불똥 디딘 걸음으로 토방 아래로 조심스레 내려섰다.

「신수가 어떤 분이십니까?」

「한 손이 조막손이다.」

이번엔 용익이 대답하였다.

「그렇다면 쉰네가 만난 일이 있습니다요. 구레나룻이 텁수룩한 행객이었지요.」

「너의 집에서 묵어갔느냐?」

「묵고 가다뿐이겠습니까요. 저의 집이 궁핍한 걸 알고 할미의 병구완이 간구하다 하여 상목을 두 필이나 쉰네에게 떨어뜨렸습죠.」

노자로 쓴다던 상목 두 필을 궐녀에게 선뜻 내준 뜻은 남의 간구함을 헤아릴 줄 아는 길소개의 깊은 연충 때문이 아니고 그깟 북덕무명 두 필 정도야 아무짝에도 쓸모없게 되었다는 걸 스스로 깨달은 때문이었을 것이다.

「혹시 어디로 작로한 건지는 모르겠느냐?」

알고 있으되 조성준은 그렇게 물었다.

「남의 가는 길을 제가 어찌 알겠습니까마는, 속대중으로 강갱이로 가는 분 같아 보였습지요.」

「달리 네게 한 말은 없었느냐?」

「쉰네가 오히려 몇 말씀 올려 청을 드린 일은 있습지요.」

「네가 궐자에게 할 말이 있었더냐?」

「예, 쉰네를 대처로 데려가 달라고 하였습지요.」

「대처로 나가다니?」

「연명할 길이 없어서 그러합니다.」

「대처로 나간다 하여 연명하기 그리 쉬울 것 같으냐?」

「여각의 빨래품이나 물어미 노릇이라도 하여 한 목숨 건사하기 집 보단 수월하겠지요. 색상에게 팔려 간다 한들 조석 끼니 굶기야 하려구요.」

「네 입장이 무척 안되었다만 우린 대처로 나갈 사람들이 아니다.」

「거짓말하시는군요. 쉰네는 이곳에서 나서 십 리 바깥을 모르고 자랐는지라 외방의 동서남북이 어디인지 모릅니다. 제겐 이렇다 할 친척도 없어서 댁네들에게 청을 올린 것이지 감히 댁네들에게 의탁하여 길래 궁상을 떨려는 것은 아니니 제발 저를 난데로만 떨 어뜨려 주시면 거기서 묵숨 부지할 길을 찾겠습니다요.」

궐녀는 봉당에서 내려서며 대뜸 조성준의 옷소매를 잡고 늘어졌다.

「집안이 망조에 들었다 하여 고황에 든 할미를 두고 어찌 네 혼자 서만 살길을 도모하겠다는 거냐? 아무리 가통이 없는 집안의 아녀 자기로서니 네 속내가 불공(不恭)스럽구나.」

조성준이 꾸짖자 궐녀의 눈자위에 금방 눈물이 돌며,

「누우신 할미의 병구완에 다리까지 끊어 팔고 팥죽도 쑤어 팔았습 니다. 쉰네의 재간으로썬 이젠 손가락이라도 팔 데가 있으면 잘라 야 할 판국이라 말씀드린 것입니다.」

「듣고 보니 딱하다만 대처로 나가기보다는 여기서 살 방도를 구처 하는 게 그래도 상책이다.」

조성준은 꿰미를 헐어서 북덕무명 한 필 값을 궐녀에게 건네었다.

궐녀는 일변 내외를 하면서도 잽싸게 엽전을 받아 쥐었다.

「댁네들 부비는 어찌하시구요?」

「그건 네가 걱정할 일이 아니다.」

조성준이 궐녀에게 적잖은 행하를 건네면서도 어찌 된 셈인지 속내가 썩 내키질 않았다. 그도 그러할 것이, 궐녀가 대처로 나가 몸을 팔아 연명하겠다는 말도, 상방(上房)에 고황에 든 할미가 있다는 것도, 삽짝 위에 용수를 내달았으나 술막질을 하는 주제도 아니었다. 궐녀는 다만 용수를 내걸고 밤이면 술등을 내달아 그것을 보고 찾아온 행객들에게 거짓으로 간구한 형편을 아뢰어 동정이면 동정으로 받아 챙기고 혹이나 육허기 든 놈이 있으면 몸을 파는 은근짜로서 편발 행세도 거짓이요, 대처에서 흘러들어 밑천 없는 장사를 이태째 계속하고 있는 터였다.

궐녀는 본디 백마강 연안 포구를 떠돌며 들병이로 연명하다가 우연히 세거리에 당도하여 빈집 하나를 얻어 사기 행각을 벌여 왔었는데 창부타령이나 남도 수심가쯤 내뽑는 솜씨는 보통 이상이었다. 또한 표객의 쌈짓돈을 몽땅 긁어내는 솜씨도 그에 못지않아서 궐녀를 만나고 난 표객이라면 벌써 초장 바람에 갖은 요분질로 쌈지를 털리곤 하였다.

뛰는 놈 위에 나는 놈이 있고 나는 놈 위에 업혀 가는 놈이 있다듯이 길가의 눈치가 재빠르고 조성준의 사람 보는 눈이 밝다 한들 일개 들병이 출신 창녀에게는 미치지 못하는 주제들이었다.

세 사람은 궐녀와 하직을 하고 숫막으로 나와 술국으로 허기와 한속을 풀고 강경으로 작로하기 시작하였다. 세거리를 벗어나 강경 길로 나서면서부터 세곡 바리 실은 우마들이 많이 눈에 띄고 장사치들의 내왕도 부쩍 늘어나서 행중이 그렇게 심심치는 않았다. 옷섶에 모가지를 움츠리고 한참이나 열불나게 걷던 용익이 불쑥 물었다.

「길가는 지금 무엇을 하고 있을까요?」

「글쎄, 이미 강경 포구에 없을지도 모르지.」

「그렇다면 우리가 너무 지체하는 꼴이 아닙니까?」

「아등바등 뒤쫓을 까닭이야 없지.」

「이러다간 종내 놓치겠습니다. 더욱이나 나루에서 배를 탔다면 육로에서처럼 숫막거리에 묵을 것도 아니잖습니까? 또한 삼개로 간다는 것도 우리들 짐작일 뿐이지 않습니까?」

「대저 화적들이란 산속에 숨어서 재물을 탈취하거나 갯가의 숲에 숨었다가 오가는 배를 터는 것이지만, 사기꾼들이 숨을 곳이란 사람들의 내왕이 많고 인심이 날로 변하는 대처가 아니던가. 본디 사기꾼들이란 산속에 숨어서 따비밭이나 일구며 살아갈 주제가 못 되지 않는가.」

8

그날 밤 자정을 넘기고서야 세 사람은 강경에 당도하였다. 우선 나루의 숫막에 들어 눈을 붙이고 난 뒤 아침에 일어나 어계와 여각을 기웃거려 본 당장으로 김학준이 죽었다는 소문을 접할 수가 있었다. 그 소문이 어계와 여각들에 낭자히 퍼질 수밖에 없었던 것은 김학준이 강경 인근의 장사치들 중에는 다섯 손가락 안에 꼽히는 거상이었을뿐더러 그의 수하에 있는 여각과 좌상(坐商)들, 그리고 그의 장리변을 쓰고 있는 자가 수월찮이 많았기 때문이다.

김학준이 식은 방귀를 뀌어 버렸다면 조성준으로 봐선 시원섭섭한 일이겠으나, 그자가 왜 급작스럽게 죽게 되었는지 조성준은 짐작 가는 바가 전혀 없었다. 물론 북관 어디에서 왔다는 보부상들에게 보쌈을 당하여 전주 인근 도방에까지 끌려갔다가 구명되어 돌아온 후 거금을 빼앗기더니 끝내 신기를 못 찾고 결딴나고 말았다는 소문이 어계와 건방에 낭자히 퍼져 있었으나 조성준의 짐작으로는 결코 그로 인하여 김학준이 죽음에 이를 만큼 배포가 약한 위인도 아니요, 그것으로 신기를 되찾지 못할 만큼 강포의 욕을 당한 것도 아니란 것이었다. 김학준이 타고난 체수가 보잘것없었고 이제 이순(耳順)에 들어선 기력이긴 하였으나 평생을 요족한 생활로 남달리 몸가축을 해온 처지로서 봉욕으로 어진혼이 나가고* 부담롱 속에서 며칠을 굶주렸다 한들 가벼운 자상(刺傷) 한 군데 입은 곳이 없으므로 백미탕 한 사발 흘려 넣으면 그로써 거뜬히 일어날 형편이 아니었던가.

조성준은 그때 문득 길가의 행사가 아닌가 하는 생각을 했다. 그러나 저자 바닥에 퍼진 소문 어느 한 귀퉁이에도 김학준이 길가의 칼을 받았다는 소문만은 없었다. 그렇다면 그 위인의 죽음에는 조성준이나 길가가 아닌, 전혀 예상할 수 없었던 가외의 인사가 간여된 것이 틀림없었다. 그리고 자객이 그 죽음에 간여되었다는 대강의 사실을 조성준이 눈치 채고 있으리란 것조차 상대에선 알고 있을 법하였다. 왜냐하면 김학준은 의원을 불러 대지 않고라도 하루 세 끼 조석 공대만 알뜰했던들 살아날 처지였음을 알고 있는 사람은 조성준뿐이었기 때문이다. 그렇다면 김학준의 목숨을 노려 왔던 그 자객은 누구였을까. 그러나 내사 깊숙이에서 저질러졌을 그 흉계를 조성준이 또한 알 턱이 없었다.

한 가지 분명한 사실은 조성준으로선 자객이 누구인지 짐작조차 할 수 없으되 그편에선 조성준의 행적을 소상히 알고 있어야만 저지를 수 있는 일이란 사실이었다. 일은 그편에서 저질렀으되 함정은

---

*어진혼(이) 나가다 : 몹시 놀라거나 시끄러워서 맑은 정신을 잃다.

조성준의 편에다 파두자면 그의 행적을 모르고선 할 수 없는 일이겠기 때문이다. 일이 꼬이긴 고사하고 이제 와서 빼도 박도 못하는 살인자로 몰리게 될 판국이었다. 길가의 행적에 대한 풍문도 전혀 없는 사실이 조성준의 맹랑한 입장을 더욱 명료하게 뒷받침하고 있었다. 이것은 그의 완벽한 계략이었다.

그렇다면 상가(喪家)에 숨어들어 조객으로 가장하면서 대강의 사정이라도 수탐해봄 직도 하였으나 조성준과 이용익은 벌써 그 청지기나 노복들에겐 면식이 있는 터라 물색 모르고 뛰어들었다간 봉욕은 고사하고 당장 어떤 지경에 이를지 모를 바라, 탁명길을 행세시켜 볼까도 하였으나 궐자가 처음과는 달리 한사코 사양하고 나오는지라 그 또한 여의치 않았다.

길가의 종적도 처음 생각과는 달라 강경에 떨어져서야 오히려 묘연하니 어쨌든 강경 저자에서 며칠이고 묵새기면서 졸가리부터 따져 본 연후에야 거조를 차릴 일이었다. 그러나 맞춤한 숫막의 봉노를 얻어 들어 하루 보내고 이틀 묵어 기약 없는 날짜만 보내며 등불 아래 앉아 그림자의 조문(弔問)을 받고 지내자니 의식의 걱정이야 없다지만 세상살이가 그지없이 삭막하고 차운 바람 겨울 달[月]에 쓸쓸히 마음만 상할 따름이었다.

「도대체 무슨 통수를 갖고 있는 것인지 그 무거운 입 좀 열어 보십시오, 행수님.」

등불을 뚫어져라 바라보고 있던 용익이 더 이상 참고 있기가 어려웠던지 율기를 하면서 물었다.

「이 사람, 그러다 경기 들겠네. 자넨 성깔이 그렇게 급해서야 거사를 어찌 치르겠는가…….」

「거사고 무엇이고 행수님을 따라 하릴없이 부지거처한 지가 벌써 이게 얼마요?」

「난들 어쩌겠나, 별이 떠야 임을 보지. 자네도 길가처럼 벌써 딴죽을 치고 싶은가?」

조성준의 음성은 낮았으나 말끝에 칼날이 나와 있었다. 그래선지는 몰라도 용익이 금방 머쓱해지면서,

「행수님은 그걸 말씀이라고 하십니까. 저도 기왕 행중에 든 바에는 끝장이 어딘지 보아야 제 갈 길을 도모합지요.」

「자넨 저 금전꾼을 따라나서려는 거지?」

바람벽에 등을 기대고 코를 탈탈 골고 있는 탁명길을 턱짓으로 가리키자 용익은,

「저도 이젠 제 살길을 도모해야지요. 금맥(金脈)을 찾기만 한다면야 그깟 장돌림 푼전이 대숩니까. 가마솥에 봉이나 박고 노랑전이나 받고 살아가는 처지와는 지체부터 틀릴 것이 아닙니까.」

「좋도록 하게나. 그러나 우리는 문경지교(刎頸之交)의 사이가 아닌가? 내가 이런 말 하기엔 벌써 체면이 틀린 처지이긴 하네만 며칠만 더 기다려 봄세. 이참에 물승전* 냈다가 소나기 만난 놈처럼 허둥거리다간 다 끓인 죽에 코 빠뜨리기 십상일세.」

「기다릴 건 뭐가 있소. 탁해남이 동사하겠다니 당장 뛰어들어 물고를 내버리든지 아니면 길가의 종적을 따라나서든지 양단간에 결단을 내립시다.」

「개천에서 나도 용은 용이요, 짚으로 만들어도 신주(神主)는 신주 법대로가 아닌가? 내가 본래 소졸(疎拙)하여 전혀 주변머리가 없다 한들 내 몫은 내가 할 터이니 너무 냅뜨지 말게.」

「그렇다면 기탄없이 속내를 밝히는 것이 붕당의 도리로서 십분 마땅한 일이 아니오?」

---

*물승전 : 물감 팔던 가게.

「그걸 낸들 모르고 있겠나? 시방 궁리 중일세.」

「이런 시절을 보았소? 그러시다간 늦여름에 가을걷이해 먹는 짝이 나겠소.」

용익이 앉은자리에서 발딱 일어나 마른땅에 새우 튀듯 아주 자반 뒤집기로 분요(紛擾)*를 떠는데, 행역 끝에 포식을 하고 식곤증이 나서 그때까지 사추리를 서걱서걱 긁어 대며 잠에 떨어졌던 탁명길이 문득 반몸을 일으키며 커억 하고 가래침을 곰돌리고 나더니,

「이끼, 선웃음 풋장담 서로 주고받으며 남의 잠자리에서 절박흥정으로 왜 이리들 난가히 떠드시오. 내시가 고자 나무란다더니 내 듣자 하니 서로 나무라고 자시고 할 처지가 아닌 것 같소. 내 생각 같아서는 우선 길가놈부터 행적 수탐하여 물고를 낸 뒤에 계집을 칩시다. 천소례야 쉽게 강경을 뜰 처지가 아니지 않소? 그렇다고 간자를 놓아 우리 뒤를 밟을 처지도 아니지 않소?」

「그렇게 하세.」

조성준이 궐자의 말에 쉽게 맞장구를 쳐버리자 용익도 더 이상 채근을 하지 않고 누워 버렸다. 저녁상을 물리고 난 후부터 지금까지 연거푸 곰방대에 시초를 담아 올리던 조성준은 바람벽을 스치고 지나가는 스산한 바람 소리에 귀를 기울이고 앉았다가,

「날씨가 이렇게 춥다간 도부꾼 여럿 강시 내겠군.」

혼자 씨부렸는데, 탁명길이 잠에 취한 듯한 목소리로 재촉하기를,

「행수 어른, 그만 자리하고 누웁시다. 저도 일삭 전에 상주 인근 도방에서 강시 난 도부꾼을 만나 추렴하여 초종한 일이 있습죠만 저도 끝내 타관에서 객사할까 싶소이다. 고향에 땅뙈기라도 있으면 모를까, 송곳 하나 꽂을 채마전 뙈기 하나 없으니…….」

---

*분요 : 어수선하고 소란함.

「자네야 노다지 금판만 만난다면 그깟 땅뙈기가 대순가?」

「그 노다지가 저잣거리 헤매는 개새긴가요? 타고난 분복이 이것뿐인지 제 눈엔 보이지가 않습니다.」

조성준은 등을 돌리고 누운 용익을 가리키며,

「이 사람과 동사하면 머지않아 그 궁상은 면할걸세. 아직 연광이 여리긴 하나 보아하니 자네 말따나 결코 범상한 인물이 아닐세.」

「그렇다면 저는 여라(女蘿)*가 외람되게 높은 소나무에 붙은 격이군요. 어쨌든 두 분이 저 같은 상것을 사생동고(死生同苦)할 만한 사람으로 치부해 주시니 고맙습니다.」

「둘 다 용력들이 그만들 하고 객지 바람 쐬었으니 어찌 쉽게 실패를 보겠는가?」

「어서 주무십시다.」

조성준도 그제야 대통을 털고 용익의 곁에 누웠다. 조성준이 자리에 누운 지 한 식경이나 지났을까. 바깥에는 문득 바람이 멎는 듯하였다. 두 사람의 코 고는 소리가 봉노에 낭자한데 그때까지 바람벽을 안고 누웠던 탁명길이 부스스 반몸을 일으키더니 두 사람이 잠든 양을 한참 동안 등넘이눈으로 바라보았다. 두 사람이 곤하게 잠 속으로 떨어진 것을 눈여겨본 탁가는 가만히 장지문을 밀치었다.

바깥의 찬 기운이 봉노로 들어오기 전에 몸을 밖으로 빼낸 탁가는 얼른 짚신을 찾아 발에 꿰었다. 뒤꼍을 돌아 측간으로 발길을 옮겨 놓는데 어둠 속으로 희끗희끗 눈발이 날리기 시작하였다. 측간 옆 귀 떨어진 똥장군에 대고 늘어지게 소피를 쏟아 놓은 탁가는 일순 어깻살을 퍼르르 떨며 측간을 비켜나긴 하였으나 곧장 봉노로 들지 않고 뒤뜰 귀퉁이로 다가가더니 훌쩍 바자를 뛰어넘었다. 다시 봉노

---

*여라 : 선태식물에 속하는 이끼의 하나.

쪽으로 귀를 기울여 아무런 기척이 없다는 것을 확인한 연후에 잽싸게 바자를 친 고샅길을 빠져나가기 시작하였다. 고샅길을 빠져나가면 황산나루 도선목이 나오는 길이었다. 밤은 삼경이 깊어 있었고 간혹 도선목의 배들에서 화장들이 내지르는 외마디 소리 희미할 뿐 사위는 쥐 죽은 듯이 고요하였다.

탁가는 도선목이 활 한 바탕 거리쯤으로 보이는 어름에서 길을 왼편으로 꺾어 여각과 가게들이 나란히 들어선 주막거리로 올라갔다. 그는 눈발이 흩날리는 하늘을 쳐다보며 행전을 고쳐 치기도 하며 바쁘게 걸어서 주막거리 끝에 있는 한 여각으로 다가갔다. 주위를 살펴 인적이 없다는 것을 가늠한 연후에야 탁가는 여각의 가게 문을 가만히 흔들었다. 잠시 아무 기척도 없는 듯하더니 이윽고 가게 안쪽에서 메마른 기침 소리가 들려왔다.

「저 천동이놈입니다.」

한속이 들어 곧장 육신을 떨면서 천동이가 연통을 하는데 그제야 가게 문 한쪽이 삐걱 열리었다.

「얼른 들어가게. 벌써 초저녁부터 와서 기다리고 계시네.」

가게 문을 삐쭘하니 열어 준 사내는 50줄에 든 여각의 사노쯤으로 보였다. 빈 마당이 네댓 칸 밖으로 썰렁하니 비어 있는데 마방 앞뜰을 건너 툇마루 아래 섬돌에는 이배치 한 켤레가 놓여 있었다. 천동이가 보이지도 않는 방 안의 사람에게 하정배를 올리며 다시 잔기침으로 연통을 하니 미닫이가 냉큼 열리면서 도포에 갓 쓴 놈 하나가 얼굴을 내밀었다. 섬돌 아래 두 손을 아랫배에다 모으고 서 있는 천동이를 등잔으로 비춰 보고 나서 턱짓으로 방 안으로 불러들였다. 방 안으로 들어서는 천동이를 가파른 시선으로 훑어보던 사내는 엉거주춤 앉으려는 숙수 천동이에게 한속 들일 짬도 주지 않고 물었다.

「어떠하던가?」

그렇게 묻고 있는 위인은 조성준의 동패들이 전주 인근 주막에서 포박의 수모를 당할 적에 장교 복색으로 행세하던 위인 중의 한 놈이었다.

　천동이가 턱이 떨려 미처 대답을 못하고 어물거리고 있자 궐자가 재차 다그치는데,

　「그놈들이 혹이나 네 본색을 눈치 채지나 않았는가?」

　그제야 숙수 천동이는 헤벌심 웃음을 흘리면서,

　「눈치를 채다니요, 명색이 칼을 쓴다는 쉰네가 무지렁이짓을 할 수 있겠습니까. 사람의 성미 덧들이지 마십시오.」

　「네 혼자서라도 두 놈을 해치울 만하던가?」

　「전참(前站) 주막에서 동패한 젊은 놈과 한번 겨루어 보겠다고 흥내를 내보았습니다만 애당초 상대가 되질 않았습니다요. 그런 놈들이라면 둘 아니라 스물이라도 한꺼번에 해치울 만하던뎁쇼. 까짓것들이야 도투마리* 잘라서 넉가래 만들기보다 더 수월하겠던뎁쇼.」

　「너무 허술히 볼 게 아니다. 상놈의 눈은 양반의 티눈보다 못하다는 말이 있지 않은가? 내가 보기엔 그놈들도 행세깨나 한다는 놈들이여. 그러니 행여 객담 한 번이라도 조심해서 하여라.」

　「나으리, 염려 붙들어 매십시오. 그것은 염려가 없겠으나 길가란 놈과 재장구치기에 시일을 오래 끌게 된다면 혹시 본색이 탄로 날지도…….」

　「그건 걱정을 말거라. 조가란 놈이 한시바삐 길가란 놈의 뒤를 밟지 않으면 안 되도록 벌써 조치를 하여 놓았다.」

　「그 젊은 놈이 간혹 의심쩍다는 눈으로 쉰네를 흘겨보곤 한단 말

---

*도투마리 : 베를 짤 때 날실을 감는 틀.

쏨이에요.」

「처신을 조심해서 해라. 그리고 은밀히 사람 하나를 곧장 뒤따라 보낼 테니까 만약 네가 구차하게 되면 그 사람이 합세할 것이야.」

「궐자가 누구입니까?」

「그건 네가 알 바 아니다. 무엇보다 유념할 일은 조성준이 길가란 놈을 만나기 전엔 네 본색이 탄로 나서도 안 되고 또한 조성준을 결딴내어서도 안 된다는 것이야.」

「염려 붙들어 매십시오. 칼날 위에 올라선 듯한 놈의 처신인데 여부가 있겠습니까……. 그러니까 빼앗긴 꿰미와 패물도 찾고 패거리들도 한자리에서 없애 버리자는 뜻이군요.」

갓 쓴 놈은 탁가의 말에는 대척을 않고,

「행여 속임수를 썼다간 널 뒤따르는 사람에게 도륙이 날 테니 그 것도 명심커라.」

어조가 빈틈이 없고 야멸쳤으나 의뭉스러운 천동이란 놈 역시 눈썹 한 번 까딱하지 않았다. 탁가란 놈,

「잠시 뒷간에 나가는 체하고 용케 빠져나왔으니 빨리 돌아가야 하겠습니다요.」

「알았다.」

갓 쓴 놈이 도포 자락 안으로 손을 넣어 어음표 한 장을 꺼내 천동이에게 건네었다.

「직전으로 하면 건사하기 불편할 것 같아 어음으로 하였으니 그리 알거라. 나머지는 거사가 끝난 다음에 건네도록 하지. 그간 객비 쓸 일이 생기면 강경 어계나 여각과 거래가 있는 객주나 건방에 디밀면 직전으로 바꾸어 줄 것이야.」

「그럼, 쇤네 물러갑니다.」

「도방에다 통기하여 공론이 도는 대로 그놈들을 잡아 도륙을 내라

는 사발통문이 각 임방 저자 구석구석까지 돌 것이니 네가 설령 그놈들을 없애 버린다 하여도 별다른 후환이 없을 것이고, 또한 강경으로 돌아만 온다면 어떤 섭수를 쓰든지 네 신변에 변고 없도록 조치해 줄 것은 물론이겠거니와 세 놈을 즉살시켰다는 증거만 갖고 돌아오면 네가 속량이 될 만한 거금을 주변할 터인즉 그 점에 대해선 일호의 의심도 두지 말거라.」

「쉰네가 어찌 감히 나으리의 의중을 의심하겠습니까.」

「이번 거사만 틀림없도록 해라. 네 평생 마방 추녀 밑에서 새우잠을 자는 노복의 신세만은 면해야 하지 않겠나? 속신하여 면천이 된다면 그 위에 무엇을 더 바라겠는가? 반명은 못한다 할지라도 대궁밥을 먹지 않고 부채라도 제 맘대로 활활 부칠 수 있다면 그게 어디 공으로 줍는 일이 아니지 않겠나?」

천동이란 놈, 턱을 삿자리 위로 너부죽이 조아리면서,

「나으리, 잘 알겠습니다요. 쉰네가 속신이 된다면 그것은 부모의 원수를 갚는 일인데 무슨 일인들 못할 것이 없습니다. 섶을 지고 불로 뛰어들라 한들 그것을 마다할 이치가 조금도 없습니다요.」

「네 심지가 그만하다면 이번 일도 실패할 까닭이 없다. 그럼 궐자들이 눈치 채기 전에 얼른 돌아가거라.」

천동이는 어음표를 꼬깃꼬깃 접어 행전 속에다 감춘 후 하직하고 여각을 나섰다. 여전히 눈발이 날리고는 있었으나 심하게 내릴 것 같지는 않았다. 한 식경이나 걸려 숫막으로 되돌아와 울바자를 후딱 넘어 들어가 봉노 앞에서 귀를 기울였으나 여전히 코 고는 소리만 고즈넉할 뿐 수상쩍은 낌새는 보이지 않았다.

천동이놈이 제멋에 겨워 껑충거리며 제 처소로 돌아간 뒤 여각의 늙은 사노는 가게의 쪽문을 단단히 걸고 갓 쓴 놈이 안돈한 방문 앞으로 다가와서 문단속한 것을 통기하였다.

「알았으니 들어가서 자거라.」

사노가 마당 옆에 딸린 봉노로 들어가는 것을 기다려 갓 쓴 놈은 어간마루에 딸린 외짝 장지를 열고 벽에 기대어 섰던 오득개를 방 안으로 불러들였다. 오득개는 그동안 장창이 난 것도 말끔히 나았고 배불리 먹어 신색이 훤하였다.

「심을 좀 돋우게나.」

갓 쓴 놈이 희미하게 사그라져 가는 등잔을 턱짓으로 가리켰다. 오득개가 심돋우개로 등잔을 살리고 나자 갓 쓴 놈은 목소리를 훨씬 낮추어 넌지시 물었다.

「그놈의 형용이나 수작하던 바를 자넨 밖에서 죄다 들었것다?」

「여부가 있겠습니까요. 쇤네도 죄다 들었습죠.」

「그놈의 근본이 아주 발간 상것이긴 하나 사람 배신하기를 숙주나 물맛 변하듯 하는 놈일세. 지금은 단단히 닦달을 받고 나갔으나 막상 그 세 놈을 만나면 무슨 흥정을 벌일지 모르지. 본색이 갯가 의 왈짜요 숙설간에서 잔심부름으로 연명하던 놈이라 용력은 있 다고 하지만 재물을 탐할 때는 개구멍으로 통량갓을 굴려 낼 놈일 세. 벼락 치는 하늘도 속일 놈이니 조심하게.」

「잘 알겠습니다.」

「만에 하나 그놈들의 연사질에 넘어가서 함께 잠주해 버릴지도 모 르니 그땐 자네가 그놈을 처치해야 하네.」

「설마하니 천 냥의 재물이 저를 기다리는 판국에 배신을 하려구 요.」

「길가란 놈이 지닌 것이 삼천 냥이요, 또한 계집이 딸렸으니 그것 이 걱정되어서일세. 길가란 놈이 목숨을 대신하여 꿰미와 계집을 내어 놓겠다면 구태여 살인할 까닭이 있겠는가? 심지가 바로 박힌 놈이라면 한번쯤은 생각해 볼 이치가 아니겠는가?」

「궐자를 그렇게 의심하고 계시다면 제 뒤에도 세작을 놓아 수탐하겠군요.」

오득개가 은근히 넘겨짚으려 하자,

「자넨 이미 약조한 계집이 있어 돌아오지 못할 사람이 아니지 않은가?」

난녀를 두고 이르는 말이었다.

「길가란 놈과 동행한 여인네는 꼭 데려와야 합니까?」

「그 계집을 탁가란 놈에게 종시 맡겨 두어선 안 되네. 그놈이 계집을 범해 버릴지도 모르지. 기름 엎지르고 깨 줍는 격이 되긴 하였으나 어떤 일이 있더라도 그 계집만은 데리고 와야 하네…… 설혹 사세 부득하여 네 놈을 전부 놓치는 한이 있더라도 말일세. 내 그년의 사지를 찢어 저자에 널어야 이 가슴에 맺힌 멍이 풀리지 않겠는가……」

「나으리 심중이 어떠하시리라는 것 쇤네도 짐작이 가지 않는 바가 아닙니다만 일을 너무 조급하게 서두르다간 까탈이 생기는 법이니 마음을 느긋하게 가라앉히십시오.」

「자네가 나를 위로하는군. 어쨌든 천동이놈 말대로 그놈들이 내일 아침 일어나는 대로 나루를 뜰 것인즉 자넨 그 먼저 나루에서 기다렸다가 궐놈들과 한 배를 타게.」

「그놈들이 제 얼굴을 알고 있어서 걱정입니다.」

「요량껏 하게. 길가란 놈의 행적을 짐작할 수 있는 건 그놈들뿐이니 어떡하겠나. 자넨 그놈들의 거동만 보고 있다가 천동이놈이 세 놈을 결딴내고 계집을 꿰차거든 은밀히 뒤따르든지 우리 건방이 가까운 곳이면 급주(急走)*로 와서 통기를 하든지 하게. 만약 천동

*급주 : 조선 시대에 보행으로 급한 심부름을 하던 사람. 빨리 달아남.

이놈이 언감생심 수상쩍은 눈치를 보이거든 은밀히 놈을 처치해도 괜찮네.」

「뱃길은 마땅할까요?」

「가을 내내 못 뜨던 세곡선들도 있고 선가만 받고 군산포에까지 가는 배도 있다네. 내 짐작으론 그놈들은 군산포까지 내쳐 달아나는 세곡선을 얻어 탈 것이 틀림없을걸세.」

「그놈들이 만약 길가란 놈과 재장구치질 못한다면 쇤네는 일도 못하고 불알에 똥칠만 하는 격이 아닙니까?」

「어허, 이 사람, 상주 보고 제삿날 다툰다더니, 웬 걱정이 그리도 많은가? 다 짐작 두고 하는 소리 아닌가? 십중팔구 눈이 시뻘게서 길가란 놈을 뒤쫓을걸세. 잡담 제하고 눈이나 붙여 두게. 난 상가에 급히 돌아가야 하네. 내일이 장례일 아닌가.」

오득개는 소매를 떨치고 나가는 갓 쓴 놈을 가게 문 밖까지 따라나가 배웅하고 돌아와서 바람벽에 기대고 앉았다. 흩날리던 눈발은 멎었으나 강 위에 뜬 밤하늘은 칠흑으로 어두웠다. 봉노 바닥이야 들고 뛸 지경으로 쩔쩔 끓었으나 바람벽에 기댄 등은 시렸다.

이번 거사만 무사히 치르고 나면 그를 구완하고 조섭하기에 신명을 다하던 난녀와 초례를 치르고 한방 차지를 하게 될 것은 물론이요, 적잖은 상급이 그에게 떨어질 것이었다. 이제까지 그와 수작하던 도포짜리는 길가와 어울려 야반도주를 한 계집의 본부였고 그가 오득개에게 적잖은 상급을 약조한 터였다. 그러나 이제 도부꾼에게는 신주와 다를 바 없는 채장을 빼앗겨 버린 입장이고 이제 그가 살길이란 김학준의 건방이나 여각의 겸인이나 짐방 노릇이라면 더 바랄 것이 없게 되었다. 그러나 이번 일만은 꼭 성사를 시켜야 우선 난녀부터가 자유스러운 몸이 될 것이었다.

그런 생각으로 뒤척이다가 그사이 깜빡 잠이 들었던 모양이었다.

누가 몹시 흔들어 깨우기에 번쩍 눈을 뜨니 여각의 늙은 사노였다.

「닭이 재우쳐 운 지가 한 식경이나 되었소. 너무 지체하면 물때가 늦어 배 뜨기가 수월치 않소이다.」

오득개는 벌떡 일어나 발행할 채비를 서둘렀다. 행낭에는 상목 두 필과 미투리 서너 켤레가 들어 있었고 짧은 환도는 행전 속에다 감추었다. 이용익이 그의 얼굴을 알고 있으니 패랭이를 콧잔등까지 내려오게 숙여 쓰고 여각을 나섰다. 그러나 일은 처음부터 여의치 않았다. 생각했던 대로 해창이 있는 군산포와 피포로 가는 세곡선들이 있어 묻어가려는 행인들에게 선가를 받고 태우는 축도 있었으나 해가 제법 한 발이나 뜰 때까지 도선목을 지키고 있어도 세 놈의 행적이 감감무소식이었다. 아니래도 도선목에는 며칠 전 뱃사람 하나가 피포의 해창 어름에서 수적의 칼을 받고 즉살하였다는 소문이 파다하여 사람 태우기를 꺼릴뿐더러 그나마 중화참이 넘어가면 뜨는 배도 없었다.

뒤통수가 지끈거리고 아프도록 간장을 태우며 도선목을 쉴 새 없이 오르내리는 행객들만 율기를 하고 쳐다보고 앉았는데 거러지들은 행인들을 붙잡고 구걸을 벌이었고 밀전병이나 팥죽을 파는 할미들이나 짚신을 파는 행상들도 시절이 없기는 마찬가지였다. 도선목 사공막 옆에 짚신을 내려놓고 행객을 기다리고 섰던 짚신장수가 종내 이러다간 고린전 한 푼 만져 보지 못하고 나루를 뜨겠다 싶었던지 느닷없이 목청을 뽑아 행객을 부르기 시작하였다.

「자, 신들을 사시오, 짚신들을 사시오. 세코짚세기, 진피발마개 부녀신 들 사려. 네 날 딴총에 짚신도 있고 육 날 제총에 짚신도 있소이다. 당사(唐絲)로 수놓은 여혜(女鞋)도 있고 명주(明紬)로 백미(白眉)한 꽃신도 있소이다. 이 신을 신고 어디로 갈꼬 하니 서산나귀 솔질하여 호피 안장 얹어 앉고 한양으로 올라갔것다. 여보시오, 난데없는 한양은 웬일이오, 내 말을 들어 보시오. 목멱산 아래 남산골 쌍계동 벽계동 칠패 팔패 돌모루로 동작강(銅雀江)을 넌짓 건너 남대문을 썩 들어서니 일간동 이골목 삼청동 사직골 오궁터 육조앞 칠가낫 팔각재 구리개 십자길 아이머리 다방골 어른머리 감투머리 전골로 언청다리 쇠경다리 건너서 배우개 안 네거리 구경 다 하고 썩 나서서 방방곡곡 면면촌촌 바위 틈틈이 아래위로 치더듬고 내리더듬어도 사람은 하얗게 깔렸는데 샌님 삐뚝한 놈도 없기에 아는 놈 만나 물어봤더니 동소문 밖으로 썩 나가더라기에 기절초풍으로 미끄러져 양주골에 당도해 보니 내 증손자 아들 놈 거기서 만나는구려. 한양거리 경기 인근을 해산 앞둔 쥐새끼 쏘다니듯 열불나게 뛰고, 좆털이 닳아 빠지도록, 사추리에 가래톳이 서도록 발섭을 하였건만 짚신을 내려다보니 아직 뒤축이 멀쩡하였소. 양주골 기생집 내로라하는 한량들이 밤낮없이 오르내려 빤질빤질 굳어 있고 메뚜기 이마빡처럼 질난 신방돌 위에 패대기를 치고 초례 앞둔 신부 집 질난 마름방망이로 석 달 열흘을 이 악물고 두들겼건만 코 한 번 떨어져 본 일이 없는 이놈의 사자 어금니같이 육시를 하게 질긴 강갱이 육 날 미투리들 사시오.」

「그 말 맞소?」

어느 싱거운 사내 하나가 한속 들어 연방 육신을 떨어 가며 반은 농조로 그렇게 물었다. 신장수가 그 말 되받아 지체 없이 대답하기를,

「여보시오, 내가 거짓말이라면 내 딸년 속에서 빠진 놈이오.」

「딸년 속에서 빠질 땐 어느 신을 신고 나왔소?」

지나치는 행인들을 불러 모을 참으로 먼 데 허공으로 고개를 빼물고 섰던 신장수가 그 말에 와락 결기를 돋우며,

「네 이눔, 네놈도 에미 속에서 빠질 때 그 뒤축 떨어진 짚신 끌고 나오느라고 용심깨나 썼겠구나.」

애당초 농을 걸었던 누비등거리 껴입은 자가 마주 욱기를 돋우며,

「어, 이눔 봐라, 전내기* 짚신이나 팔고 있는 주제에 어디다 언사를 함부로 던지느냐?」

「이눔, 적반하장도 분수 나름이지, 어느 놈이 먼저 남의 쓸개에다 똥물을 끼얹었었느냐?」

「어허, 이눔 봐라. 무식한 도깨비 부적을 모른다더니 이눔 눈에 뵈는 것이 겨우 그것뿐이냐?」

급기야는 짚신장수와 농 걸던 사내가 맞붙어 드잡이를 하고 밀고 당기는 사이 난데없는 한 사내가 쓱 나서더니 널려 있는 짚신 사이에서 값나가는 여혜 두 켤레를 쓱 집더니 눈 깜짝할 사이에 행탁 속에 집어넣고는 예사로 도선목 쪽으로 내려갔다. 드잡이하고 있던 사내는 궐한이 도선목으로 발길을 놓는 눈치이자, 시비의 결판도 내지 않고 실없이 물러나고 말았다.

그사이 오득개는 비로소 도선목을 향해 쫓기듯 내려오고 있는 세 사람을 보았다. 그는 패랭이를 더욱 앞으로 숙여 쓰고 모가지를 견 골 속으로 움츠려 넣었다.

군산포까지 나아가는 배들은 이미 다들 뜨고 없었고 피포까지 간 다는 만장이 한 척이 세곡섬을 잔뜩 싣고는 도선목에서 행객을 기다리고 있었다. 세 사람은 곧장 도선목으로 내처 나아가더니 만장이의 뱃사람과 수작을 걸기 시작하였다. 그들을 뒤따라 장사치로 보이는 몇 사람이 이물간으로 올랐고 아이를 업은 여자도 배에 올랐다. 오득개는 마침 고물간으로 오르는 여인을 따라 배에 올라 창막이 판자에 쌓인 곡식섬에 몸을 가리고 앉았다. 강바람이 소매 끝을 엘 듯이 차갑게 불어왔다. 강보에 싸여 업힌 아낙의 계집아이가 울기 시작하

---

*전내기 : 가게에 내다 팔려고 날림으로 만든 물건.

였다. 아낙은 아이를 달래느라 온갖 재간을 다 부리고 있었으나 한 번 울음을 토해 낸 아이는 좀처럼 울음을 그칠 줄 몰랐다. 배는 행객 들의 재촉에도 아랑곳없이 한 식경이나 더 꾸물거리다가 도선목을 떴는데, 이물간을 다 채우고 고물간에도 댓 사람이나 더 올라서야 겨우 닻을 올리고 돛을 폈다.

9

곡식섬이 실린 위에 사람을 태워서 그런지 배는 무척 천천히 움직여 강심으로 나아갔다. 이제 막 바람을 잡아 삼승 돛을 양편으로 갈라 붙이고 나아가려는 판국에 아이 업은 아낙이 웩 하고 토하기 시작하였다. 그때 버리고 떠난 도선목 쪽 멀리로 상여 하나가 불쑥 나타났다. 명정(銘旌)과 공포(功布)가 앞을 서고 앙장(仰帳)이 바람에 펄럭이었다. 상여 뒤에는 40여 개나 됨 직한 만장이 뒤따르고 있었다. 오득개는 그것이 김학준의 상여라는 걸 알았다. 장지(葬地)로 가자면 도선목을 비껴가야 하였다. 배는 점점 멀어지는데 강심을 타고 흘러오는 상엿소리는 더욱 낭랑하였다.

「너호너호 너와넘자너호, 북망산이 멀다 마소 대문 밖이 북망일세, 이 세상에 나온 사람 장생불사 못하고서, 이 길 한번 당하지만, 너호너호 너와넘자너호, 우리 마을 김씨 칠십 향수 못하고서 오늘 이 길 웬일인가, 새벽닭이 재쳐 우니 서산명월 다 넘어갈까, 너호너호 너와넘자너호, 공산(空山)에 터를 닦고 사토로 집을 지어, 창송(蒼松)으로 울을 삼고 오죽(烏竹)으로 벗을 삼아 영결종천(永訣終天)하올 적에, 눈비 오고 서리 칠 제 어느 친구가 날 찾을까, 너호너호 너와넘자너호, 원산에 안개 돌고 근촌에 닭이 운다, 양곡(兩谷)에 젖은 안개 원봉으로 돌아들고, 어장촌(漁庄村)에 개는 짖

고 회안봉에 구름 떴다, 너호너호 너와넘자너호, 명성일점(明星一
點) 샛별 뜨고 벽해천리 그늘진다, 고고천변 일륜홍(日輪紅)은 부
상(扶桑)에 둥실 떴다, 너호너호 너와넘자너호…….」

배에 탔던 사람들이 저마다 한마디씩 탄식하였다.

「저 상여는 한도 많겠구먼. 김학준이 그 대궐 같은 집, 만금 재산을
뉘게 맡기고 갔을까?」

「젊은 솔축이 있지 않은가?」

「그 재산 무덤까지 가지고 갈 것 같더니 종내엔 적수공권일세그
려.」

「적수공권뿐이겠는가. 저 길이 영락없는 무주공산(無主空山)이 아
닌가.」

「이끼, 이놈, 개 발에 대갈이다. 문자 쓰지 마라. 외욕질 난다.」

「여러 곳에서 거상들이 많이 모여들었고 인근 도방에서도 조문이
줄을 잇는다지, 아마?」

「그것이 전부 죽은 놈에겐 문방치레에 불과하네. 죽어 조문이 무
슨 소용인가. 차라리 살아서 헌옷 입고 볕에 앉아 한번 용두질이
낫지.」

「이끼, 이놈, 패설 그만둬라.」

「거 상두꾼들 오늘 하루만은 포식들 하겠구먼.」

「만금 재산 가졌으니 내로라하는 풍수 불러 명당자리 찾을 것이니
그놈의 만금 재산 축날 일도 없을걸세.」

「강경 인근 상고를 휘젓던 김학준도 죽고 나니 욕바가질세.」

이물간에 쭈그리고 앉은 장돌림들이 서로 주고받는, 반은 농지거
리인 수작들을 귓결로 흘려들으며 조성준은 점점 멀어져 가는 상엿
소리만은 알뜰히 귀에 주워 담고 있었다. 도대체 누가 김학준의 목
숨을 결딴내 버린 것일까. 숫막에서 묵새길 동안 종시 그것만을 생

각해 왔건만 처음부터 지금까지 그 문제만은 오리무중이었다. 그가 죽어서 통쾌할 사람은 조성준 한 사람뿐인데, 정작 그는 손을 쓰지 못하고 있는 사이에 결판이 난 일이 아니던가.

장돌림들이 주책없이 주고받는 농지거리에도 사공들은 끝내 대거리 한 번 없이 배를 몰았다. 제 나름대로 흥회를 털어놓고 있을 수만 없었던 것은 돛을 올리고부터 날씨가 수상해지기 시작하여 멀리 보이는 산 구릉이 희미해지면서 다시 눈발이 날릴 조짐이었고 물때도 여느 때같이 부드럽지 않았기 때문이다. 그런 데다가 여인이 업고 있는 계집아이가 짬 없이 울어 쌓아 속내도 몹시 언짢아 있었다. 그러나 선돈을 챙기고 뱃길을 몰았으니 피포까진 배를 대어야 하였다.

행객들은 아이 업은 여인을 빼고는 열넷이었는데, 아홉은 도부꾼 행색이었고 네댓 놈은 대처로 나가는 모꾼 행색에 허우대들이 껑충한 데다가 목자들이 자못 사나워 보였다. 도부꾼들로 보이는 패거리들과 작자들은 창막이 판자에 쌓아 둔 세곡섬들을 사이하고 이물간과 고물간으로 서로 나누어 타고 있어서 서로 상관없이 쭈그리고들 앉았는데, 고물간에 있는 모꾼 패거리들 중엔 패랭이 숙여 쓴 작자와 여인이 섞여 타서 패거리들에게 적잖이 기롱을 당하고 있었다. 그중 한 놈이 패랭이 쓴 작자를 통성명도 없이 먼저 툭 건드리기부터 하면서,

「노형께선 어디까지 가시는가요?」

돌돌 말려 돌아가는 궐자의 어투는 경아리* 비슷하고 경대를 쓰고 있긴 하였으나 그 목소리에 얼핏 사람을 찍어 누르는 듯한 투가 역력하였으므로, 옆구리 건들린 오득개는 대꾸를 않고 힐끗 일별을 주었을 뿐이었다.

─────────────

*경아리 : 예전에, 서울 사람을 약고 간사하다고 하여 비속하게 이르던 말.

「이것 봐, 이녁이나 나나 면천 못한 주제는 일반인 것 같은데 상것들끼리 수작하는 데도 차서를 찾자는 건가? 주제하구선, 혓바닥은 짧아도 침을 길게 뱉자는 수작인가?」

오득개의 태도에 배알이 뒤틀렸던지, 초장부터 입정이 걸쭉하게 나오는 품이 아예 시비조였다. 그러나 원수의 자식일수록 여러 남매더라고 울 센 패거리들과 대중없이 실랑이를 벌이다가는 넙치가 될 판이라 오득개는 도리 없이,

「노형, 괜한 일 가지고 중뿔나게 시비 걸지 마시오. 뱃길이 좋지 않아 간을 졸이고 있는 참이오.」

「어허, 이거 애새끼는 살라 버리고 태(胎)를 잘못 길렀나, 위인이 어정뜨기는? 뱃길이야 뱃놈이 알아서 잡을 일이 아닌가.」

힐끗 돌아보니, 시비를 걸고 나오는 인사는 조금 전 도선목에서 바람잡이로 여혜를 훔쳐 낸 놈이었다. 켕기는 구석이 있으니 괜히 너스레를 떠는 것이 아닌가 하고 생각하였으나, 좀도둑인 주제에 입정은 사납다 싶어 오득개는 더 이상 참지 못하고,

「이것 봐, 통성명도 없는 터수에 얻다 대고 함부로 언사를 농해? 비싼 선가 물고 배에 올랐으면 쭈그리고나 앉았을 노릇이지. 공연히 알심장사 행세하였다간 빠져나온 구멍으로 도로 처박아 넣을 테니깐…….」

와락 결기를 돋우고 덤빌 줄 알았던 궐자는 의외로 입가에 피식하니 웃음을 흘리고는,

「노형, 체모에 손상 입혀 미안허우……. 난 또 흘러 다니는 쭉정이놈인 줄만 알고 에멜무지로 슬쩍 건드려 보았더니, 암고양이 모양으로 제법 악증도 낼 줄 아는데그려.」

「나도 네놈만 한 용력은 있으니 넙뜨지 말고 앉아 있게나.」

「입에 곡기 못한 지 사흘이 됐소. 허기진 놈보고 너무 드센 체 마

시우.」

들었다 놓았다 하는 꼴이 배알 뒤틀리는 대로 한다면 당장 강 속에다가 처박아 버리고도 싶었으나 동패가 여럿인 데다가 또한 할 일이 따로 있는 터수라 길게 대척을 못하고 떨리는 손으로 괴춤의 곰방대나 뽑아 드는데, 이번에는 턱짓으로 뱃전 가녘의 젖꼭지 물린 아낙을 가리키며,

「저기 염(殮)하다가 쫓아 나온 듯이 흉물스럽게 생긴 계집은 자네 내자인가?」

「내자라니? 이것 봐, 말이면 단가? 상관없는 아낙네를 두고 어찌 그런 말을 함부로 내뱉는가?」

「아니면 그만이지, 눈알까지 부라릴 건 없지 않은가. 하기야 너 같은 상것 주제에 저만한 박색 얻기도 그리 쉬운 일이 아니겠지.」

위인이 언사에 하대는 물론이요, 욕설까지 예사로 하며 옥죄고 드는 품이 뭔가 딴 배포가 있겠거니 생각했으나, 낄낄 웃고 떠드는 곁꾼들로 오갈이 들어 오득개는 행전 속에 든 환도로 손이 내려갔다 올라갔다 하다간 그만 뱃전 가녘으로 가서 쭈그리고 앉아 버렸다. 그러자 궐놈은 오득개를 더 이상 상대하지 않고 아낙의 옆에 앉아 있는 맨상투 바람의 사내에게로 다가갔다.

「노형은 어디까지 가시우?」

이미 오득개에게 시비를 걸고 기어든 품에 주눅이 든 사내는 모가지부터 잔뜩 움츠리면서 기어드는 목소리로,

「갓개까지요.」

「거긴 뭣 하러 가오?」

힐끗 궐놈을 쳐다보는 사내의 얼굴엔 두려움보다는 되레 짙은 우수가 감돌았다.

「나귀쇠 벌이라도 해볼까 해서요.」

「나귀쇠라?」

「상전의 땅뙈기만 평생 갈아 보니 해마다 드는 흉년에 다솔식구*
목숨 부지가 난감하여 적수단신으로 집을 나섰지요. 마름질에 진
력나고 가난키는 흥부놈을 뺨칠 정도였지요.」

「우리와 동사하면 어떻겠소?」

「댁들은 무슨 용뻴 재간이라도 있다는 거요?」

사내의 얼굴이 그 순간 환하게 밝아졌다. 궐놈은 사내의 어깨를
툭 건드리며,

「우리와 동사하겠다고 미리 약조부터 한다면 내 알려 주지.」

「어디 구실을 산단 말이오? 아니면 청지기로 들어가서 드난밥 먹
을 자리라도 있다는 거요?」

「어허, 초상집 술에 권주가 부른다더니 이거 앞뒤 짐작조차 못하
는 인사구먼. 보아하니 구실을 살 만한 주제는 아닌 것 같고, 그렇
다고 드난밥이란 것도 먹던 놈이 먹지 될 성부른가.」

「그럼 동사하자는 뜻은 뭐요?」

「허우대 그만하니 화적질이 그중 합당할 것 같아서 하는 소릴세.」

「사람 어찌 보고 하는 말이오? 내 일찍이 진서글 한 줄 배운 게 없
고 상놈의 자식이라 얻어 쥔 재물도 없소이다만 화적질만은 할 게
못 된다는 건 알고 있소이다.」

「그래? 그렇다면 뭘 하겠단 거야?」

「대처로 나가 보면 무슨 방도가 나서겠지요.」

「그 방도 나서기 전에 식은 방귀 뀌어 버리면 어떡하겠나? 차라리
화적질로 연명하는 게 상책 아닌가?」

「대중없이 씨부리지 말고 비키시오.」

---

*다솔식구 : 많은 식구를 거느림.

「어허, 이거 굶어 죽을 놈들 천세나누먼.」

「사람 코앞에 두고 그런 몹쓸 놈의 악담이 어디 있소?」

「삿대질 그만두고 날 죽여 주십사 하고 가만 엎드려나 있게.」

궐놈은 사람마다 찾아다니면서 잔뜩 오기를 불어넣었다간 때로는 찍자를 놓을 거조로 발뒤꿈치에 빠득하니 뚝심을 실어 붓고는 버티는 체 율기를 빼며 배에 탄 사람들의 심기를 떠보는 모양이었다. 패거리들 중 두어 놈은 세곡섬으로 기어올라 이물간으로 내려가선 또 한 사람들을 쿡쿡 찔러 찍자를 놓으면서 선웃음 풋장담으로 까탈을 부리는데, 추위에 지치고 뱃길이 험한지라 사람들은 처음부터 대척을 않고 있었다. 그런 중에서도 배는 강심을 가르면서 달려 나아가서 청포진과 다근이나루를 지나 남당진이 바로 코앞인 성당창을 지나고 있었다. 거기서부터 강폭은 훨씬 좁아지게 마련인데 갯가로는 갈대와 억새가 높다랗게 자라 있어 강심에 앉았어도 먼 갯마을들이 보이지 않을 정도였다. 얼마를 저어 가지 않아서 남당진 거센 물길과 만나게 되었는데, 물때가 좋지 않아서인지 사공은 도대체 말이 없었다.

바로 그때였다. 고물간에 앉아 야료를 부리던 패거리 중의 두 놈이 역발산 기세로 몸을 일으키며 용총줄을 잡고 있는 사공의 모가지에 싸늘한 패도를 들이댔다.

「이놈, 뱃길을 돌려라.」

당초부터 패거리들의 찍자를 놓는 거동에 심상치 않은 낌새를 느끼었던 터라, 기함을 할 줄 알았던 사공은 그나마 패도 디민 졸개놈을 부라리며 호놈으로 맞대꾸였다.

「이놈들 뱃머리를 돌리라니? 네놈들의 본색이 종시 수상쿠나.」

패도 들이댔던 졸개놈은 콧방귀를 뀌고는, 한 손으로 사공의 저고리 뒷고대를 잡아채선 고물간 판자에다 꽂아 박으며 핏대가 곤두서도록 크게 소리쳤다.

「이눔, 곡경이 코앞에 닥쳤는데도 우리가 누구인지 눈치 채지 못하겠느냐?」

「어이쿠, 이게 적변이 아니냐…….」

「이눔, 이제사 맑은 정신이 드는 모양이군. 상놈의 모가지가 하나뿐이란 건 알고 있는 일인즉, 도륙을 내기 전에 배를 저쪽으로 몰아라.」

졸개놈은 억새와 잡포가 길길이 자란 건너편 갯벌을 가리키었다. 배 안의 공기가 자못 살벌하고 작당한 패거리들이 네댓은 되어 보이는지라, 용뺄 재간이 없는 사공이야 목숨 부지부터가 다급하매 뱃머리를 돌릴 수밖에 없었다. 때마침 아이에게 젖꼭지를 물렸던 아낙이 신색이 하얗게 질려선 짐작 없이 물속으로 뛰어들 거조인데, 세곡섬에 등을 기대고 섰던 엄장 큰 한 놈이 버럭 결기 돋워 소리쳤다.

「네 이년, 냅뜨지 말거라. 명색이 뜨내기 좀도둑이다만 네년이 가진 거라곤 그 급살맞게 울어 쌓는 애새끼뿐이란 건 다 알고 있다.」

아낙이 아이를 꼭 껴안으며 비위를 건드리지 않으려고 뱃전 가녘에 다시 쭈그리고 앉았다. 뱃머리가 억새 속으로 기어들자 세곡섬에 기대고 섰던 놈이 소리 질렀다.

「사공놈의 전대부터 털어라.」

「이놈이 전대를 잡고 놓지를 않는데요.」

「이놈, 제법 속을 썩이는구나. 그럼 빨가벗기어라.」

「이놈을 강에 던져 버리죠?」

「이눔, 강에 빠져도 가라앉지 않으려거든 전대를 내놓아라.」

그건 희롱에 불과하였다. 그때 벌써 패도 든 놈이 사공의 누비배자를 북 그어 내리니 사공의 허연 등줄기가 드러났고 그와 함께 뱃구레에 둘러맨 전대의 매듭이 드러났다. 재빨리 전대를 낚아챈 쿨놈이 거드모리로 사공을 넘어뜨리니 사공은 아쿠 하면서 고물간 판자에 유자코를 짓이기며 다시 엎어지고 말았다.

조성준은 옆에 앉은 탁명길을 힐끗 돌아다보았다. 수적들이 처음 칼을 들이댈 적부터 용익은 자꾸만 탁가에게 눈길을 주었었다. 그 눈짓이 무얼 의미하는지 탁가가 모를 리 없었다. 그러나 탁가는 처음부터 눈길을 내리깔고 고스란히 이 분란을 받아들이고 있었다. 세거리 주막에서 손짓 한 번에 용익을 촛농 녹이듯 삭신을 주물렀던 것으로 본다면 칼을 들긴 하였으나 이깟 서투른 수적 두어 놈쯤이야 혼자서도 능준히 결딴낼 용력을 가진 인사로 보아야 할 터였다.

뱃전 가녘으로 마른 갈대가 차가운 소리를 내며 스쳐 갔고 저만큼 지나온 강심이 멀어지는가 하였더니 배는 벌써 뻘밭에 턱을 걸고 문득 멈추었다. 수적들은 웃통을 벗긴 사공부터 차례로 사람들을 결박 짓기 시작하더니 하나하나 뻘밭으로 끌어내어 몸뒤짐을 하였다.

사방은 인적 없이 적막하였고 갈밭 위를 스치고 지나는 바람 소리만 매서울 뿐이었다. 갈까마귀가 멀리 산등성이 위를 날았다. 조성준은 인가가 있는가 둘러보았으나 밋밋한 산등성이만 보일 뿐 마을은 멀었고, 후미진 갯벌이라 강을 지나는 배들이 강심 저쪽으로 아득히 바라보일 뿐이었다. 소리친대도 바람에 막혀 지나는 배들에까지 들리지도 않을 것 같았다.

수적들은 이물간에 있던 장사치들을 뻘밭에 엎치고는 행리는 물론이요, 토시와 행전 속까지 낱낱이 뒤져 나가는 데 거침이 없었고 초조한 기색도 보이지 않았다. 명색이 장한들이 끼여 있다는 장사치들이 수적 네 놈에게 옴나위없이 묶이고 염천에 학질 오른 몰골이 되어 육신만을 떨고 있을 뿐이니, 가관은 수적들이 아니고 오히려 봉적을 당하는 쪽에 있었다.

졸개 한 놈이 탁가의 행전 속을 뒤지다가 속에 든 패도 한 자루와 꼬깃꼬깃 접혀 있는 어음표 한 장을 꺼내 들었다.

「네 이놈 봐라, 이건 어음표라는 게 아니냐?」

탁명길이 자신의 행전 속에서 어음을 꺼내 드는 졸개를 우두망찰 쳐다보는데, 궐놈은 그것이 어음이란 걸 알고 있었으되 까막눈이라 액면가를 몰라 저들의 두령에게로 가져갔다.

「성님, 저기 있는 놈에게서 난데없는 어음표 한 장이 나왔소이다.」

「그놈은 어디서 탄 놈이냐?」

「황산나루에서 탄 놈인데, 보아하니 대갓집 비부 노릇으로 턱찌끼나 얻어먹는 놈 같은데요.」

「그놈이 상전의 어음을 가지고 튀는 놈은 아니냐…….」

성님이라 불린 개가죽배자 껴입은 자가 어음표를 빼앗아 읽는 체하였으나 진서글은 고사하고 언문 한 자 못 뜯어 읽는 주제는 피차가 매일반이라 이놈이나 저놈이나 곰의 발바닥 들여다보는 시늉인 것도 마찬가지였다.

「뭐라고 썼었소?」

눈치 없는 졸개란 놈 오금 박듯 재촉인데 두령 격인 자가 힐끗 궐놈을 흡떠 보더니,

「니놈이나 나나 베어 간대도 모를 불학무식인 주제에 그게 공명첩(空名帖)*인지 어음표인지 알 게 무어냐.」

「그래두 체통이 있지, 성님은 언문이라도 뜯어보아야 할 거 아니우?」

「이놈아, 뜨내기 도적놈이 진서글은 알아서 뭣 하며 언문은 알아서 얻다 쓰겠느냐? 진서글을 알면 아전이나 살 노릇이고 언문을 뜯어보면 통인(通引) 구실이라도 살지 무슨 비위로 수적질을 하겠

---

*공명첩 : 관직명과 성명을 적지 않은 사령장.

느냐.」

졸개란 놈 쓸개 씹은 낯짝이 되어,

「어허, 이거 낭패로군. 내 일찍이 패도 한 자루로 계림팔도를 뒤죽
박죽 쏘다니며 막히는 데 없이 살아왔는데, 이놈의 난데없는 어음
표 한 장이 사람 망신 아주 톡톡히 시키고 드네그려. 쥐여 줘도 못
먹는 꼴이니, 하기야 이것도 상놈 아니면 맛 못 보는 횡재요.」

「이놈아, 남의 비위 건드리지 말고 냉큼 찢어 버려.」

두령이란 자가 그렇게 씨부리며 딴전을 펴는 체하다가 무슨 생각
이 들었던지 어음표를 낚아채선 괴춤에다 쑤셔 박았다. 조성준은 이
른바 수적의 두령이란 자와는 초면이 아니었다. 궐놈과 여기서 재장
구치게 되었다는 것은 전연 우연이었다. 그러나 곰곰 생각해 본다면
우연이랄 것도 없었다. 문경새재에서 그들에게 찍자를 놓고 전대를
털어 장달음을 놓은 뒤부터, 그놈들이 결코 오간수다리 밑으로 되돌
아갈 깍정이들이 아니란 것쯤은 생각했었고 서울로 되돌아갈 놈들
이 아니라면 화적질로 연명하리란 것도 예상할 수 있는 일이었다.
화적질이라면 도부꾼들의 왕래가 빈번한 저자 길목이나 나루와 진
의 도선목이 아니겠는가? 결국 궐자들 때문에 천봉삼과 쇠돌이와는
길이 어긋나 버렸고 일이 여기까지 뒤틀린 바가 아니던가. 조산의
깍정이가 수적으로 둔갑한 것에 놀랄 일이 아니라면 또한 여기서 재
장구치게 되었다는 사실에 기함을 할 일도 없었다. 그러나 한 가지
괴이한 것은 배를 타고 여기까지 오는 동안 두 놈은 면분 있는 조성
준을 알아보았을 터인데도 전연 내색이 없었을뿐더러 장사치들과
사공의 행리를 서캐 잡듯 뒤져 나가면서도 조성준은 결박만 지었을
뿐 공갈은커녕 거들떠보지도 않고 있다는 점이었다.

어음표를 빼앗긴 탁명길은 무릎으로 기어가서 그 두령이란 자에
게 적선을 빌었다.

294

「여보시오, 그 어음만은 돌려주십시오. 댁네들이야 가져가 보았자 아무짝에도 쓸모없는 종이쪽지가 아니우?」

탁가를 원두한이 쓴 외 보듯 하던 궐자는 모잽이눈을 뜨곤,

「그놈 사람의 염량을 떠보는구나. 그래, 우리에겐 호박잎보다 못한 뒤닭이다만 네놈 손에 들어가면 그게 만금 재산으로 둔갑하지 않느냐?」

「틀림없는 말씀이오. 댁네들이 만약 그걸 직전으로 바꾸었다간 관아의 추쇄를 받을 것이외다. 그러니 제게 돌려주십시오.」

「어림없다, 이놈, 화적이란 게 뭣 하는 놈들이냐? 가진 것을 빼앗는 게 화적놈의 구실이 아니냐.」

탁가는 그참에 두령이란 자를 칩떠보며,

「그럼, 못 먹는 밥에 재 뿌리자는 수작 아니오?」

「그래, 이놈아. 네놈의 밥그릇에 재를 뿌리겠기로서니 화적질 나선 놈에게야 해 될 이치가 한 푼어치도 없지 않느냐?」

「도척이란 자에게도 도리가 있다지 않소. 그런 억지가 어디 있소?」

「이놈 수작이 의뭉스럽구나. 네놈도 양반이 싼 소매통이나 지고 다닐 주제에 난데없는 어음을 지녔다는 건 억지가 아니고 그걸 빼앗은 우리만 억지란 거냐?」

두령이란 녀석은 지체 없이 탁가의 상투를 잡아채선 조리를 돌려 뻘밭에다 곤두박고 나서,

「이놈, 남의 떡에 팥보숭이 떨어지는 걱정이나 하거라. 그슬린 돼지 달아맨 돼지 타령이라더니, 이놈아, 네 모가지나 온전히 달고 갈 걱정이나 하거라.」

옆에 섰던 졸개가,

「그눔 아직 코밑이 따뜻한가 보우.」

네 놈은 장사치들이 지녔던 상목 몇 필과 전대를 챙겨선 배와 사람들을 결박 지은 채 두고 갈밭 사이로 난 외길을 타고 몸을 숨기었다. 그러나 한 식경도 채 못 지나서 졸개 한 놈이 불쑥 나타나선 지금까지 손가락 하나 다치지 않았던 조성준에게 다가왔다.

「이봐, 진서글 뜯어볼 줄 알어?」

조성준이 대척도 않고 앉아 있자,

「이놈, 진서글 뜯어볼 줄 아느냐고 묻지 않았나?」

옆에 있던 용익이 대답하였다.

「압니다.」

「그럼, 따라가자.」

말투가 거세긴 처음과 다를 바 없었으나 기세가 어딘지 눅어진 듯한 느낌이 든 데다가 이는 두령이란 자의 사주가 있었다는 짐작도 들어 조성준은 순순히 졸개들을 따라나서기로 하였다. 무엇보다 탁가가 가졌던 어음표가 궁금했기 때문이다.

「날 알아보겠소?」

갈밭 속에 앉아 있던 면분 있는 두 놈 중의 하나가 끌려온 조성준을 보고 물었다.

「알다뿐인가.」

「조 행수도 팔자가 억센 편이구려. 똑같은 화적놈에게 곱씹어 적변을 당하다니요.」

「이 무슨 상없는 짓인가. 지난여름에 공주에서 수적 여럿이 처교 (處絞)되었다는 걸 모르는가?」

「그때 효수당한 사람들이 우리의 붕당들이었소. 사실은 나도 그때 잡힐 뻔하였으나 요행히 장달음을 놓았소이다.」

「아무리 절박하기로서니 화적질로 연명하다니……. 자네들과 길게 상종하고 싶지 않으니 나를 돌려보내 주게.」

「당초엔 아녀자만 빼곤 모두들 작살낼 심산이었으나 조 행수가 끼여 있기로 달포 전 인연을 생각해서 살려 두기로 한 것이니 그리 아시오.」

「듣기 싫으이.」

「그런데 동사하던 일행 두 사람은 어디 가고 혼자 떨어졌소? 그때 젊은 축은 죽지는 않았소?」

「지금 어떻게 되었는지 나도 궁금하다네. 자네들 짓이 빌미 되어 헤어진 이후로 통 소식을 모르고 산다네.」

「그건 그렇고…… 이 어음은 도대체 얼마짜리요?」

궐한은 괴춤에 쑤셔 박았던 어음표를 꺼내 디밀어 보였다. 의외에도 그것은 천소례의 수결(手決)이 있는 2백 냥짜리 어음이었다. 어음표를 눈여겨본 조성준이 되레 궐한에게 물었다.

「이걸 어찌할 작정들인가?」

「몇 냥짜리냐구 하지 않았소?」

「삼십 냥짜리일세.」

「삼십 냥이라?」

「그렇다네.」

「틀림이 없소?」

「그렇게 의심쩍거든 딴사람에게 물어보면 될 게 아닌가.」

「거기 진서글 하는 놈이 또 있소?」

「있다마다. 내 옆에 있는 총각일세.」

「좋소, 삼십 냥이건 삼백 냥이건 우리와 무슨 상관이야. 이걸 찾으러 객줏집에 갔다간 영락없이 오라를 받을 테니 우리에겐 떨어진 감발보다 못한 거요. 이걸 조 행수에게 건네주려는 거요.」

「적당(賊黨)이 화적질한 어음을 나더러 가지라면, 내가 와주가 되란 말인가?」

「지난날에 끼친 폐를 갚는다는 뜻이 아니겠소? 조 행수만 입을 다문다면 이 어음은 우리가 그냥 적몰하여 간 것이 되지 않겠소이까?」

「그러나 내가 알아서 처분할 것인즉 일단은 내게 맡겨 주었으면 하네.」

조성준은 어음을 받아서 행전 속에다 끼워 넣었다.

「우린 조급히 여길 떠야 하겠소. 적변을 당하였다고 관아에 파발을 띄우든지 도방에다 통기를 하든지 그건 맘대로 하시오. 그러나 우리가 수월하게 오라를 받진 않을 거요. 다만 한 가지 명심할 일은 우리 패거리들 중에는 자고(刺股)질이라면 오 리 밖에 있는 학다리라도 두 쪽 낼 놈이 있어 저놈들을 멀리서라도 요절낼 수도 있지만 조 행수의 체면을 봐서 그냥 두고 떠나니 그리 아시오.」

수적들이 꿰미들과 상목들을 챙겨 걸빵해서 나누어들 지고 갯벌을 벗어나서 저만치 시야에서 벗어날 때까지 조성준은 갈밭 위로 고개를 한번 디밀어 올리는 법이 없이 앉아 있었다. 적당들이 멀리까지 장달음을 놓을 수 있는 말미를 주자는 심사에서였다. 만약 여기서 꿈쩍이라도 하는 낌새를 보였다간 궐한들의 위협대로 자고와 표창이 날아들 건 물론이겠고 여차하면 면분은 차치하고 도륙을 내려고 덮칠 것은 뻔한 이치겠기 때문이었다. 그러나 적당들이 종적을 감춘 후에 뒤미처 달려와서 결박을 풀어 준 사람은 이용익이었다. 결박을 풀면서 용익은 적잖이 의심쩍은 눈을 하고 물었다.

「그 적굴놈들과 구면이오, 아니면 과갈 간이오?」

「면분이 있지.」

「어찌 된 연유입니까?」

「전사에 저놈들에게 문경새재 아래에서 봉적한 일이 있었다네.」

「정말이오?」

「자세한 내막은 나중에 졸가리 따지기로 하고 탁가놈이 가졌던 어음표를 그놈들이 내게 넘기고 갔으니 그것만 알고 있게.」

「어느 객줏집에서 낸 어음이던가요?」

「천소례일세.」

「적굴놈들이 왜 그걸 행수 어른께 넘긴 것인지는 짐작이 갑니다만, 장차 어떻게 하실 작정이오?」

「탁가에게 돌려주려고 하네.」

「그놈의 본색이 드러난 지금 그냥 둘 수가 없지 않소?」

「거동을 지켜보고 있는 게 상책이야.」

「그러다가 우리는 개죽음합니다.」

「난 강경 숫막에서부터 탁가의 본색이 뭔지 알고 있었다네.」

「그러면서도 여기까지 달고 왔단 말이오?」

「두고 보세.」

두 사람은 허겁지겁 동패들 있는 곳으로 뛰어갔다. 사공이 통곡을 하고 있었으나 봇짐 털린 장돌림들은 목숨 부지한 것만도 다행스러웠던지 뒷수습에 바빴다. 금강 연안에 적굴을 둔 수적들이란 험상궂기로 유명짜한 건 고사하고 걸핏하면 양민의 목숨을 날렸고 급주(急走)로 잠적해 버려서 서투른 지방 관아의 군교·사령놈 들이야 아예 추쇄조차 하려 들지 않았으니 죽어 가는 건 황앗짐 가진 도부꾼들이나 나귀쇠들이었다.

그러자니 자연 거상들이나 객주와 여각을 잇는 거래에는 어음이 성행하였으므로 그들에게는 적변으로 잃게 되는 손실을 오히려 막을 수 있었으나 금새와 장세를 보아 가면서 쥐꼬리만 한 이문을 남겨 푼전을 챙겨야 하는 장돌림들은 직전들을 가져 고스란히 적변을 당하는 꼴이 되었다. 게다가 관아 역시 거상들이 봉적하였다면 은근한 압력 때문에 기찰을 깔고 추쇄를 하는 체 흉내라도 하였지만, 보

잘것없는 물화나 지고 나귀나 몰고 다니는 보부상들이야 임방이라
도 있으면 호소할 곳이라도 있지만, 그렇지 못한 산골 저자로 떠돌아
다니는 행중들이야 호소할 곳도 없었다. 섣불리 관아에 발고하였다
간 문서를 닦는다 증거를 세운다 하여 사람을 열 나절씩이나 잡아
놓기 일쑤여서 그것 또한 뒤탈 때문에 단념하는 수가 많았다. 그런
데도 금강 연안을 떠나지 못하는 까닭은 전라도와 충청도의 물화가
금강을 사이하면서 거래가 활발하고, 거래가 활발하다 보니 주변의
장시들이 황폐를 면하고 있었기에 번번이 적변을 당하더라도 이 연
안 주변에서 뒹굴다 보면 남매죽으로나마 연명하기 수월했기 때문
이다. 그러나 근자에 이르러 남양만에는 당화(唐貨)의 밀매가 성행
하고 있었고 동래포로도 적잖은 왜화(倭貨)들이 쏟아져 들어온다는
풍문이 있어 동취에 끌린 도부꾼들이 하나 둘 작심들을 하고 발서슴
하는 축들도 있었다.

그러나 그런 물화들이란 거의가 잠매로 이루어지는 거래들이어서
한번 발각되는 날이면 구메밥을 먹어야 하는 건 고사하고 채장을 몰
수당하여 그나마 장돌림의 길이 막히었으므로 여간한 재주아치가
아니고서는 생의조차 해볼 일이 못 되었다.

10

도부꾼들이 넋을 잃은 사공과 화장을 어르고 부추기어 다시 배를
띄울 때까진 거의 두 식경이나 흘러 버린 뒤여서 섣달 짧은 일색이
거의 다해 해가 한 발쯤밖엔 남지 않았을 즈음에 이르렀다. 다행히
세곡섬만은 적몰을 당하지 않아 불행 중 다행이었기로 사공은 그나
마 배를 몰 정신까지는 잃지 않았다. 그 배가 남당진을 무사히 빠져
나와 갓개에 닿을 때까지 조성준은 탁가에게 아무런 눈치도 보이지

않았다. 갓개엔 위도에서 올라온 조깃배들로 파시를 이루었고 나루
는 장사치들로 제법 붐비었다. 그들은 배에서 내려 도선목의 휘장
친 술국집으로 들어갔다. 술국과 탁배기로 우선 빈 순대를 채운 다
음 조성준은 그때까지 도대체 대꾸가 없는 탁가에게 말을 걸었다.

「자네가 적몰당한 그 어음을 시방 내가 갖고 있네.」

조성준은 행전 속을 뒤져 어음을 내보이었다. 비로소 탁가의 신색
이 하얗게 질리었다.

「자네에게 돌려줌세. 그 어음에 김학준의 솔축인 천소례의 수결이
있다는 것도 알고, 그리고 자넨 금점꾼이 아니라 천소례의 사주를
받고 우리 목숨을 노려 작반하고 있다는 것도 내 진작부터 알고
있었네. 그러나 이제 와서 어찌하겠는가. 앞으로 처신은 자네가
알아서 할 일이지.」

「이제 내 본색이 드러난 바에야 행수와 작반할 수는 없게 되었습
니다.」

천동이도 이 이상 정체를 감추지 못하게 된 바에야 아퀴를 짓자고
대담하게 털고 나갈 수밖에 다른 도리가 없다는 생각을 하고 있었
다. 그러나 천동이로서는 전연 예상할 수 없었던 한마디가 조성준의
입에서 흘러나왔다.

「자네가 작정만 한다면 우리 두 사람의 목숨쯤이야 그 당장 결딴
을 낼 수 있을걸세. 그리고 그런 용력이나 간담도 없지 않을걸세.
자네가 면천을 하고 다솔식구를 먹여 살려야 할 판국에 작정한 일
인 바에야 그걸 크게 탓할 수야 없지 않은가. 설령 나였다 한들 뿌
리칠 재간이 없었겠지.」

탁가는 입가로 가져가던 입잔을 삿자리에 놓았다. 그러고는 엉덩
이를 뒤로 너부죽하게 빼고 엎디더니 금방 삿자리 위로 닭의똥 같은
눈물을 뚝뚝 흘리었다.

「행수 어른, 쉰네는 이제 서리 맞은 구렁이가 되었습니다. 쉰네가 강경으로 되짚어간들 이제 목숨 부지는 못하게 되었습니다요.」

「자네가 모칭(冒稱)을 하고 있다는 것도 알고 있네.」

「임시변통으로 행세키 위해 얻은 것에 불과합니다. 쉰네는 사실 천동이라 부릅지요. 이젠 쉰네의 본색이 드러났으니 말입니다만 쉰네는 천례로서 이번 일로 속량을 바친 다음 면천하고 다만 사람의 구실을 하고 살아 보려는 심보로 작정하고 나섰던 것입니다요.」

「강경 숫막에서 자네가 측간으로 가는 체하고 천소례의 수하것을 만나고 온 것을 알고 있네.」

천동이는 더욱 이마를 삿자리에 끌어 박을 듯하며 흑흑 느끼는데,

「쉰네가 이 지경으로 되돌아가면 그 당장 즉살을 당할 것이오. 그렇다고 행수 어른을 일없이 따를 수도 없게 되었으니 이 일을 어찌하면 좋습니까?」

「어찌하겠나? 자넬 용납하겠다면 우릴 믿겠는가?」

「저를 용납하시다니요?」

천동이는 그참에 고개를 들어 콧물이 흐르는 인중을 닦아 내었는데 어찌 된 셈인지 전주 인근 숫막에서 이용익을 닦달하던 때의 당당한 위풍은 사라지고 없었다.

「우리와 작반을 하겠다면 굳이 마다할 생각은 없네. 다만 자네가 어느 때 변심하여 우리를 해코지하려 든다면 그땐 속수무책이 아니겠는가?」

「쉰네가 변심한다 한들 행수님께서 금방 눈치를 챌 것이 아니겠습니까요.」

「그건 자네 말이 바로 맞혔네.」

「끝내 쉰네를 의심하신다면 저 어음을 불태워 버리겠습니다요.」

「그럴 거까진 없네. 갓개에도 김학준의 건방이나 여각이 있을 터인즉 가서 직전으로 바꾸게.」

「그 일이 수월할까요?」

「그럼 나더러 입체를 서란 말인가?」

「아닙니다요. 혹시 쇤네가 변심한 걸 그놈들이 알아챌까 해서지요.」

「아직까진 모르고 있을 게 아닌가.」

천동이의 행사가 거짓이란 것을 조성준이 모를 턱이 없었다. 그가 에멜무지로 툭 던진 한마디에 금방 오갈이 들어 제 본색을 털고 목숨을 간구할 정도의 사내라면 애당초 자객으로 가장하여 달려 보낼 천소례가 아니란 것을 조성준이 우선 누구보다 더 잘 알고 있었기 때문이다. 그런데도 짐짓 천동이의 말을 믿는 체한 것은 그 나름대로의 속대중이 있었기 때문이다.

그 속대중이란 것이, 천소례가 객비 조로 천동이에게 던져 준 2백 냥은 세 사람의 목숨을 결딴내 주는 대가로서는 너무나 엄청나다는 거였다. 더욱이나 천동이란 놈은 그들 문적(門籍)에 올라 있는 사노에 불과한 신세가 아닌가. 2백 냥이란 길가에게 적몰당한 손재에 비하면 보잘것없겠지만, 짐작건대 그 어음표란 더불어 다음에 건넬 거금의 상급을 약조해 주는 미끼에 해당할 뿐일 거였다. 그것은 곧 세 사람을 참살시킴으로써 얻는 이득이 그에 미친다는 뜻이겠는데, 어음표의 수결이 천소례의 것일진댄 김학준의 급사(急死)에는 천소례가 간여되었다는 증거가 또한 거기 있었다. 구태여 천동이란 놈을 닦달하여 그 흉중을 더듬지 않더라도 기백 냥과 면천이 약조된 것만은 틀림이 없었다. 또한 궐놈을 상종하여 졸가리를 따진다 한들 의뭉스러운 놈이 곧이곧대로 흉회를 토설하리란 보장도 없거니와 공연히 놈의 비위만 건드려 오히려 일을 험악하게 만들 공산이 컸다.

더욱이나 그들의 목숨을 노려 행중에 끼어들긴 하였으나 정작 자객으로서 노릴 일엔 부리도 헐지 못한 형편이 아닌가.

거섶안주*를 우적우적 씹으며 입사발이 철철 넘치도록 몇 순배를 돌리고 나니 종일 한속으로 떨던 삭신에 금방 요기(尿氣)가 뿌듯하니 배어 올랐다.

조성준이 휘장 밖으로 나와 한참 소피를 내쏟고 있는데 용익이 허겁지겁 뒤따라 나왔다.

「행수 어른, 무슨 배포가 있기에 궐놈에게 그런 말을 하오? 궐놈을 우리 행중에 그냥 두는 것은 밤마다 작두를 베고 자는 것과 다를 바가 없지 않소?」

용익이 소매를 떨치고 분연히 결을 내는 품이 예사롭지가 않았다. 거북한 침묵이 잠시 흘렀다. 조성준은 양물을 털고 괴춤을 수습한 다음,

「칼을 가까이 두는 것이 오히려 횡액을 면하는 방도일세. 어폐가 있게 들릴지는 모르지만 보이지 않는 칼보다야 내가 바라보고 있는 칼엔 피할 방도가 얼마든지 있다는 말일세.」

「그게 무슨 궤변이오? 저놈이 지금 의뭉 떨고 있다는 걸 알고 하는 말이오?」

「그게 바로 궐자를 달고 가자는 내 속내일세. 궐자가 곧이곧대로 제 속내를 털고 심지를 고쳐먹었다면 그때서야 정작 궐자를 달고 갈 일이 없지. 저놈에게 악증이 남아 있는 한 길가를 찾는 데는 우리보다 구실함이 크다는 말일세.」

「그런 농간을 부리다 되레 저놈에게 되말리면 어떡하려고 그러시오? 이참에 저놈을 혼꾸멍내어 쫓읍시다.」

---

*거섶안주 : 나물로 차린 초라한 안주.

「밉다고 차버렸더니 떡고리에 자빠지더란 말도 듣지 못했는가? 궐자를 달고 다니면서 배를 문지르고 등을 긁어 준다면 오히려 저 놈을 변심시켜 천소례의 수하에 우리의 간자를 넣을 수도 있네.」

이용익이 문득 딴전을 펴며,

「난 저놈을 병신을 만들든지 해야 직성이 풀리겠소.」

「아서, 이번만은 실수가 있어선 안 되네. 궐자의 여력이 보통 아니란 것 자네도 알지 않는가.」

두 사람은 서로 엇갈려 다시 휘장으로 들어갔다.

「오늘 여기서 하처를 잡고 내일은 군산포까지 내처 배를 타세.」

「어음은 어떡할깝쇼?」

천동이가 되물었다.

「자네 작정대로일세. 그러나 군산포까지 갈 객비라면 내게 있으니 공연히 직전으로 바꾸었다가 다시 봉적이라도 당한다면 자넨 거러지 신세를 면치 못할 것이 아닌가.」

「그렇긴 하지요.」

「길가란 놈 찾을 공론이나 하세. 적변을 당하는 통에 하룻길이 처지게 되었으니 한 수가 뒤진 셈일세. 그 위인이 만호 장안으로 들기 전에 잡아야지, 그렇지 못하면 지금까지 발서슴한 것이 헛수고일세.」

천동이도 굳이 반대할 까닭이 없었다. 세 사람을 같이 결딴내라는 사주를 받고 있는 건 사실이나 우선은 그 길가란 놈과 만나는 일이 바빴다. 다만 천동이에게 한 가지 걱정이 있다면 적굴놈들에게 빼앗긴 짧은 환도에 있었다. 그러나 군산포에만 닿으면 김학준 수하의 객주와 거래가 있는 여각이나 건방에 가서 구처할 수 있을 것이었다.

그들은 갓개에서 과객질할 만한 집을 찾아 하룻밤을 묵고 이튿날

꼭두새벽에 동자를 시켜 달게 먹고 곧장 군산포로 뜨는 배를 얻어
탔다. 전날과는 달리 활짝 갠 하늘에 물때가 좋아서 중화참쯤에 군
산포 도선목에 내릴 수 있었다. 군산포만 하여도 대처 축에 끼이는
곳이어서 도선목 근처에는 장사치들과 행인들이 시끌벅적하였고,
어물 거래는 물론이요 해창으로 가는 세곡 바리들과 경강으로 뜨는
세곡선들이 도선목에 즐비하였다.

물론 세 사람은 군산포로 오는 배 안에서 사공 한 사람이 된급살
을 맞고 갯벌에 버려졌다는 소문을 들을 수 있었는데, 그것이 수적들
이 한 짓인지 길가가 한 짓인지 발기 잡기는 어려웠어도 수적들의
짓이라면 구태여 사공놈만을 결딴낼 까닭이 없다는 것과, 도대체 사
람이 죽은 장소치고는 주위가 너무 깨끗하다는 것이었다. 살인자는
변복한 반가의 계집으로 보이는 색다른 동행이 있었다는 등 소문이
떠도는 것으로 보아, 조성준은 그가 길가임을 미루어 짐작하고 있었
다. 만약 그의 짐작대로 길가의 소행이 틀림이 없다면 궐자는 꽁무
니에 불을 단 듯 노정을 빨리 잡을 것은 빤한 이치겠는데 봉적한 일
로 한 수가 늦게 된 것은 액운인 셈이었다.

군산포에는 별장(別將)이 있었다. 도선목에는 별장과 사령·군노
들이 한 다리로 쏟아져 나와 어깻바람을 일으키며 기찰을 놓게 마련
인데 그런 낌새가 보이지 않았다. 별장이란 것들은 도선목 근처 주
막집에 틀어박혀 막창이나 사당들과 대낮부터 어울려 술추렴에 희
학질만 일삼았으니, 그깟 사공 몇 놈의 목숨이 결딴나고 적변을 당했
다는 소문이 낭자한들 일일이 현장으로 달려가서 형리를 부르고 검
시하고 보장 내어 인근 관아에 신칙을 내는 일 따위는 아예 거들떠
보지도 않았다. 그들은 그저 새벽참에 경강으로 떠나는 세곡선이나
무사히 떠나보내고 나면 하루 일이 끝나는 셈이었는데, 선혜청과 호
조(戶曹)의 불같은 성화에 감영에서도 세곡선 관리로 다른 데는 정

306

신 쓸 경황이 없었기 때문이다.

도선목의 기찰이 허술하였으니 길가가 잠주를 하는 데도 손쉬웠으리란 것도 생각할 수 있는 일이겠으나, 그러나 조성준으로선 초행이라 하더라도 군산포에서 길가의 행적을 수탐해 내지 못하면 날 샌 올빼미 꼴이겠으므로 며칠 묵새길 작정을 하더라도 도선목과 객주, 여각을 뒤져 그곳에서 묵고 있는 보부상들을 상종하여 길가의 행적을 찾아야 했다. 그것은 천동이 역시 그러하였고 천동이의 뒤를 바싹 따르고 있는 오득개도 마찬가지였다.

「자, 그럼 우린 여기서 제각기 헤어져서 백방으로 수소문해 본 다음 해 질 녘에 여기로 다시 모이도록 하세.」

사람을 찾자면 세 사람이 함께 몰려다닐 필요가 없다는 데는 천동이도 찬성이었다. 그러나 그건 조성준의 계략에 떨어진 것이니, 조성준은 길가의 행방을 수탐키 위해 수소문하여 분주를 떨고 다닐 천동이의 뒤를 밟아 보자는 심사에서 노정을 제각기 잡자고 한 것이었다. 천동이란 놈이 아무리 생각이 옹골찬 인사라 한들 제 뒤를 조성준이 밟으리란 계략만은 예상할 수 없을 터였다.

두 사람이 저자 쪽으로 내려가는 것을 기다려 천동이는 곰방대를 달여 물었다. 이제 그들의 모습이 완전히 시야에서 사라진 것을 기다려 천동이는 도선목을 왼편으로 끼고 어계가 있는 쪽으로 노정을 고쳐 잡았다. 천동이에겐 군산포가 초행길이 아니었을 뿐 아니라 김학준과 화객 간인 여각 두 곳을 알고 있었다. 그는 그 여각으로 1년에 네댓 번씩은 집사와 차인들을 따라 들락거린 터수로 여각의 차인들과 노복들과도 면분이 만만찮은 처지였다.

「하님들, 무사하시우?」

가게 문이 빼쭘하니 열린 틈으로 고개를 디밀면서 천동이가 언성 높여 알은체하자 마침 툇마루에 걸터앉았던 여각의 사노 둘이 화들짝 놀라 일어났다. 여각 봉노 부엌에는 대낮인데도 불땀 좋은 장작이 와글와글 타고 있었다.

「가만있거라, 강겡이에서 온 하님 아니시오?」

천동이 좋은 낯으로 게트림하며,

「잘도 알아보시네. 그동안 별 탈 없었수?」

「대궁밥 먹는 주제에 탈이 있었으면 밑구멍 찢어지는 탈밖에 더 있었겠소만 이번 파수엔 왜 혼자시오?」

「그럴 사정이 좀 있습니다요. 전주 어른께선 안 계시오?」

「이런 사람 보았나? 선다님이야 강겡이 대주 어른 장사(葬事)에 가시지 않았소?」

「내 이런 정신 봤나. 참 그렇지. 그러면 이를 어쩐다?」

「왜 그러시오. 한 이틀 묵고 있으면 선다님께서 쏜살같이 되짚어 오실 텐데, 긴한 일이라면 기다려 보시구려.」

「우선 한속이나 들여야겠수. 어디 빈 봉노는 없수? 화객들이 묵지 않고 있는 방 말이우.」

서사들이 쓰는 방을 오른편으로 끼고 돌면 내구 들이는 방이 따로 하나 있었다.

그중 나이 먹은 축인 사노가 천동이를 그 방으로 안내하였다.

「혹시 구레나룻이 시퍼렇고 패랭이 차림인 자가 해반주그레한 계집 하나를 동행하고 도선목에 얼씬거리는 것 못 보았소? 손이 조막손이오.」

늙은 사노가 얼핏 고개를 비틀어 꽂고 되물었다.

「그게 누구요?」

「나도 잘은 모르오. 북관 어딘가에서 온 장사치인 모양인데 삼남에 물화를 풀어 먹이러 온 위인인 모양입디다요.」

「장돌림이오?」

「그렇소.」

여각의 사노는 잠시 딴전을 펴는 듯 주저하다간,

「꼭히 그 위인이랄 수는 없소만 대충 짚이는 인사가 있긴 하군.」

「그자가 어디 있었소?」

「도선목에서가 아니라 위 여각 어름에 있는 술국집에서 한번 본 듯하오.」

에멜무지로 한마디 불쑥 던져 보았던 것인데 의외로 형용이 비슷한 인사를 보았다니 천동이는 화들짝 놀랐다간 자신도 모르게 신색이 파랗게 질리었다.

「그자가 어디 있소?」

「뭐 그 인사를 만나면 요절낼 일이라도 있소?」

「우리끼리 가타부타 따질 일이 아니오. 하님들은 그저 그자의 하처 잡은 곳만 알려 주시구려.」

「여기서 나가는 길로 왼편으로 꺾어 활 한 바탕 거리면 허씨 여각이 있소. 그 맞은편에 주파(酒婆) 혼자서 술국을 파는 주막이 있소. 거기 가서 한번 수소문해 보시오.」

노복들에게 부탁하여 짧은 환도 한 자루를 구처하여 행리에 챙긴 다음 천동이는 여각을 나섰다. 여각이 큰 봉노에는 물화를 맡긴 장사치들끼리 화매(和賣)* 기다리기 진력나서 투전판이 벌어졌는지 시끌벅적하였다. 사노들의 말대로 왼편 고샅길로 몇 칸을 못 가서 금방 허씨 여각이 나타났다. 술국집은 여각과 마주 바라보고 있었다. 술국집들이란 대개 도선목에 잇대어 있게 마련이었는데 그곳은 도선목과도 멀었거니와 저잣거리와도 멀었다.

술청에는 도포짜리 두어 놈이 앉아 허겁스레 탁국들을 들고 있었

---

*화매 : 팔 사람과 살 사람이 아무런 이의 없이 팔고 삼.

는데 천동이는 정지방으로 들어가 안돈하며 우선 술국부터 시켜 놓고 측간 출입인 체하면서 행리를 풀고 봉당으로 내려섰다. 집은 앞에서 쳐다보면 일잣집이었지만 뒷간으로 가서 소피를 보는 체하면서 두리번거리니 뒷간 옆의 추녀 끝으로 거적을 달아 내놓은 방 한칸이 더 있었는데 얼핏 장지 앞 사방돌엔 짚신 두 켤레가 나란히 놓여 있었다. 한쪽은 너부죽하니 볼이 크고 배가 부른 데 비해 한쪽은 볼이 좁은 미투리였다. 천동이는 괴춤을 수습한 뒤 가만가만 장지 앞으로 다가갔다. 방 안에는 이렇다 할 인기척이 없었다. 방 안의 동정을 살피려고 손가락에 침을 발라 장지로 가져가는데 느닷없이 목뒷덜미에 싸늘한 칼끝이 와 닿으면서 나직하나 뱃심 좋은 사내의 목소리가 들려왔다.

「이눔, 꿈쩍 마라.」

「……」

「고개를 뒤로 돌렸다간 모가지에 맞창을 낼 테다. 곱게 지게문을 열고 방 안으로 들어가자.」

「누, 누구요?」

「누구긴 누구야. 네놈이 알 만한 사람이니 그리 알고 어서 지게문을 열어, 이눔.」

칼끝이 다시 목덜미를 쑤시듯 와 박혔다.

칼을 들이댄 놈의 세력이 홍두 같은 터라 처사(處事)가 원만하기는 글렀으므로 섭수를 쓸 겨를도 없이 궐자의 영에 우선 따를 수밖에 없었다. 목소리만 들렸지 형용은 볼 수 없는 궐자가 나직이 씨부리기를,

「네놈이 뒤밟을 줄 미리 알고 내 진작부터 어살을 치고 기다렸다.」

그것은 옳은 말이었다. 군산포까지 내려온 길소개는 아무래도 뒤가 켕기는 터라 곧장 경강(京江)으로 잠주(潛走)를 하려던 당초의 작

310

정을 고쳐 잡았다. 계집에게 물어 김학준 수하의 객주와 화객 간인 군산포의 여각을 알아냈다. 여각의 전주(廛主)는 마침 김학준의 장례에 가고 없었다. 가게를 지키는 사노들에 넌짓 몇 닢을 찔러 주고는 혹시 김학준 수하의 객주에서 온 차인이 자기를 찾거든 그 숫막을 은밀히 일러 달라고 당부하여 둔 터였다. 자기를 추쇄하려는 천소례가 보낸 차인이라면 군산포에 닿는 길로 자기를 수소문하고 다닐 건 뻔한 이치이겠기 때문이었다. 천소례가 꺾자를 치고 가만히 있을 리가 만무하다는 생각이 들었기 때문이었다.

목소리를 들어 궐자가 길소개란 것을 금방 눈치 챈 천동이는 기회를 엿보기로 하고 시키는 대로 지게문을 따고 방 안으로 들어섰다. 제아무리 도저한 놈인들 수작을 트다 보면 덮칠 기회가 있겠거니 하며 막 문턱을 넘어서려는데 뒤에 선 길가가 잽싸게 딴죽을 걸어오매 천동이는 두 손을 허공에 날리며 봉노 삿자리에 턱을 끌어 박고 호되게 엎어지고 말았다. 길가가 냉큼 엎어진 천동이의 허리를 깔고 앉았다.

「이눔, 날개를 뒤로 돌려라.」

「……」

「딴청을 부렸다간 등줄기에 자고를 꽂으리라.」

말투 거센 품이 대중없이 딴청을 펴다간 살아남을 것 같지가 않았다. 천동이가 두 팔을 뒤로 돌리자 길가는 패도를 입에 물고 두 손목을 모양 좋게 결박을 지었다. 그러고는 감발을 풀어 지체 없이 아갈잡이를 하는데 생각보다는 행티가 엄중한지라 천동이는 그제야 아차 싶었다. 엎딘 채로 뒷결박을 당했으니 용뺄 재간이 있다 한들 훈수 없이 일어나기는 글러 버린 일이었다.

「이눔, 내가 누군 줄 알고 허튼수작들을 하느냐. 나를 수월하게 패에 떨어질 인사로 보았더냐.」

길가는 엎딘 천동이의 괴춤을 헐더니 바지를 벗기기 시작하였다. 바지를 홀딱 벗긴 다음 알궁둥이에다 다시 패도 끝을 들이대었다.

「이놈, 물 구경한 지가 여러 해째군. 아무리 천례인들 몸가축에 이리 게을러서야 어찌 사내구실을 온전히 하겠느냐. 기왕 사내구실 못할 놈 양물이나 잘라 줄까?」

천동이가 할 수 있는 대꾸가 있다면 허공에다 모가지를 내흔드는 일뿐이었다. 길가는 천동이의 괴춤에서 흘러나온 어음표를 꺼내 들었다.

「이놈, 어음표는 내가 챙기겠다. 그러자니 네놈을 온전히 돌려보낼 수도 없다. 네놈이 참지 못하고 발버둥을 쳤다간 아예 모가지를 맞창 내겠다. 그러나 양물만은 자르지 않을 것인즉 그것만도 다행으로 알아라.」

길가는 엉덩이를 돌려 깔고 앉더니 천동이의 감발을 풀기 시작하였다. 그 감발로 두 발바닥을 천장 쪽으로 보이게 한 다음 발목을 모양 있게 묶었다. 그리고 괴춤에 꽂았던 패도를 꺼내 뽑아선 오른쪽 발바닥을 향해 힘껏 내리찍었다. 비수는 천동이의 발바닥을 산적처럼 꿰어 샷자리 안쪽으로 깊숙이 꽂히었다. 길가는 비수를 흔들어 다시 뽑아내었다. 혼백이 허공에 뜬 천동이의 몸뚱이가 문득 시위가 풀린 활처럼 휘어지며 비명 한 번 내지르지 못하고 푸르르 떨리었고, 길가의 비수가 다시 왼쪽 발바닥을 내리찍었을 땐 천동이는 그만 기(氣)를 잃고 샷자리에 코를 틀어박고 말았다. 피가 샷자리를 낭자히 적시고 있을 제, 길가는 발목 묶은 감발을 더욱 옥죄어 지혈만을 시켜 주었다.

「이놈, 네놈의 뒷배를 봐준 천소례라는 계집에게 가서 일러라. 남의 계집을 꿰차고 장달음을 놓는 놈이 종적을 굼뜨게 놓겠느냐고. 차후에 이런 허튼수작 다시 하였다간 아예 가문을 쑥밭으로 만들겠다고 똑똑히 일러라.」

「음…….」

「향촌 저자의 악소 패거리로부터 대처의 왈짜들까지는 물론이요, 적굴의 수적놈들까지도 조리를 돌려 혼찌검을 내본 내가 허술한 네 연놈들 간계 한 번으로 앙화에 들 줄 알았다간 큰코다친다.」

도도해진 길가가 그렇게 쐐기를 박고 피를 낭자히 흘리고 있는 천동이를 버린 채 막 지게문을 열고 밖으로 나가려는 순간이었다. 지게문이 걸쇠째 부서지면서 깍짓동같이 엄장 큰 사내 하나가 맨상투바람으로 봉노로 뛰어들었다. 눈앞에 거칠 것이 없었던 사내는 제 결기를 미처 가누지 못하고 엎어진 천동이의 어깨를 넘어 짚고 빈대 핏자국이 얼룩진 맞은편 토벽을 안고 나자빠졌다. 그 기세가 자못 호특하였으나 궐자는 분명 겨루는 데는 서투른 인사였다. 그러나 놀랍게도 사내의 왼쪽 어깨에는 벌써 비수 한 자루가 깊숙이 꽂혀 있었다. 사내가 뛰어든 것은 어인 일이며 또한 어깻죽지에 박힌 비수는 무슨 연유인가 싶게 사단은 거의 눈 깜짝할 사이에 일어난 일이었다. 분명 비린내는 낭자한데 개 잡은 놈이 없는 꼴이었다.

토벽을 안고 자빠진 사내는 일순 사세가 어찌 된 영문인지 모르고 있는 듯하였다. 두 팔로 삿자리를 짚고 반몸이나마 일으키려고 요동은 하였으나 이미 어깻죽지가 무너져 내리는 듯한 무거운 중압감을 느끼었고 뒷고대에 꽂힌 비수나마 제출물로는 뽑아낼 기력조차 없게 된 것을 알았다. 신색이 하얗게 질리어 옆으로 쓰러지는 사내를 바라보며 길소개가 껄껄 웃었다.

「네놈은 세거리 주막에서 장문당했던 그 담배장수란 놈이 아니냐.」

오득개는 길가를 허옇게 쳐다볼 뿐 이미 눈자위에 안개가 서렸다.

「이놈들, 이제 보자 하니 아주 작당들을 하였구나. 이놈, 대중없이 남의 일에 까탈을 부리다가 종내 이 꼴을 당하는구나.」

길가는 득달같이 달려들어 이미 혼백이 떠버린 오득개조차 아갈잡이한 다음 뒷결박을 짓고 결박 지은 감발 한끝을 보꾹에 매달아 훈수 없는 방에서 한 발짝도 뗄 수 없게 닦달하였다.

길가라 한들 오득개가 나타난 것을 진작 눈치 챈 것은 아니었다. 길가도 거기까지만은 짐작이 가지 못했었다. 그러나 막 지게문을 열려고 걸쇠로 손을 내미는 순간, 문득 문밖의 인기척을 느끼었다. 그리고 그 인기척으로부터 순간적인 적의를 느끼었다. 길가는 그참에 법사를 넘으며 들이닥치는 오득개의 뒷덜미에다 비수를 꽂은 거였다. 드디어 오득개의 상반신이 피로 물들기 시작하였다. 짧은 배자 밖으로 피가 배어 나왔다.

「네놈도 천소례가 뒷배를 보아 주는 형편이었더냐?」

오득개는 아물아물하는 시선을 들어 길가를 쳐다볼 뿐이었다.

「……」

「명색이 자객이란 놈이 대중없이 숭어뜀만 하면 어찌하려는 거냐? 뒤웅박 쓰고 삼밭에 든 여우 새끼처럼 갈팡질팡 허둥대다간 네 한목숨 부지하기도 어렵겠다, 이놈.」

「……」

「허공잡이로 대중없이 법사를 넘다간 모가지 부러지기 십상이니라.」

길가는 오득개의 덜미에 꽂힌 비수를 뽑지도 않은 채 지게문을 열고 밖으로 나갔다. 앞마당으로 돌아가니 빈 술청에서 설거지를 하고 있던 주파가 힐끗 일별을 던지며,

「뒷방에서 꿍꿍거리는 게 뭐요?」

「별일 아니우. 주모는 모르는 체하시우. 잠시 집을 비웠다가 해 질 녘에나 돌아오시려우?」

무슨 사단이 일어난 건 분명하나 길가가 수월찮은 행하를 찔러 넣

어 주었으므로 주파는 술청을 대강 치운 다음 함지박을 찾아 이고 어계 쪽으로 나갔다. 주파로서는 길가를 설레꾼쯤으로 치부한 게 틀림이 없었다. 길가가 찔러 준 행하는 탁배기 몇 방구리*를 기를 쓰고 팔아 이문을 남기는 주파에게는 적잖은 대금이어서 설혹 뒷방에서 몇 놈이 된급살을 맞았다 하더라도 입을 다물어 줄 만하였다.

삽짝을 닫고 고샅으로 나온 길가는 한참 길을 따라 내려오다 여각 앞에서 주파와 헤어졌다. 도선목 어름에 있는 숫막에 계집을 맡겨 두었으매 신시 초에 군산포를 뜨는 세곡선단(稅穀船團)에 끼어들자면 빨리 서둘러야 했다. 이제 더 이상 지체하였다간 정말 천소례의 패에 떨어질 공산이 커졌기 때문이다.

그는 계집을 숨겨 둔 숫막으로 갔다. 따뜻한 아랫목에 볼을 붙이고 누웠다가 깜빡 잠이 든 궐녀가 화들짝 놀라 일어났다.

「채비를 하게.」

둘은 행리 챙겨 밖으로 나왔다. 도선목에는 경강으로 뜨는 세곡선들이 즐비하였다. 사선(私船)들도 조운창(漕運倉)에 징발을 당하여, 어로에 나서는 배는 과피선(瓜皮船)이나 만장이 몇 척에 불과할 정도였다.

도선목 한편에는 임시로 휘장을 치고 해창의 조운선을 관리하는 관아의 초막이 있었다. 그 초막의 조졸(漕卒) 한 놈에게 길가는 진작부터 뇌물을 찔러 주고 선단에 끼어들 수 있는 연비를 터놓고 있었다.

초막 어름으로 나아가 잠시 엿보는 사이 흑철릭 떨쳐입은 그 조졸이 때마침 밖으로 나왔다. 길가가 다가가서 수작을 걸어볼 참인데,

「이제 뜰 채비가 되었소?」

조졸이란 놈이 먼저 알아차리고 물었다.

---

*방구리 : 물을 긷는 질그릇. 동이와 비슷하나 좀 작음.

「그렇소이다. 선단은 언제 뜹니까?」

「멀리 가지 마시오. 선단이 뜨는 도선목에서 기다리다가 내가 손짓을 하거든 얼른 오르시오.」

길가는 조졸에게 넌지시 다가가 은자 몇 냥을 찔러 주었는데 조졸은 얼른 받아 철릭 속에 감추었다. 원래 조운선은 백성들이 사사로이 이용할 수 없었지만 민간의 배를 징발한 것을 빌미 삼아 백성들에게 뇌물을 받은 조졸들이 이를 편법으로 이용하였다. 별장이란 것들은 이에 뚜쟁이 노릇이었고 조졸은 얼마간의 행하를 별장에게 떼어 주기도 했었다.

그것뿐이 아니었다. 지방의 아전들과 조졸들이 서로 짜고 농간을 부려 이미 계량(計量)을 마치고 장발(裝發)*이 된 세곡들이 경강이나 선혜청에 닿기 전에 섬이 축나고 비에 젖거나 풍랑을 만났다고 꾸며 대어 세곡을 축내 놓기 일쑤였다. 때로는 이런 작간이 탄로가 나서 효수를 당하고 원악지(遠惡地)로 유배되었지만 근절될 기미는 보이지 않았다. 또한 지방의 아전이나 조졸이나 선상(船商)들뿐만이 아니라 한술 더 떠서 조정의 대신들까지도 이런 작간에 뛰어들어 사사로이 장전을 챙기었다.

지금은 광주부(廣州俯) 유수(留守)로 있는 김보현(金輔鉉)이 을해년(乙亥年) 3월부터 선혜당상(宣惠堂上)으로 있으면서, 호조 판서, 선혜청 당상, 그리고 훈련대장은 수의(隨意)로 나용(挪用)*을 한 일이 있더라도 이를 속속들이 조사하는 일이 없다는 것을 이용하여 수하인 세곡선의 조졸과 조창의 아전, 그리고 선상 모리배들을 끌어들여 보장을 고치거나 구름비를 만났다고 거짓 보고하고는 세곡을 빼돌려 자기 집 창고에 넣거나 경강의 객주들에게 팔아넘겨 은자로 모리

---

*장발 : 배 따위에 물건을 실어서 보냄.
*나용 : 돈이나 물건을 잠시 돌려 씀.

(牟利)를 취하기도 하였다. 그로 인하여 선혜청의 저축은 날로 소모되어 백성들은 앙포(仰哺)*의 길이 없었던 것은 물론 산목숨 하루를 연명하기도 어려웠거니와 김보현의 전답은 날로 비옥하고 곳곳에 정자와 누대를 지어 한껏 사죽(絲竹)*을 즐기었다. 그런데도 불구하고 김보현의 벼슬이 육판서를 두루 거치고 시강원(侍講院)의 빈객(賓客)에까지 이르렀던 것은 약관에 급제한 것처럼 사람을 부리는 재주와 지모가 여느 양반들처럼 또한 출중하였기 때문이다.

어쨌든 김보현이나 조병식과 같이 조정 대신이 부패하고 또한 그들의 수족들이 거침없이 이에 따르니 오직 죽어나는 것은 세곡을 바치고 있는 백성들일 뿐 지방의 수령들 역시 그들대로 토색질에 여념이 없었다.

작년 6월에 있었던 군산창(群山倉) 소속 대동미(大同米), 옥구(沃溝) 세태(稅太), 법성창(法聖倉)의 영광 세미(稅米), 줄포(茁浦) 그리고 고창 대동미의 건납 사건은 전주 판관, 옥구 현감 등이 선주들과 짜고 고의로 건납을 하고 있었던 것인데, 이는 고가(高價)로 수렴한 세곡을 도고(都賈)객주에 넘기고 가을에 가서 헐가로 사서 충수를 채우되 중간에 남는 이문을 착복하자는 데 있었던 것이다.

시절이 그러할진대 경선(京船), 토선(土船)을 막론하고 박료에 시달리는 조졸 따위가 샐닢의 뇌물을 챙기고 백성 몇 놈 배 태우는 일이야 무릇 작죄라고 볼 수가 없었다. 시간이 되어 세선단이 닻을 올리고 배들을 띄우자, 문득 도선목이 멀어지고 옆을 스치는 과피선 어디에선가 배따라기가 구성지게 들려왔다.

「이내 춘색은 다 지나가고 황국(黃菊) 단풍이 다시 돌아오누나. 이에, 지화자자 좋다. 천생만민(天生萬民)은 필수지업이 다 각기 달

---

*앙포 : 자손이 부모를 봉양함.
*사죽 : 현악기와 관악기란 뜻으로 '음악'을 달리 이르는 말.

라 우리는 구태여 선인(船人)이 되어 먹는 밥은 사잿밥이요, 자는
잠은 칠성판이라지. 옛날 노인 하시던 말씀은 속언속담으로 알아
를 왔더니. 금월금일 당도하니 우리도 백 년이 다 진토록 내가 어
이하잘꼬. 이에, 지화자자 좋다. 이렁저렁 행선(行船)하여 나가다
가 좌우 산천을 바라를 보니 운무는 자욱하여 동서사방을 알 수
없구나. 영좌님아, 쇠 놓아 보아라 평양의 대동강이 어디로 붙었
나. 이에, 지화자자 좋다. 연파만리(烟波萬里) 수로창파(水路滄波)
불리어 갈 제 뱃전은 너울너울 물결은 출렁…….」

과피선에서 흘러오는 배따라기에 귀를 기울이고 앉았던 계집의
눈에 가만히 눈물이 괴었다.

「이제 제 평생엔 이 땅을 밟아 보기 글렀겠지요?」

계집이 울먹이었다.

「그런 말 말게. 우리가 다시 이 땅을 밟을 적엔 벽제 소리가 요란
할걸세.」

「공연히 하는 말씀이오.」

「내 서울에 당도하는 길로 북촌으로 가서 식객 노릇을 하더라도
환로에 들 길을 찾을걸세. 하찮은 보부상쯤이야 종놈 부리듯 해야
우리 일신이 보전되고 천수를 누릴 수가 있지 않겠는가. 우리가
배를 탈 때 언뜻 도선목을 바라보았더니 팔짱 끼고 지켜선 놈들이
분명 나와 동패하던 인사들이 분명하였다네.」

길소개는 언뜻 배자를 벗어 계집의 어깨를 싸주었다. 이제 떠나온
도선목이 구름처럼 멀어 보였다.

객주 2

초 판 1쇄 발행일 · 1981년 3월 30일
개정판 1쇄 발행일 · 2003년 1월 15일
개정판 2쇄 발행일 · 2003년 1월 20일
지은이 · 김주영
펴낸이 · 임성규
펴낸곳 · 문이당

등록 · 1988. 11. 5. 제 1-832호
주소 · 서울시 성북구 동소문동 4가 111번지
전화 · 928-8741~3(영) 927-4991~2(편)
팩스 · 925-5406
ⓒ 김주영, 2003

홈페이지 http://www.munidang.com
전자우편 webmaster@munidang.com

ISBN 89-7456-200-6 03810
ISBN 89-7456-198-0 03810(전9권)